D1866360

Herrn Bernhofer
mit frdl. Gruß
K.-D. Paulsen
22/8/00

Schriftenreihe Recht und Praxis

Herausgeber
Rechtsanwalt Dr. Karl Wilhelm Pohl, Köln
Lehrbeauftragter für Medienrecht an den
Universitäten Heidelberg und Mozarteum Salzburg

Karl-Dieter Pardey

Betreuungs- und Unterbringungsrecht in der Praxis

– Ein Studienbuch –

Nomos Verlagsgesellschaft
Baden-Baden

Die Deutsche Bibliothek – CIP-Einheitsaufnahme

Ein Titeldatensatz für diese Publikation ist bei der Deutschen Bibliothek erhältlich. (http://www.ddb.de)

ISBN 3-7890-6726-1

1. Auflage 2000
© Nomos Verlagsgesellschaft, Baden-Baden 2000. Printed in Germany. Alle Rechte, auch die des Nachdrucks von Auszügen, der photomechanischen Wiedergabe und der Übersetzung, vorbehalten. Gedruckt auf alterungsbeständigem Papier.

Vorwort

Es gibt inzwischen zahlreiche Darstellungen zum Betreuungsrecht, ebenso Arbeitshilfen für BetreuerInnen. Der früher stark betonte Graben zwischen den einzelnen beteiligten Professionen scheint sich dabei zum Teil zu schließen, an manchen Stellen vielleicht schon wieder zu überdecken.

Wie sich in vielen Fortbildungs- und FHS-Veranstaltungen im Bereich sozialer Arbeit/Sozialpädagogik/Geragogik gezeigt hat, fehlt dennoch ein Einlesebuch. Ein Buch, das es ermöglicht, einen Einstieg zu finden, sich zu orientieren und dabei jeweils auch »die andere Seite« zu verstehen. Der vorliegende Text will dem Wunsch danach entsprechen. Er soll einen Überblick in die Rechtsmaterien vermitteln und die Verzahnungen in der Umsetzung verdeutlichen, die praktischen Probleme verstehbar machen. Dann wird auch deutlich werden, daß das Gesetz nur ein Raster anbietet, das ebenso zur Stützung erstrebter wie zur Blockierung unerwünschter Vorgänge eingesetzt werden kann.

Der Text wendet sich insbesondere an NichtjuristInnen, will ihnen den Zugang zu den rechtlichen Teilbereichen erleichtern und zeigen, wie seine Möglichkeiten für die PatientInnen/KlientInnen/Betroffenen genutzt werden können. Es richtet sich aber auch an juristisch vorgebildete LeserInnen in der Hoffnung, für sie zu verdeutlichen, wie viel weiter die praktischen Problemfelder sind, als es nach einem bloß juristischen Verständnis erscheinen mag.

Das Buch berücksichtigt die Möglichkeiten, andere Quellen zu erreichen, beschränkt sich deshalb an den Stellen auf bloße Hinweise, wo es einfach erscheint, weiterführende zu finden. Es ist andererseits breiter angelegt, wo eine Verständnisgrundlage geschaffen werden mußte.

Die in Anlehnung an eine Aktenführung ausführlicher dargestellten 4 Fälle enthalten naturgemäß nur einen kleinen Teil der möglichen Probleme aus der Praxis. Sie sollen vermitteln, daß die Vorgänge in der Regel viel komplexer sind, als die üblichen Ausbildungsbeispiele erwarten lassen, zugleich verdeutlichen, wie schwierig es ist, ein umfassenderes Bild der betroffenen Menschen zu ermitteln und darzustellen.

Wolfenbüttel/Wendeburg, im Mai 2000 *Karl-Dieter Pardey*

Inhaltsverzeichnis

Abkürzungsverzeichnis

a.E.	am Ende
a.F.	alte Fassung(en)
Abs.	Absatz, Absätze
Abt.	Abteilung(en)
AG	Amtsgericht
AH	Altenheim
allg.	allgemein(e)
Alt.	Alternative
Anm.	Anmerkung(en)
APH	Alten- und Pflegeheim
Art.	Artikel
AZ	Aktenzeichen
BayObLG	Bayerisches Oberstes Landesgericht
BDSG	Bundesdatenschutzgesetz
BGB	Bürgerliches Gesetzbuch
BRAGO	Bundesrechtsanwaltsgebührenordnung
BSG	Bundessozialgericht
BSHG	Bundesozialhilfegesetz
BtÄndG	Betreuungsrechtsänderungsgesetz
BtBG	Betreuungsbehördengesetz
BtPrax	Betreuungsrechtliche Praxis (Zeitschrift)
BVormVG	Berufsvormündervergütungsgesetz
bzw.	beziehungsweise
ca.	circa
d.	der/die/deren/dessen
d.h.	das heißt
etc.	et cetera
evtl.	eventuell
f./ff.	fortfolgend(e)
FamRZ	Zeitschrift für das gesamte Familienrecht (Zeitschrift)
FEVG	Gesetz über das gerichtliche Verfahren bei Freiheitsentziehungen
FGG	Gesetz über die freiwillige Gerichtsbarkeit
G	Gesetz(e)
GG	Grundgesetz
ggf.	gegebenenfalls
i.d.R.	in der Regel
i.e.	im einzelnen
i.e.S.	im engeren Sinne
i.S.d.	im Sinne des
i.ü.	im übrigen
i.V.m.	in Verbindung mit
JA	Jugendamt
JurBüro	Das juristische Büro (Zeitschrift)
JVA	Justizvollzugsanstalt

KH	Krankenhaus (häuser)
KJHG	Kinder- und Jugendhilfegesetz
lfd.	laufend(e)
LG	Landgericht
LKH	Landeskrankenhaus (häuser)
LSG	Landessozialgericht
m.w.Nachw.	mit weiteren Nachweisen
MDR	Monatsschrift für Deutsches Recht (Zeitschrift)
MedR	Medizinrecht (Zeitschrift)
Nds./nds.	Niedersachsen/niedersächsisch(en)
NJW	Neue Juristische Wochenschrift (Zeitschrift)
NLK	Nds. Landeskrankenhaus
Nr.	Nummer(n)
o.a.	oben angegeben(e/en/es)
o.ä.	oder ähnlich (e/es)
OLG	Oberlandesgericht
PsychKG	Nds. Gesetz über Hilfen und Schutzmaßnahmen für psychisch Kranke
RdLH	Rechtsdienst der Lebenshilfe (Zeitschrift)
Rpfleger	Der Deutsche Rechtspfleger (Zeitschrift)
SGB	Sozialgesetzbuch
sog.	sogenannt(e/en)
SpDienst	Sozialpsychiatrischer Dienst
str.	strittig/streitig
u.a.	unter anderem (n)
u.s.w.	und so weiter
USt.	Umsatzsteuer
VG	Vormundschaftsgericht
VVerz.	Vermögensverzeichnis
z. Zt.	zur Zeit
z.B.	zum Beispiel
z.d.A.	zu den Akten
z.T.	zum Teil
ZMR	Zeitschrift für Mietrecht- und Raumrecht (Zeitschrift)
ZPR	Zeitschrift für Rechtspolitik (Zeitschrift)
zzgl.	zuzüglich

1. Einführung

1.1 Geschichtliches

Betreuung bietet rechtliche Hilfe für Erwachsene an. Das **Bedürfnis** nach derartigen Hilfen ist alt. Praktisch jede zivilisierte Gesellschaft hatte und hat für geistig Behinderte, psychisch Kranke, Altersdemente Sonderregelungen, Regelungen, die verhindern sollen, daß die Betroffenen ausgenutzt werden. Die Ausgestaltung hängt dabei jeweils sehr vom herrschenden Personen- und Gesellschaftsbild ab. In Deutschland folgt aus diesem historisch vorgegebenen Verständnis eine Zuordnung zum Privatrecht und dort zum Familienrecht. 1

Unser Familienrecht ist vor circa 100 Jahren mit dem BGB kodifiziert, seitdem aber wiederholt grundlegend geändert worden. Die Einbindung in das ehrwürdige BGB darf nicht darüber täuschen, daß das gegenwärtige Familienrecht erst in den letzten Jahren geschaffen worden ist. Das Ehe-, Ehescheidungs- und Ehefolgenrecht ist seit 1977 grundlegend neu gefaßt und auch danach weiter modernisiert worden. 2

Das Recht der rechtlichen Hilfen für Behinderte, Altersdemente usw. war aber auch danach zunächst noch sehr überkommenen – im Kern patriarchalischen – Ideen verhaftet. Das **Betreuungsrecht** ist grundsätzlich erst **seit dem 1.1.1992** in Kraft. Vormundschaft und Gebrechlichkeitspflegschaft für Volljährige sind abgeschafft worden, um das überkommene Herrschaftsmodell durch ein **partnerschaftlich angelegtes Hilfesystem** zu ersetzen. Die nach altem Recht jedenfalls bei den Betroffenen subjektiv im Vordergrund stehenden Zwangsmechanismen sollten aufgebrochen werden. Das alte Recht war an der Gleichstellung betreuter Volljährigen mit Minderjährigen ausgerichtet. Inhaltlich und terminologisch wurden diese Vormundschaften gleich verstanden. Davon hat sich das Betreuungsrecht vom Anspruch her gelöst, wenn auch § 1908 i BGB zeigt, daß das nur teilweise gelungen ist. Bei den Betroffenen herrscht z.T. immer noch die alte Angst vor einer »Entmündigung«. 3

Das Betreuungsrecht ist in der politischen Atmosphäre der späten 80er entstanden und altenorientiert strukturiert worden. Der Gesetzgeber hatte altersdemente Klienten (Wähler) vor Augen, als er das Gesetz geschaffen hat; es war die Zeit der »Grauen Panther«. In der Praxis zeigt sich immer wieder, daß das Gesetz für die anderen Gruppen der Betroffenen nicht ohne weiteres »paßt«. So sind die unterbringungsrechtlichen Regelungen in § 1906 BGB nicht ohne weiteres für das Auffangen der mit dem Zusammenleben in Behinderteneinrichtungen auftretenden Probleme geeignet. 4

Das seit 1992 geltende Betreuungsrecht ist mit Wirkung zum 1.1.1999 teilweise geändert worden. Im Schwerpunkt ging es um die Bereinigung von Finanzierungslasten (Kosteneinsparungen) und eine **Vereinfachung des Verfahrensrechtes**. In diesem 5

Zusammenhang ist auch betont worden, daß soziale Arbeit nicht über das Betreuungsrecht vermittelt und bezahlt werden könne, sondern daß Ziel des Betreuungsrechts (nur) die Schaffung rechtlicher Vertretung, Hilfe zur Wahrnehmung der eigenen Rechte, Hilfe zur Selbstbestimmung, ist. Das ist bei der Schaffung des Betreuungsrechts zum Teil anders verstanden, jetzt ausdrücklich auf das rechtlich eigentlich immer schon Bestehende zurückgeführt worden.[1]

6 Mit **Wirkung zum 1.1.1999** ist wie folgt novelliert worden[2]: Neben einer Änderung der Bestimmungen in §§ 1896 ff BGB finden sich recht weitgehende Änderungen im FGG und es ist – gesetzestechnisch eher ungewöhnlich – ein Thementeil, nämlich Vergütungsfragen für Professionelle, ausgelagert worden in das neu geschaffene **Berufsvormündervergütungsgesetz (BVormVG)**.

7 Durch das **Betreuungsrechtsänderungsgesetz** (BtÄndG) sind die Grundlagen für Patientenverfügungen und Vorsorgevollmachten geändert (erweitert) worden und werden Gerichte wie Behörden und sonstige Beteiligte angehalten, sich werbend für ihre Errichtung einzusetzen.

Dabei scheint es ein neues gesetzgeberisches Konzept zu sein, daß der Staat zwar Fürsorge (hier Betreuung) anbietet, zugleich aber innerhalb des Regelungsbereichs dazu aufruft, dafür Sorge zu tragen, daß sie nicht greifen muß.

8 §§ 1904 und 1906 BGB sind erweitert worden. Die **Erstreckung gerichtlicher Genehmigungen** zu Handlungen auf einer Grundlage, die sonst keinem verfahrensrechtlichen Zugriff unterliegt, ist einerseits konzeptionell nichts wirklich Neues (man denke an die Genehmigungsbedürftigkeit von Handlungen im Rahmen elterlicher Sorge); neu ist andererseits schon, daß der Staat durch Genehmigungen das Handeln von rechtsgeschäftlich Bevollmächtigten zu kontrollieren sucht, ein Konzept, daß in sich eine erhebliche **Wertungsambivalenz** enthält. Einerseits wird das Selbstbestimmungsrecht betont, soll gar gestärkt werden; andererseits bleibt das **Mißtrauen gegen das Ergebnis**, gegen die Ermächtigung zum Fremdhandeln. Es wird so grundsätzlich eingeschränkt, daß statt einer Mißbrauchskontrolle ein umfassender Eingriff in den selbst bestimmten Bereich entsteht.

9 Das BtÄndG hat die **BerufsbetreuerInnen** terminologisch entdeckt, beschreibt sie als **Notlösung** (§ 1897 Abs. 6 und 7 BGB), deren Tätigkeit nur ein begrenzter Vertrauensschutz zukomme (Erleichterung der Abberufbarkeit, § 1908 b Abs. 1 S. 2. BGB), sagt ihnen eine **Vergütung** zu (BVormVG), falls es ihnen bei der Bestellung versprochen sei (§ 1908 i i.V.m. § 1836 Abs. 1 S. 2 BGB); macht deren **Bewilligung** aber davon abhängig, daß sie die Voraussetzungen darlegen und nötigenfalls glaubhaft machen (§ 56 g Abs. 2 FGG). Daneben sind sie jährlich **gesamtauskunftspflich-**

1 Das Erfordernis sozialer Arbeit für/mit diese/r Klientel ist damit nicht infrage gestellt, nur die Kostenbuchung bei den Justizhaushalten.

2 Gesetz zur Änderung des Betreuungsrechts sowie weiterer Vorschriften (Betreuungsrechtsänderungsgestz – BtÄndG) vom 25.6.1998, BGBl 1580 ff.

tig (§ 1908 k BGB). Diese Regelung hat heftigen Unmut hervorgerufen, wobei die Intensität bei denjenigen, die für die Vorschrift waren, den Verdacht verstärkt hat, daß es einer Kontrolle dieser Art bedürfe.

Die Betreuten sind im umfassenderem Umfang als bisher **erstattungspflichtig** ge- 10
worden; die **Schutzgrenzen** sind an das BSHG angelehnt.

Im **Verfahrensrecht** sind die Vorschriften über Begutachtungen bei § 1904 BGB 11
(Aufhebung des Verbots der Identität von Gutachter und Ausführende) sowie über Verfahrenspflegschaften (deutliche Senkung von Bestellungen) geändert worden. Beides enthält – darüber sollte man sich vor jeder Grundsatzdebatte klar sein – im Kern nichts anderes als eine Anpassung an die tatsächliche Handhabung der letzten Jahre. Die Praxis hat diese Weichen vorgegeben. Wer sich dem entgegen zu stemmen müssen meint, sollte sich mit den konkreten (100.000en) Verfahren beschäftigen, in denen so verfahren worden ist und auf der Grundlage darlegen, was an dieser Stelle weitergehende Vorschriften wirklich bewirken können.

Verfahrenspfleger werden jetzt – wenn sie bezahlt werden – nach den Stundensät- 12
zen des BVormVG (nicht z.B. der BRAGO) unter Ausschluß eines Teiles weitergehender Nebenkosten (z.B. Versicherung) **bezahlt.**

Ende 1999 / Anfang 2000 wurde u.a. im Zuge der Justizministerkonferenzen bereits 13
wieder die Frage aufgegriffen, ob nicht eine weitere »Bereinigung« sowie Beseitigung unvertretbarer Kostenlasten angezeigt sei. Den Ländern ist auch das seit 1999 geltende Recht noch zu teuer.

1.2 Überblick zu den Beteiligten

Jede/r lebt im Alltag mit vielen Rechtsfragen, ohne sich in der Regel damit zu be- 14
fassen, geht von einem laienhaft geprägten Vorverständnis aus und wir erwarten, daß in den wenigen Fällen, in denen wir gezwungen sind, uns mit Rechtsfragen auseinanderzusetzen, das Recht unsere Position stärkt, bestätigt. Recht wird dann in seiner dienenden Funktion betont und insbesondere im nichtjuristischen Berufsalltag oft als lästiges Begleitwerk empfunden.

Das Betreuungs- und Unterbringungsrecht bietet Regelungen an, ohne die man in 15
manchen Lebensbereichen nicht einmal **grundlegende Lebenssicherungen** vornehmen kann.

Die Eltern eines schwer geistig Behinderten werden bei Eintritt der Volljährigkeit erleben, daß sie ohne einen zusätzlichen (Betreuungs-) Ausweis nichts mehr gestalten können. Die 50jährige Tochter wird – vermutlich empört – feststellen, daß ÄrztInnen ihr die Auskunft über die Krankheit der hilflosen 80jährigen Mutter verweigern, solange sie nicht einen solchen Ausweis beibringen kann.

Dabei ist es müßig, darüber zu streiten, ob es sinnvoll war, daß der deutsche Gesetz- 16
geber (bisher) die notwendigen Anträge an ein Gericht verweist und dies auch zu den

Entscheidungen berufen hat. Denkbar und vielleicht manchmal überzeugender wären vielleicht andere Konstruktionen, wie ein Teil unserer Nachbarländer sie hat (z.B.: Prüfung durch ein Gremium, in dem auch SozialpädagogInnen, ÄrztInnen vertreten sind). An dem Grundthema, einer geordneten **Zuweisung von Verantwortung** über andere Individuen und damit auch an rückkoppelnde Kontrolle, würde sich dadurch nichts ändern. Es gilt, das bestehende System zu nutzen und im Interesse der KlientInnen/ PatientInnen/ Betroffenen schonend einzusetzen, sie dabei aber auch zugleich als GegnerInnen ernst zu nehmen. Die »wärmende« Behauptung, es werde ja ausschließlich das betrieben, was dem Wohl der Betroffenen diene, es werde für sie gehandelt, verwischt mir zu viel.

Jeder, der das behauptet, möge sich vorstellen, er liege krank im Bett und der Freund beharre darauf, er solle dort bleiben. Ob er das immer noch dankbar als Hilfe empfindet, wenn er dringend zu einem Termin will, der Freund daraufhin die Zimmertür abschließt und den Schlüssel behält?

Zum gesundheitlichen Besten mag es sein. Das ist nicht alles. Wir handeln oft anders, als unsere Umwelt es für vernünftig hält und wollen uns das in der Regel auch nicht verbieten lassen. Warum soll das dann plötzlich anders sein, wenn sie jetzt für andere handelt, handeln will?

17 Wie man mit dem Angebot des Betreuungs- und Unterbringungsrechtes umgeht, hängt nicht nur von der jeweiligen Rolle, Betroffenheit, Einbindung, sondern auch von dem jeweils gerade verfolgten Ziel ab. Der Blickwinkel auf das bestehende System wird unterschiedlich sein.

Es ist etwas anderes, ob eine ÄrztIn kurzfristig eine Lösung zur Freimachung des Krankenhausbettes für nötig hält (die Krankenkasse zahlt nicht mehr) oder eine MitarbeiterIn aus Sicht sozialer Arbeit / Sozialpädagogik / Geragogik Dinge bewegen will (z.B. Schaffung einer Wohnmöglichkeit im betreuten Wohnen mit Finanzierungssicherung), die ohne rechtliche Betreuung nicht nachhaltig veränderbar erscheinen.

18 Denkbar ist dabei im professionellen Bereich eine Beteiligung z.B. aus den oder dem Umfeld von

- Betreuungsstellen (= Betreuungsbehörden)
- (sozialen Dienste von) Einrichtungen / Heimen
- Betreuungsvereinen
- BetreuerInnen/ BerufsbetreuerInnen
- (offenen) Beratungsstellen
- ambulanten sozialen Diensten.

19 Es werden sich dann jeweils bald weitere Interessierte und **Beteiligte** melden. Um sich insoweit zu verdeutlichen, wer sonst alles noch im Kern an entsprechenden Vorgängen beteiligt sein kann, halte man sich folgende stark vereinfachte Skizze vor Augen und erwäge, was das für einen Kranken oder Behinderten, aber auch für die Angehörigen, die mit dem System bisher nicht konfrontiert waren, bedeuten kann. Es ist kein Versehen, daß **GutachterIn** und **VerfahrenspflegerIn** doppelt genannt sind.

Die verschiedenen Gerichte müssen nicht notwendig auf dieselben Personen zurückgreifen; z.T. könnte der Versuch, eine Personenidentität herzustellen, sogar problematisch sein:

Betreuungsstelle

Sozialamt Bezirksrevisor

Bank **Vormundschaftsgericht**

VermieterIn

VerfahrenspflegerIn GutachterIn

BetreuerIn

Angehörige (Allg.) Krankenhaus

Betreute/r

HausärztIn Psych.KH

Versicherung/ VerfahrenspflegerIn
Kostenträger Sozialdienst des KH

PsychKG-Gericht

GutachterIn

Heim/Einrichtung

Med. Dienst (Pflegeversicherung) Sozialdienst des Heimes

Es gibt immer wieder **Kommunikationsprobleme** zwischen MitarbeiterInnen aus 20
den Bereichen sozialer Arbeit, Behörden wie auch Gerichten und Laien. Das führt zu Enttäuschungen und Reibungsverlusten, z.T. deshalb, weil die Unterschiede in der Sprache, den Arbeitsweisen wie Aufgaben nicht zureichend wahrgenommen werden.

Bei (rein) forensisch / juristischen Bearbeitungen muß das denkbare Ziel genannt werden/ bekannt sein. Im Zivilrecht wird gefragt, wohin Sie wollen und dann geprüft, ob dafür die benötigten Voraussetzungen vorhanden sind, ggf. bewiesen werden können. Beispiel: Sie wollen nach einem Verkehrsunfall Geld. Für das Gericht sind dann nur Normen interessant, die als Rechtsfolge »Geld« (Schadensersatz) ausweisen. Danach ist zu klären, ob Sie die Voraussetzungen erfüllen. ***Oder für das Betreuungsrecht:*** *Gewollt ist rechtliche Vertretung (§ 1902 BGB). Also ist zu prüfen, ob die Voraussetzungen einer Anordnung (§ 1896*

BGB) vorliegen. Die Frage, ob das Ziel wirklich gewollt ist, ist keine, die bei rein juristischer Betrachtung besonders reflektiert wird. (Das Thema »Erforderlichkeit« beinhaltet diese Rückkoppelung nur z.T. und mit einem anderen Blickwinkel.)

21 Das Tätigkeitsfeld für die **soziale Arbeit** liegt davor und dahinter. Davor: Welches Problem existiert? Was ist erforderlich, um es zu beheben? Wie komme ich /die KlientIn dahin? Kann sie es allein? Nein? Kann ihr jemand helfen? Hat die/der eine zureichende Befugnis? Ja: Dann benötige ich das Betreuungsgericht nicht. Nein: Kann eine angeordnete Befugnis /Vertretung weiterhelfen? Dann Antrag an das Gericht. Wenn das entschieden hat: Was mache ich aus/ mit der Entscheidung; wie nutze ich sie?

22 Man kann das allgemeiner auch dahin fassen: Zur Problembewältigung wird man zunächst die **Tatsachen sammeln**, versuchen, das Problem zu beschreiben. Dann wird man das Ziel bestimmen und sich überlegen, wie man dahin kommt. Dazu ist zu klären, wer wann was macht und wie der Fortschritt, wie ein Erfolg festgestellt und gesichert werden kann. Wenn Sie einen **Antrag** an das Gericht richten, sollten Sie **mehr** liefern können **als** nur eine **Problembeschreibung**.

1.3 Gesetzliche Grundlagen

23 Es gibt **kein** geltendes »Betreuungsgesetz«. Das Betreuungsrecht ist vielmehr im Schwerpunkt in das **Bürgerliche Gesetzbuch** (BGB) integriert (§§ 1896 ff BGB).

Das zugehörige Verfahrensrecht findet sich im **Gesetz über die Freiwillige Gerichtsbarkeit (FGG)**.

Ab dem 1.1.1999 sind die Regeln über die Bezahlung der BerufsvormünderInnen und BerufsbetreuerInnen wieder ausgegliedert worden und jetzt im **Berufsvormündervergütungsgesetz** zu finden. Es ist auch auf Vergütungen von VerfahrenspflegerInnen anwendbar.

24 Unterbringungen können aus dem Betreuungsrecht (über das BGB) wie nach öffentlichem Recht erfolgen. Wenn sie nach öffentlichem Recht durchgeführt werden, erfolgt das i.d.R. nach den sog. **PsychKG** oder Unterbringungsgesetzen der Länder. Es gibt in allen Bundesländern derartige Gesetze, die weitgehend inhaltsgleich sind. In dem hier vorliegenden Text wird das niedersächsische PsychKG als Modell herangezogen. Es sind insoweit die wesentlichen Bestimmungen mit abgedruckt. Bei Vorgängen in anderen Bundesländern wäre jeweils das dort geltende PsychKG bzw. Unterbringungsgesetz heranzuziehen.

Das Unterbringungsverfahrensrecht findet sich (bundeseinheitlich) im FGG (§§ 70 ff).

Die Tätigkeit der Betreuungsbehörden ist im **Betreuungsbehördengesetz** (auf Bundesebene) geregelt. 25

Die Bundesländer haben **Ausführungsgesetze** zum Betreuungsrecht erlassen, in denen z.B. die Frage der Anerkennung von Betreuungsvereinen, ggf. Finanzierungsfragen, Zuständigkeiten etc. geregelt sind. (Die niedersächsichen Betreuungsbehörden heißen danach z.B. Betreuungsstellen.) 26

2. Voraussetzungen einer Betreuung

27 Für Volljährige (Personen ab 18 Jahre § 2 BGB) kann eine **Betreuung** eingerichtet werden, wenn dies erforderlich erscheint, weil sie auf Grund einer der in § 1896 BGB genannten Beeinträchtigungen außerstande sind, ihre eigenen Angelegenheiten zureichend wahrzunehmen, sie hilfsbedürftig i.S.d. BGB sind, **rechtlicher Vertretung** bedürfen (§ 1897 Abs. 1 S. 1 BGB).

28 Nicht nur Angehörige betroffener Behinderten fragen oft: was soll das? Wir sind doch da und helfen und im übrigen wird die HausärztIn schon das Nötige tun. Welcher Sinn liegt darin, noch jemanden mit so viel Aufwand auszusuchen und formal zu legitimieren?

»Ich kümmere mich seit 15 Jahren um meine Tante und keiner hat sich je darum geschert. Auch Sie werden die Arbeit nicht machen. Wenn Sie jetzt herkommen und einen solchen Wind machen, können Sie sie gleich mitnehmen. Schnallen Sie sie sich auf den Buckel.« (Äußerung eines mit dem anlaufenden Betreuungsverfahren konfrontierten pflegenden Angehörigen.)

29 Ein weiteres Beispiel soll deutlich machen, daß wir alle unsere **Selbstentscheidungsmöglichkeit** für wichtig halten, darauf beharren, selbst regeln zu können, was mit uns gemacht wird, selbst und gerade wenn Probleme eintreten, es uns schlecht geht, auch noch dann, wenn wir vielleicht nicht optimal in der Lage sind, die Dinge »richtig« einzuschätzen.

30 *Stellen Sie sich dazu vor: Sie sind krank. Die ÄrztIn kommt und sagt, »das kriegen wir schon hin.« Sie bereitet eine Spritze vor. Auf Ihre Frage, was das sei, hören Sie etwas von »Cortison« und »nicht aufregen, kein Problem«.*[3] *Fühlt sich das für Sie immer noch »in Ordnung« an, weil es eine ÄrztIn will? Wird die Sache besser, wenn Sie auf Ihren Protest zu hören bekommen, das sei schon mit Ihrem Freund/Lebenspartner/Ihren Eltern besprochen? Die hielten das auch für gut.*

31 Es entspricht dem **Menschenbild des Grundgesetzes** (GG), dessen Individualitätsgarantie und den Freiheitsrechten, daß grundsätzlich nur die jeweils selbst Betroffene wirksam bestimmen kann, was mit ihr geschehen soll. Nur für **Minderjährige** ist ein **besonderes Schutzsystem** vorgesehen, weil sie in ihren ersten Lebensphasen immer hilfebedürftig sind. Das GG sieht andererseits bewußt davon ab, die **Rechte anderer Personen** in dieser Form zu relativieren. Sie sind damit umfassend betont, können nur in einem besonderen formalisierten Prozeß eingebunden werden, wenn die formalen Voraussetzungen und das Schutzziel es rechtfertigen. Dem will das Betreuungsrecht Rechnung tragen. Es enthält die einzelgesetzliche Ausprägung, so daß Sie bitte im Alltag (zunächst nur) diese einzelgesetzliche Regelung heranziehen. Die

3 Sagen Sie nicht so etwas gibt es nicht mehr. 1999 mußte der BGH sich mit einer Sache befassen, bei der zwei Ärzte eine Frau im Zuge einer Kaiserschnittentbindung sterilisiert hatten, »weil es besser für sie war«. Die Frau hatte vorher ausdrücklich erklärt hatte, das solle nicht geschehen.

grundrechtlichen Garantien stehen hinter all dem, bieten in der Regel aber keine Anwendungsstrategien und der zu frühe Rückgriff auf sehr Allgemeines zeigt nicht die Stärke der Argumentation, sondern oft nur Hilflosigkeit.

Zur Wiederholung: *In Laienkreisen wird manchmal noch die Ansicht vertreten, eine Betreuung sei nicht erforderlich,* ***wenn ein Verwandter*** *die erforderlichen Dinge regele. Diese Bewertung enthält einen doppelten Denkfehler. Wenn durch bloß tatsächliches Handeln die Probleme aufgefangen werden können, ist nie eine Betreuung erforderlich, gleich ob ein Verwandter oder ein Dritter sich kümmert oder kümmern muß. Ist dagegen rechtsgeschäftliches Handeln nötig, nützt die Anwesenheit eines Verwandten ebensowenig wie die eines hilfsbereiten Freundes. Es gibt keine rechtlich anerkannte Vertretungsmacht für Eltern (erwachsener Kinder), Eheleute usw.; schon gar nicht für entfernter Verwandte.* 32

Eine mich behandelnde ÄrztIn darf ohne mein Einverständnis meiner Frau ***nicht*** *einmal etwas über meinen Gesundheitszustand auch nur erzählen. Wenn ich bewußtlos bin, nützt ihre Zustimmung rechtlich ebenfalls nichts. Daß nicht einmal alle ÄrztInnen dies wissen oder z.T. bewußt dagegen verstoßen, legitimiert nicht deren Verhaltensweise. I.ü. spricht sich das bei immer mehr Krankenhäusern herum, weshalb ein nicht unerheblicher Teil der Betreuungen z.B. Bewußtlose in Krankenhaus betrifft (Unfallopfer, nach Schlaganfall etc.).*

Verwandte oder FreundInnen können als Bevollmächtigte in Betracht kommen, sind aber nicht als solche handlungsbefugt, erst dann, wenn sie über eine wirksame Vollmacht verfügen. 33

Das **Ziel einer Betreuung** ist die Begründung von **Vertretungskompetenz** (vgl. § 1902 BGB), die natürlich mit einer tatsächlichen »Betreuung« im Innenverhältnis einhergeht. Bei Laien führt der Begriff »Betreuung« oft zu Mißverständnissen. Betreuung verschafft grundsätzlich keine Dienstleistung, sondern eine/n Vertretungsberechtigte/n. Allein **tatsächliche Betreuungsdefizite** sollen dadurch nicht aufgearbeitet werden. Versorgung mit Lebensmitteln, Essen, Vermüllungsprobleme etc. sind nur dann über eine Betreuung »lösbar«, wenn es darum geht, durch Entscheidung, nötigenfalls auch gegen den Willen des Betroffenen, diese Fragen zu regeln, Vereinbarungen im Namen des Betroffenen zu schließen, z.B. Pflegedienste etc. zu organisieren. Die Abwicklung (das Putzen etc.) ist nicht Sache des/r BetreuerIn. 34

Daneben ist die Anordnung einer Betreuung auch dann möglich, wenn es darum geht, eine/n **Bevollmächtigte/n** zu **kontrollieren**, ggf. auch die Vollmacht zu widerrufen.

2.1 Rechtliche Voraussetzungen

Eine Betreuung ist möglich bei 35

- psychischen Erkrankungen oder
- geistigen Behinderungen oder
- seelischen Behinderungen oder
- (nur) körperlichen Behinderungen.

36 Als »**psychische Krankheiten**« werden erfaßt:

Alle nicht körperlich begründbaren seelischen Erkrankungen, auch seelische Störungen, die körperliche Ursachen haben sowie Abhängigkeitserkrankungen mit Folgeproblemen[4].

37 »**Geistige Behinderungen**« meint:

Durch Geburtsschädigungen wie durch Hirnschädigungen erworbene Intelligenzdefekte.

38 Unter »**seelischen Behinderungen**« werden verstanden:

Bleibende psychische Beeinträchtigungen, insbesondere als Folge psychischer Erkrankungen sowie als Auswirkung des Altersabbaus.

39 In den praktischen Vorgängen werden oft **Mischformen** vorliegen. So ist bei den Fällen 2 bis 4[5] durchaus zweifelhaft, welchem Bereich die Betroffenen jeweils zuzuordnen sind. Steht mehr die jeweilige akute Erkrankung oder das Grundleiden, die Behinderung im Vordergrund? Erfahrungsgemäß hilft es nicht weiter, darüber grundsätzlich zu streiten. Es sollte vielmehr vorrangig versucht werden, **das konkrete Lebensproblem** und seine Einbettung zu beschreiben.

*Es zeigt sich im Alltag, daß Betreuung als rechtliches Instrument dann nutzbar ist, wenn **1.** ein Behinderungsproblem oder eine psychische Krankheit Bestätigung findet, sich **2.** daraus eine Beeinträchtigung in der Wahrnehmung eigener Rechte oder Interessen ergibt und ein **3.** konkretes Ziel aus dem Interessenbereich der Betroffenen beschreibbar ist, das **4.** ohne die Anordnung nicht wirksam erreichbar erscheint.*

40 Es leben z.B. viele Personen mit erheblichen sozialen Problemen zuzüglich erheblicher **Schulden**, ohne daß für sie Betreuungen bestehen oder erwogen werden. Wenn sich in der **Schuldnerberatung** zeigt, daß ihnen so nicht zu helfen ist, gibt es Situationen, die zu einer Betreuung für diesen engen Bereich (Aufgabenkreis z.B.: Wahrnehmung der Rechte der Betreuten im Zusammenhang mit einer Schuldenregulierung) führen können. Es gibt solche Betreuungen. Voraussetzung ist dabei nur noch, daß eine GutachterIn die sozialen Koordinationsprobleme und dem (fehlenden) Befähigungsgrad die Qualität einer (spezifischen aber zureichenden) Behinderung zuschreibt (denkbar z.B.: abweichendes soziales Verhalten i.V.m. depressiven Störungen?) und das Gericht bereit ist, den Weg zum erstrebten Ziel über eine Betreuung mitzutragen. Wenn die Betroffene sich wehrt, wird der Begründungsaufwand größer, es erfahrungsgemäß dennoch nicht aussichtslos sein, ihr diese Hilfe aufzudrängen (natürlich nicht jeder SchuldnerIn!).

4 Abhängigkeit allein genügt nicht für die Anordnung einer Betreuung; es müssen Folgeprobleme eingetreten sein, BayObLG FamRZ 1999, 1306 m.w.Nachw.

5 Vgl. die ausführlichen Fallbeispiele a.E. des Buches.

Alle 4 Elemente müssen ernst genommen werden, alle zu bejahen sein. **Behinderung allein ist kein Anordnungsgrund**. Nicht jede geistig oder seelisch Behinderte benötigt eine Betreuung. 41

Auch die Unfähigkeit zu Lesen und zu Schreiben ist kein Betreuungsgrund. Selbst aus der Kombination würde sich noch keine Betreuungsanlaß ergeben. Eine geistig Behinderte, die ihr Leseproblem kennt und in dem Sinne akzeptiert, daß sie sich entsprechende Hilfe sucht, benötigt keine Betreuung, auch nicht für finanzielle Dinge.

Andererseits ist es verfehlt, diese Möglichkeit, Hilfe zu suchen bzw. zu gewähren, 42 als Allheilgegenmittel zu sehen. Diese **Hilfe nützt nur dann**, wenn damit **wirksame Maßnahmen** möglich sind.

Ein geistig Behinderter mit unterstellt so starker Behinderung, daß er nach § 104 Nr. 2 BGB geschäftsunfähig ist (kraft Gesetzes, ohne daß irgendwer irgend etwas veranlaßt hätte), kann auch mit Hilfe rechtgeschäftlich nichts wirksam bewirken. Selbst exzessive Hilfe der Eltern nützt nichts, auch wenn er sie akzeptiert.

Eine einwilligungsunfähige geistig Behinderte kann über ärztliche Maßnahmen nicht wirksam entscheiden, nicht einwilligen. Die »Hilfe« der Einrichtungsmitarbeiterinnen und der gute Wille der ÄrztIn bewirkt nichts. Die rechtliche Entscheidungskompetenz ist notwendig.

Dieses Beispiel macht zugleich deutlich, daß es unsinnig ist, z.B. aus **Alten- oder** 43 **Behinderteneinrichtungen** Betreuungen jeweils (erst) dann anzuregen, wenn es Probleme mit dem Geld gibt. Das »Mitspielen« der ÄrztInnen usw., auf das dabei gerne verwiesen wird, hat bei kritischer Betrachtung einen recht manipulativen Charakter. Der weitere Einwand, es sei auch im Interesse der Betroffenen, ihr das gerichtliche Verfahren zu ersparen, solange es irgendwie möglich sei, hat m.E. einen ähnlichen Hintergrund. Es gibt Betroffene, die sich mit dem Gericht schwer tun. Gibt es nicht ebenso viele, wenn nicht mehr, Einrichtungen, MitarbeiterInnen, Heime, Krankenhäuser, die genauso viele oder mehr Probleme mit dem Verfahren haben und empört oder verstört auf den vermeintlichen Rechtfertigungsdruck reagieren? Ist das (»**Wir regeln das schon richtig**«) wirklich noch und nur Abwehr im Interesse der Betroffenen?

»Die Betreuer kümmern sich ja doch um nichts und wir müssen dann alles wieder alleine machen«. Dieser Einwand klingt ein bißchen nach klassischem Beamtenwitz. Im übrigen: Wenn ein (rechtliches) Instrument im Einzelfall versagt, mag es Anlaß geben, bei der dann betroffenen Person nachzubessern. Anlaß zur Systemverweigerung dürfte es nicht sein können.

Es gibt wenige Betreuungen, die für Betroffene angeordnet werden, die ausschließ- 44 lich **körperliche Behinderungen** haben. Solche Betreuungen könne nur auf den eigenen Antrag eingerichtet werden (§ 1896 Abs. 1 S. 3 BGB), es sei denn, die Betroffene kann den Willen nicht kundtun. Im letzteren Fall wird sich in der Praxis in der Regel die Annahme überdeckend auswirken, das dann auch die mangelnde Beeinträchtigung nicht feststeht, im Zweifel oft auch eine weitere Behinderung gegeben sein wird.

So mag es bei einer Schlaganfallpatientin mit Sprachlähmung und fehlender Schreibmöglichkeit aus den Reaktionen naheliegen, daß sie viel (alles?) versteht, sie damit »nur« körperlich behindert ist. Sicher ist das nicht. Wenn Regelungsbedarf besteht, wird die Praxis (Angehörige, ÄrztIn, Dienste) sich mit ihrer Ablehnung nicht begnügen sondern annehmen, daß wohl auch sonstige Defizite bestehen und auf eine »Zwangs-« Betreuung drängen.

45 Wenn einmal ein Antrag durch eine ausschließlich **Körperbehinderte** gestellt werden sollte, wird in der Regel darauf verwiesen, daß es möglich ist, das bestehende Problem durch selbst bestellte **Vertretungen (Vollmachten)** zu regeln.

2.2 Tatsächliche Problemfelder

46 Betreuungen kommen insbesondere für 3 große **Gruppen von Betroffenen** in Betracht: 1.: für Personen, die aufgrund **besonderen Altersabbaus** nicht mehr in der Lage sind, sich zureichend um die eigenen Angelegenheiten zu sorgen (seelische Behinderungen); zum anderen 2.: für Erwachsene mit **angeborenen oder erworbenen** (geistigen) **Behinderungen**; schließlich 3.: für solche mit psychischen **Krankheiten und Sucht- sowie Unfallopfer**. Die hier genannte Reihenfolge entspricht der Häufigkeitsabstufung in der Praxis.

47 Insgesamt soll es im Bundesgebiet für **mehr als 800.000 Menschen (1995: 624.695) Betreuungen** geben[6], wobei vieles dafür spricht, daß ein erhebliches »Reservoir« an Betroffenen vorhanden ist[7]. Von Ende 1992 bis Ende 1998 hat sich die Zahl der bestehenden Betreuungen fast verdoppelt. Die Betreutendichte (Betreute pro 1.000 Einwohner) schwankt in den einzelnen Bundesländern zwischen 5,2 (Baden-Württemberg) und 9,2 (Berlin).

Zur Veranschaulichung werden hier einige einführende **Fallbeispiele** dargestellt. Sie sollen das Bewußtsein für die Bandbreite der Fragestellungen vermitteln, sind deshalb jeweils nur problematisiert, werden nicht abschließend »aufgelöst«.

Um die in den Fällen enthaltenen Probleme zu erfassen, wäre eine denkbare, nicht als Checkliste mißzuverstehende **Vorgehensweise** folgende[8]:

- Sachverhalt klären, insbesondere: Inhalt des bisherigen Vorlaufs, bisheriger Problemlösungsversuche, Einschätzung der Stadien der Einsichtsfähigkeit; welche Stellen waren bisher mit welchem Erfolg beteiligt? Was ist nötig? Wie ist es erreichbar? Was passiert ohne Maßnahmen?

6 Coeppicus Rpfleger 2000, 50 bei dort Fußn. 5

7 Es wird auch behauptet, es gebe in Deutschland ca. 6 Mio. nicht einwilligungsfähige Menschen, für die grundsätzlich eine Betreuung geboten sei.

8 Diese und die später folg. Kontrollisten für Betreuertätigkeiten sind von einem Berufsbetreuer, der u.a. bei dem AG Wolfenbüttel tätig ist, Herrn Heitkamp, Denkte, erstellt worden.

- Untersuchung von Alternativen (andere Hilfen; Sozialanamnese), Abgrenzungen der Notwendigkeit der erwogenen Maßnahmen,
- (Erneuter) Versuch zur Beteiligung des Betroffenen/Strukturgespräche mit Angehörigen,
- Wer kommt als Handelnder in Betracht? Wer verfolgt dabei welche Interessen? Interessenkollisionen?
- Beratung durch Spezialdienste, Betreuungsstelle suchen.
- Sind ärztliche, andere soziale Fachdienste einzuschalten/möglich? Sind denkbare Handlungsstrategien rechtlich fundiert?
- Überprüfung der Notwendigkeit einer Umsetzung eines etwaigen gerichtlichen Beschlusses (Auswertung des Inhalts/Was hat das Gericht entschieden/Rechtsbehelfe?).
- Genügt die eigene Verwaltungs- und Wirtschaftkompetenz/Fachinformationen nötig?
- Klärung der Innenbeziehung/en.
- Abschätzen und Erörtern der persönlichen Gefährdung von bei der Umsetzung Beteiligter.
- Koordination der einzuleitenden Aktivitäten/ Problematisierung der Gesprächskompetenz (Hilfen erforderlich?).
- Anwesenheits- und Mitwirkungspflichten vor Ort.
- Grenzen bestimmen (z.B.: welche hat der Betreute, welche braucht er/sie).
- Tagesstrukturen klären/prüfen/sichern.
- Permanente Überprüfung, ob die Maßnahmen in vollem Umfang weiterhin notwendig sind/Was geschieht bei Bruch getroffener Vereinbarungen? Waren sie klar genug?
- Berichte über Eingangserfahrungen/-auswertungen/Durchführung und gegebenenfalls Verlauf an das VG.
- Fristenprüfung.

Dagegen wird das **Gericht** eher wie folgt vorgehen: **48**

- Prüfung eines Antrages/Anregung
- ärztliches Zeugnis/Gutachten und sonstige Stellungnahmen anfordern
- Sachverhalt bewerten
- gegebenenfalls Verfahrenspfleger bestellen
- Anhörungsmaßnahmen
- Beschluß fassen
- Beschluß technisch umsetzen
- Fristenprüfung

Es gibt nur wenige GerichtsmitarbeiterInnen, die für Rechts**belehrungen** durch EinrichtungsmitarbeiterInnen, BetreuerInnen usw. dankbar sind. Deshalb sollte ein Anliegen offen thematisiert und nicht in einen Vorwurf verkleidet werden. Sagen Sie, was Sie wollen und beanstanden nicht (nur), was andere angeblich falsch gemacht haben.

49 Bei den folgenden Fällen werden z.T. Ansätze für die Bearbeitung oder systematische Hinweise genannt. Diese Hinweise sind modellhaft zu verstehen. Versuchen Sie i.ü. die folgenden Fälle nach Maßgabe obiger Anregungen aus den Blickwinkeln der verschiedenen Arbeitsfelder zu sehen und dabei auch zu überlegen, was jeweils im Umfeld wichtig werden kann:

50 *Eine 77jährige kommt nach einem Schlaganfall in ein Krankenhaus. Von dort wird als einziger erreichbarer Verwandter ein Neffe benachrichtigt, der bei dem VG die Einrichtung einer Betreuung beantragt, um die erforderliche Heimunterbringung zu ermöglichen.*

Vorgegebener Blickwinkel: Betreuungsgericht. Also: Liegen die Voraussetzungen des § 1896 BGB vor? Schritt für Schritt durchprüfen. Mögliche Rechtsfolge: Anordnung einer Betreuung. Was ist dazu zuvor erforderlich? Wer ist zu beteiligen? Arzt/Betreuungsstelle/Angehörige/Betroffene/BetreuerIn. Wer entscheidet? Inhalt: Wer soll es machen? Umfang/Aufgabenkreise?

51 *Der Sozialdienst eines Krankenhaus beantragt die Einrichtung einer Betreuung. Ein 59jähriger Mann, Alkoholiker, ist gestürzt, komplizierte Brüche. Er will nicht im Krankenhaus bleiben oder in einer sonstigen Einrichtung.*

Ist die Anregung sinnvoll? Wo liegt das Problem? Was wäre das Ziel? Wie kann man dahin kommen? Wer könnte das sicherstellen?

52 *Eine Mutter ist für ihre 22jährige Tochter zur Betreuerin bestellt. Die Tochter ist häufig im LKH. Es kommt zu Auseinandersetzungen zwischen Ärzten und Mutter. Ein Verein wird bestellt. Der beschwert sich, die Mutter mische sich immer noch unvertretbar ein. Die Betreute will wieder die Mutter als BetreuerIn haben.*

Ziel: Umbestellung. Wann können Betreuer abberufen werden? Wer bestimmt, wer Betreuer wird? Beschwerdemöglichkeiten?[9]

53 *Schwestern streiten sich darum, ob eine Betreuung für ihren Vater erforderlich sei. Er wird von der Betreuungsstelle besucht, ist körperlich fit und orientiert. Er lebt bei der Tochter, die nicht beantragt hat. Die andere lebt im Streit mit ihr und »wollte mal, daß die Behörden dafür sorgen, daß Ordnung in den Dreckstall kommt«, wie sie auf Rückfrage erklärt.*

Der Fall verweist auf den Aufklärungsbedarf. Es kommt nicht nur darauf an, was (angeblich) ist, wer mit wem im Streit worüber liegt, sondern auch darauf, wie diese Behauptungen sich bei der Betrachtung »von außen« für den Betroffenen darstellen. Subjektiv können beide Schwestern »Recht« haben. Um die Schwestern geht es bei der Betreuung aber allenfalls am Rande.

54 Vor oder neben der (materiellen) juristischen Bewertung können **Beweisfragen** entstehen, die mit dem materiellen Problem nicht zwangsläufig etwas zu tun haben. Beides darf nicht miteinander vermischt werden. Leider ist es ein häufiges Argumentationsmuster, wenn einem das absehbare Ergebnis nicht gefällt, »Nebel« zu produzieren. Man stellt dann gerne die Tatsachen (erneut) infrage. Das hilft nicht weiter. Tatsachenklärung ist eine Ebene, die Bewertung eine andere. Die Schwierigkeit liegt

9 Es handelt sich dabei um einen klassischen Konfliktherd. Es ist im Alltag oft nicht ganz leicht, derartige familiale Verquickungen aufzulösen. Die Idee, wohlmeinende Angehörige seien die optimalen AnsprechpartnerInnen und HilfeleisterInnen, entstammt leider nicht ganz selten leicht widerlegbarer Alltagstheorie.

dabei aber leider darin, daß man oft erst über die Bewertung weiß, welche Tatsachen man braucht.

Ähnlich bei folgenden Fällen:

Ein Mann (67 J.) lebt allein. Ein Arzt sagt nach einem Hausbesuch, alles sei total verdreckt. Die Situation sei unhaltbar, er müsse sofort in ein Heim gebracht werden, um sein Überleben zu sichern. Der Sozialpsychiatrische Dienst sagt, wie die Kinder des Mannes, das sei nicht wahr. Er sei vielleicht manchmal betrunken. Sonst sei aber alles in Ordnung. Es handele sich um ***hinnehmbare hygienische Verhältnisse****.*

Nach welchem (bürgerlichen) Muster sind die Vorgänge zu bewerten? Wer bestimmt, was »hinnehmbar« ist?

Eine Mutter hat einen Sohn mit Geburtsschaden (Fehler der Klinik). Das Krankenhaus hat als Abfindung **55**
600.000.- DM gezahlt. Im Gericht besteht Sorge, daß die Mutter für sich und das andere Geschwister das Geld aufbraucht. Die Mutter erklärt auf Frage, alle haben etwas davon, »warum ich nicht«.

Familiale Hilfe *ist wichtig. Es können sich aber Zielkonflikte ergeben. Wenn man die Mutter ablöst, um das Geld für die Versorgung des Jungen zu retten, besteht die Gefahr, daß sie sich weigert, sich ihm weiter zuzuwenden, zumal sie das sehr deutlich betont hat.*

Der Leser sage nicht: das tut sie nicht. Er würde dann in der o.a. beschriebenen Weise[10] *die Tatsachenebene verschieben. Wie kann man sicherstellen, daß beide Interessen des Jungen gewahrt werden (persönliche Zuwendung und finanzieller Schutz)? Die Interessen der Mutter interessieren nur in der Auswirkung auf den Jungen. Klient ist der Junge.*

*»****Vermüllungsfall****« (Mutter, 85 Jahre, und Tochter, 60 Jahre). Die Tochter soll Wahnideen haben. Die* **56**
Mutter sei infiziert. Sie leben isoliert, aber selbständig und lehnen jede Hilfe ab. Ein Eingriff würde eine Hospitalisierungsgefahr begründen, weil anders nicht auf die beiden einzuwirken ist.

*Hier liegen die Voraussetzungen einer Betreuung vor. Aber: Zielkontrolle. Wem nützt die Erledigung auf diesem Weg? Andererseits: Wer trägt die Risiken des Nichthandelns? Welche Möglichkeiten der »****Entmüllung****« gibt es über eine Betreuung; Aufgabenkreise/ Eingriffsmöglichkeiten?*

45jährige mit frühkindlich erlittenem Hirnschaden. Sie lebt bei den Eltern. Der Arzt attestiert, sie sei **57**
ohne die Eltern »völlig hilflos«. Bei dem Gespräch mit der Betroffenen und den Eltern ergibt sich, daß die Betreute jährlich einmal mit ihrem Freund mehrtägige Bustouren unternimmt und i.ü. die Eltern geregelt haben, daß die Tochter (allein) in der Wohnung weiter wohnen kann bzw. soll, wenn sie sterben sollten.

Ist die Tochter »völlig hilflos«? Wieder einmal: Wie ist das Verhältnis der Eltern zu der Tochter? Welches Interesse kann die Tochter wirklich daran haben, in dem Haus so eingebunden zu sein, daß sie dort später allein lebt? Welche Chancen hat sie dann noch für sich?

Ein Paar, nicht verheiratet. Der Hausarzt sagt: Beide sind gesund, orientiert, keine Betreuung erforder- **58**
lich. Der Sozialpsychiatrischer Dienst (Arzt) sagt: Es liegen ***Wahnideen*** *vor, die eine Betreuung erforderlich machten. Sie behaupten, andere schütteten in der Wohnung Sand aus (und zeigen den auch säckeweise). Eine Betreuung wird angeordnet. Sie entziehen sich auch dem bestellten Betreuer wie gerichtlichen Kontaktversuchen durch häufige Umzüge.*

Ähnlich wie in dem »Vermüllungsfall«: Was kann die Betreuung für die beiden bewirken? Wie sinnvoll ist es, Zwang einzusetzen, um den zugewiesenen Kontakt, die aufgedrängte Hilfe umzusetzen? Im Hintergrund stand ein »PKH-Drehtürproblem«. Die behandelnden Ärzte gingen von »mangelnder« Krankheitseinsicht aus, stritten dabei untereinander darüber, welche Medikation sinnvoll sei und wie weit es im Interesse der Beteiligten sinnvoll sei, sie regelmäßiger ärztlicher Behandlung (zwangsweise) zuzufüh-

10 Rn. 54

ren oder ob nicht die Phasen der Klinikaufenthalte für die Beteiligten ertragbarer erscheinen. (Keiner wußte i.ü. genau, welchen Gehalt die ***Verfolgungsideen*** *hatten und was das (subj.) Bewußtsein des Verfolgtwerdens für die Betroffenen bedeutete.)*

59 *Eine allein lebende Türkin (55 J.) hatte einen Schlaganfall, der Teillähmungen und nicht unerhebliche sprachliche Behinderungen zurückließ. Es ist unklar, was von ihren Äußerungen zu angeblichen Verfolgungen zu halten ist. Der Arzt meint (wohl nicht ganz fernliegend), man müsse als behinderter Ausländer in Deutschland nicht unbedingt Wahnideen haben, um sich vor (manchen) Nachbarn zu fürchten.*

Besteht ein ***Betreuungsbedarf****?*

60 *Martin, 24 Jahre alt, kommt nach Suicidversuch gemäß PsychKG in das LKH. Er erklärt sich nach wenigen Tagen bereit, freiwillig zu bleiben. Der PsychKG-Beschluß wird deshalb aufgehoben. Der Stationsarzt regt bei dem Amtsgericht (Betreuungssachen) an, eine Betreuung einzurichten, um die beabsichtigte Umsetzung in eine Therapie zu ermöglichen. Die Krankenkasse dränge auf Entlassung (Kosten). Martin sei außerstande, die erforderlichen Dinge eigenverantwortlich zu klären. Im Amtsgericht findet sich ein bereits laufender Betreuungsvorgang für Martin mit dem Aufgabenkreis »Vermögenssorge«. Bestellt worden ist vor zwei Jahren eine Rechtsanwältin, die jetzt eine Kanzlei 200 km entfernt unterhält. Sie hatte ihn in mehreren Verfahren vertreten und war auf Anregung des sozialpsychiatrischen Dienstes eingesetzt worden, der betont hatte, Martin sei außerstande, seine Schulden wie die Unterhaltssicherung für sich und seine Familie, insbes. sein zweijähriges Kind, zu regeln.*

61 *Für den Bereich betroffener Älterer mag die 80 Jahre alte Frau stehen, die in ihrer ungeheizten Etagenwohnung wohnt und zu ihrem Sohn wie dem Gericht sagt, sie sollten verschwinden. Sie wolle nicht gestört werden. Sie ist nur deshalb nicht verhungert, weil der Sohn dennoch alle zwei Tage Lebensmittel heranschafft. Sie weigert sich, die in einer anderen Etage liegende Toilette zu benutzen und entsorgt ihre Exkremente unter Hinterlassung von Teilen in verschiedenen Bereichen über den Müllkasten. Sie läßt sich nur dann von ihrem Sohn zum Wechsel der Kleidung anhalten, wenn er Anstalten trifft, sie selbst umzuziehen. Von ihr bzw. über sie sagen andere Verwandte, deren Hilfsversuche abgewiesen worden sind, man könne doch nicht hinnehmen, daß sie so, schlimmer als ein Haustier, vor sich hinvegetiere. Der Vermieter hat Angst vor dem nächsten Brand, weil sie bereits mehrfach die Herdplatten angelassen hatte. Der Sachverständige attestiert nach 3 Monaten und zahlreichen Fehlversuchen zur Kontaktaufnahme fortgeschrittene altersbedingte Ausfälle, spricht auch von einem hirnorganischen Psychosyndrom und hält die Betreuung zu Aufenthalt, Vermögenssorge und Gesundheit für erforderlich. Die Betreuungsstelle berichtet relativ schnell (2 Wochen), der vorgeschlagene Sohn sei geeignet. Die Frau wird sich nicht weigern, in das Auto des Sohnes zu steigen. Sie wird nicht in dem Heim bleiben wollen, aber keine Chance haben, zurückzufinden.*

62 Der letzte Fall verdeutlicht, daß die in den Broschüren des Bundes und der Länder betonte **Hilfe** durch das Betreuungsrecht, »die Bestellung eines Betreuers ist **keine Entrechtung**«, nur einen Teil des Bildes beleuchtet. Die rechtliche Hilfe für hilfsbedürftige Volljährige kann im Einzelfall Unterstützung im Gleichklang mit den natürlichen Vorstellungen der Hilfebedürftigen sein. Es ist aber nirgendwo im BGB festgeschrieben, daß das erstrebte »Wohl« des zu Betreuenden mit seinen Vorstellungen identisch ist. Das Gegenteil folgt vielmehr schon aus § 1901 Abs. 3 BGB. Nicht die Betreute, sondern im Streitfall die BetreuerIn oder das Gericht bestimmen, was ihrem Wohl entspricht, wobei ihnen vom Gesetzgeber keine inhaltlichen Hilfen an die Hand gegeben worden sind. Das führt dazu, daß alle an den Verfahren und den Hilfen Beteiligten ihre jeweiligen **Vorverständnisse** einbringen und als selbstverständlich davon ausgehen, daß sie wissen, was das richtig verstandene Wohl ist. In einigen Fällen mögen die Vorverständnisse korrespondieren, in anderen tun sie es ersichtlich nicht. Aus Sicht der zu Betreuenden oder Betreuten führt das leicht zu einem Nachweisdruck für (verbliebene) Fähigkeiten.

2.3 Erforderlichkeit/Alternativen zu einer Betreuung

Dem sogenannten **Erforderlichkeitsgrundsatz** (§ 1896 Abs. 2 BGB) soll bei der Prüfung der Voraussetzungen einer Betreuung besondere Bedeutung zukommen. Sowohl das »Ob« wie der Umfang (der Aufgabenkreis) und die Eingriffsintensität (z.B. zu dem Umfang eines Einwilligungsvorbehalts), schließlich die zeitliche Dauer sollen daran gemessen und immer auf das Geringstmögliche beschränkt werden, damit Betreuung nicht (wieder) zu einem Macht- oder Herrschaftsinstrument wird. 63

Für den Fall der Hilfsbedürftigkeit wie eigenen Entscheidungsunfähigkeit kann man durch **Vorsorgevollmacht**, eine **Betreuungsverfügung** oder eine **Patientenverfügung** (-testament) vorsorgen[11]. 64

Es sollte insoweit genau und klar geregelt werden, was gelten soll: was z.B. der Bevollmächtigte gegebenenfalls alles darf und was nicht geschehen soll. Wenn die Ermächtigung auch für den Gesundheitsbereich gelten soll, muß dies ausdrücklich erwähnt werden. Dasselbe gilt für etwaige Aufenthaltsregelungen.

Vorsorgeregelungen machen nicht in jedem Fall eine Mitwirkung des Gerichts entbehrlich. So kann ein Bevollmächtigter seinen Vollmachtgeber z.B. nicht allein aufgrund der Vollmacht »einsperren« lassen (vgl. insbes. §§ 1906, 1904 BGB). 65

2.4 Wirksamkeit von Vorsorgevollmachten und Patientenverfügungen

Für die Frage, wann bestehende (vorgelegte) Vollmachten und bzw. oder Patientenverfügungen wirksam sind, kommt es sicher nicht nur auf die bloße Existenz an, sondern auf die wirksame Erteilung. Das ist jeweils gesondert zu prüfen. Diese Prüfung wird nicht gegenstandslos, wenn es sich etwa um eine **beurkundete Vollmacht** handelt[12]. 66

Vorsorgeregelungen bedürfen grundsätzlich keiner besonderen Form[13]; als praktisch hat sich aber eine **Unterschriftsbeglaubigung** (nicht: Beurkundung!) erwiesen. Von 67

11 Das ist nicht dasselbe je mit anderen Worten, sondern sind drei verschiedene Dinge. Beispiele im Anhang.

12 Auch eine für ein konkretes Zivilverfahren erteilte Vollmacht ist nur dann wirksam und insoweit betreuungsersetzend, wenn sie mit Geschäftsfähigkeit erteilt worden ist; vgl. §§ 51 Abs. 1, 57 Abs. 1 ZPO, BayObLG NJWE-FER 1997, 227 f.

13 Anders in §§ 1904, 1906 BGB: »schriftlich«!

Gesetzes wegen ist für die meisten Bereiche eine **notarielle Beurkundung** nicht nötig (anders z.B. für den Grundbuchverkehr). Banken verlangen aber i.d.R. wenigstens die Beglaubigung der Unterschrift des Vollmachtgebers. Auch im Krankenhaus wird man mit einer gesiegelten Vollmacht mehr Eindruck erzielen können als mit einem bloßen »Zettel«. Die Erwartung, die notarielle Beurkundung erledige alle Wirksamkeitszweifel, ist andererseits unbegründet. In nicht ganz wenigen derartigen Urkunden fehlen zureichend nachvollziehbare **Äußerungen über die Geschäftsfähigkeit**. Der Notar ist gehalten, sich insoweit zu vergewissern. Bindend sind seine Feststellungen nicht. Wenn später nicht einmal mehr die Grundlage seiner Überzeugungsbildung abrufbar ist, wird sie leicht wertlos.

68 Der Gesetzgeber war bestrebt, den Anwendungsbereich von **Vollmachten** auszuweiten und hat mit dem BtÄndG auch die Verpflichtung für **Betreuungsvereine** aufgenommen, entsprechend planmäßig zu **werben**[14]. § 1908 f BGB enthält deshalb jetzt als Anerkennungsvoraussetzung in Nr. 2a die Aufforderung, zu gewährleisten, daß der Verein **planmäßig über Vorsorgevollmachten und Betreuungsverfügungen informiert**.

Dem entspricht eine Pflicht der **Betreuungsbehörden**, entsprechende Aufklärung und Beratung vorzunehmen (§ 6 BtBG). (Selbst die RichterInnen sollen bei ihren Anhörungen noch auf Vorsorgeregelungen dringen.) Die Umsetzung derartiger Maßnahmen wird nicht kostenneutral möglich sein[15].

Naheliegende Folgeregelungen über die denkbaren Personen derartiger Bevollmächtigungen (Vergütungen?), deren Kontrolle (vgl. § 1896 Abs. 3 BGB) wie die Regelung von (Ergänzungs-) Betreuungen bei der Verhinderung der Bevollmächtigten sind mit dem BtÄndG dagegen nicht getroffen worden. Insoweit wird man weiter mit dem o.a. alten Instrumentarium versuchen müssen, angemessene Lösungen zu finden.

69 Im Zusammenhang mit der Beratung über Vollmachten wird das Verständnis von § 1896 Abs. 3 BGB zunehmende Bedeutung erlangen. Insoweit hat die Rechtsprechung bisher wenig Konturen. Im Gesetz werden keine Voraussetzungen für die Bestellung einer **KontrollbetreuerIn** genannt. Ursprünglich ist man wohl davon ausgegangen, daß eine Bestellung (Rechtspflegerzuständigkeit) nur dann in Betracht kommt, wenn konkrete Anhaltspunkte für eine Mißbrauchsgefahr bestehen. Inzwischen neigt man eher dazu, in solchen (Mißbrauchs-) Fällen keine BetreuerIn nach § 1896 Abs. 3 BGB, sondern eine BetreuerIn mit dem Aufgabenkreis »Entscheidung über den etwaigen Widerruf und ggf. Widerruf der Vollmacht« zu bestellen. Für § 1896 Abs. 3 BGB wird insoweit nun wohl eher auf einen »allgemeinen Überwa-

14 Zum Umfang der Bindungswirkung dieser Regelung (zweifelnd) Bienwald in BtPrax 1998, 164 ff.

15 Entwurf, Druck von Infomaterial, Personal für Fort- und Weiterbildung auch der Sozialdienste von Krankenhäusern, Einrichtungen etc., die ihrerseits als Multiplikatoren für eine Verbreitung wichtig erscheinen; vgl. Walther BtPrax 1998, 125, 128.

chungs- und Handlungsbedarf« abgestellt, der z.B. gegeben sein soll, wenn ein Generalbevollmächtigter mit Befreiung von § 181 BGB sich anschickt, umfangreiche Grundstücksgeschäfte vorzunehmen[16].

Im Hinblick auf diese Art der gerichtlichen Kontrolle liegt der wesentliche Unter- **70** schied der Folgen einer **Generalvollmacht** und einer Betreuung darin, daß der Bevollmächtigte für die Einzelgeschäfte keiner vormundschaftsgerichtlicher Genehmigungen bedarf (solange er/sie sich nicht im Bereich von §§ 1904, 1906 BGB bewegt).

Nach dem bis zum 31.12.1998 geltenden Recht war streitig, ob und ggf. in welchem **71** Umfang **Vollmachten auch für den persönlichen Bereich** zulässig waren. Das ist durch die Neufassung der §§ 1904, 1906 BGB geklärt. Mit dem Inkrafttreten der Änderungen zu §§ 1904, 1906 BGB werden andererseits viele Altvollmachten und -verfügungen problematisch, weil sie die jetzt ausdrücklich geforderte konkrete Inbezugnahme nicht enthalten[17].

Die jetzt vorgeschriebene systematische Beratung wird sich auch darauf zu erstrek- **72** ken haben, daß Vollmachten etc. nicht von gerichtlicher Entscheidung bzw. Mitwirkung befreien (§§ 1906 Abs. 5, 1904 BGB) und daß insbesondere auch im Bereich der Patientenverfügung die Ermächtigung zu Entscheidungen über die Nichtnutzung der sog. »Apparatemedizin« genehmigungsbedürftig sein wird (§ 1904 BGB, passive Sterbehilfe)[18].

2.5 Prüfungsumfang

Die Bandbreite der für eine Entscheidung über eine Betreuung aufzuwerfenden Fra- **73** gen wird an den Auflistungen deutlich, die in praktisch jedem Bezirk für AntragstellerInnen vorgehalten werden[19].

Soweit dabei ein »**Antrag**« angesprochen ist, handelt es sich im Sinne des § 1896 BGB und des FGG nur um eine sog. »**Anregung**«. Eine Betreuung wird auf Antrag des Betroffenen oder von Amts wegen angeordnet. Andere, auch **Verwandte**, haben **kein formelles Antragsrecht**. Es ist wichtig, sich diese Aufteilung zu vergegenwärtigen, auch um die Verantwortung des Gerichts und der Betreuungsstelle richtig zu verstehen. Der (unterschwellig) mit solchen Merkblättern unternommene Versuch, die Ermittlungstätigkeit dem »Antragsteller« zuzuschieben, entspricht, soweit er über eine bloße Mithilfebitte hinausgeht, nicht der Intention des Gesetzes. Andererseits ergibt sich aus solchen Auflistungen ein recht gutes Raster zur eigenen Prüfung,

16 LG München I FamRZ 1998, 700 = BtPrax 1998, 117

17 Beispiel für eine unzureichende notariell beurkundete Generalvollmacht bei LG Hamburg BtPrax 1999, 243 f.

18 s. Rn 327 ff.

19 Beispiel in der Anlage 1.

z.B. bei der Frage, ob eine Betreuung angeregt werden und welche Daten ggf. zunächst ergänzend geprüft werden sollte. Wenn bei dem Antrag Unterlagen fehlen oder Angaben unvollständig gemacht werden, kann das bedingen, daß die erforderliche nachträgliche Klärung eine erhebliche **Zeitverzögerung** mit sich bringt (z.T. über Monate!)

74 Wenn Sie neu in einen Bereich kommen, der derartige **Arbeitshilfen** (Listen/Formulare) nicht hat, kann es – jedenfalls für den Anfang – hilfreich sein, derartige **Muster** zu erstellen. Die Hoffnung, man werde sich im Alltag schon an die Dinge erinnern, die nötig werden, trügt schnell, was zu unnötigen bürokratischen Wiederholungsschleifen führt.

2.6 Mitwirkung der Betreuungsbehörde (-stelle)

75 In der Praxis erhalten die Vormundschaftsgerichte nur einen Teil der **Informationen** über das Bedürfnis nach der Bestellung einer Betreuung über Private (Verwandte, Nachbarn etc.). Ein größerer Teil beruht auf Mitteilungen von Krankenhäusern, ambulanten und sonstigen stationären Einrichtungen sowie Sozialämtern und Betreuungsstellen. Die insoweit lange Zeit ungelöste **Datenschutzssituation** ist jedenfalls für die Betreuungsstellen durch § 7 BetreuungsbehördenG (BtBG) gelöst. Sie sind befugt, Informationen an die Gerichte zu geben, wenn Tatsachen bekannt sind, wonach eine Betreuung erforderlich erscheint, der **Verhältnismäßigkeitsgrundsatz** beachtet wird, insbesondere die Betreuung erforderlich erscheint, um erhebliche Gefahren für den Betroffenen abzuwenden. Informationen dieser Art sind bei der Betreuungsstelle aktenkundig zu machen (§ 7 Abs. 2 BtBG).

76 **Betreuungsstelle und Betreuungsverein sind nicht identisch**. Betreuungsstelle ist die Behörde, die, vergleichbar den Aufgaben des Jugendamtes bei Minderjährigen, die ihr gesetzlich zugewiesenen Aufgaben wahrnimmt. Sie betreut nicht notwendig selbst. Der Betreuungsverein ist privater Hilfeverein, der z.T. auch Querschnittsaufgaben wahrnimmt, aber nie hoheitliche Aufgaben.

§ 8 BtBG schreibt die **Unterstützung des Vormundschaftsgerichts** durch die Betreuungsstelle bei der Ermittlung des Sachverhalts vor. Das bedeutet in der Praxis oft, daß die Gerichte die ihnen zugängliche Unterlagen zusammenstellen und an die Betreuungsstelle zur weiteren tatsächlichen Klärung mit der Bitte um Stellungnahme sowie BetreuerInnenvorschlag weitergeben.

77 Gerichtliche Tätigkeit ist auch hier, schon strukturell bedingt – unbeschadet der aufsuchenden Teile – aktenorientierte Verwaltung entsprechender Vorgänge. Es ist wichtig, das zu verinnerlichen – nicht um berufsspezifische Vorurteile zu stärken, sondern um die wechselseitigen Erwartungen realitätsnäher einstellen zu können.

Die Betreuungsstelle hat das Vormundschaftsgericht nicht nur bei der **Auswahl und Gewinnung des/der BetreuerIn** zu unterstützen. Faktisch ist oft eine weitgehende Verlagerung der **Sachverhaltsermittlung** und der Aufarbeitung personaler Probleme aus dem Bereich des Vormundschaftsgerichts hinaus in die Betreuungsstelle erfolgt. Daneben ist es Aufgabe der Betreuungsstelle, die Behördenbetreuer zur Verfügung zu stellen und hilfsweise selbst als Betreuer tätig zu werden. 78

Die Betreuungsstelle hat nach § 5 BtBG weiter die Pflicht, die Einführung neu bestellter BetreuerInnen in ihren Tätigkeitsbereich zu gewährleisten und Angebote zur **Fortbildung der BetreuerInnen** bereitzustellen. Sie soll auch Ansprechpartner für alle bestellten BetreuerInnen sein (§ 4 BtBG). Seit 1999 hat sie auch die Aufgabe, Öffentlichkeitsarbeit zur Werbung für Vorsorgeregelungen durchzuführen.

2.7 Betreuung auch für Suchtstoffabhängige?

Besondere Schwierigkeiten ergeben sich schon grundsätzlich bei der Frage, ob das BetreuungsR für (gegen?) **Abhängige** eingesetzt werden kann. Die Vorschriften über die Betreuung sollen insoweit nicht unmittelbar greifen. **Sucht allein rechtfertigt keine Betreuung**. Es muß immer eine zusätzliche Erkrankung oder Behinderung i.S.d. § 1896 BGB hinzutreten[20]. 79

Der Normenbereich war früher auch auf den hier angesprochenen Betroffenenkreis ausgelegt. Die Maßnahmen gegen Trunk- und Rauschgiftsüchtige (§ 6 Abs. 1 Nr. 3 BGB a.F.) sind durch das BetreuungsG aufgehoben worden. Ob eine Betreuung und gegebenenfalls ein Einwilligungsvorbehalt, eine geeignete Maßnahme ist, um einer Sucht zu begegnen, mag je nach Vorverständnis unterschiedlich beurteilt werden, ist für den Einzelfall angesichts des sogenannten Erforderlichkeitsgrundsatzes (§ 1896 Abs. 3 BGB) nunmehr aber auch eine Rechtsfrage. Nach der obergerichtlichen Rechtsprechung reicht »**Sucht« allein nicht** aus, um eine Betreuung zu rechtfertigen[21]. Es muß vielmehr ein relevantes Zusatzproblem bestehen/attestiert werden.

Die Zahl insbesondere alkoholabhängiger Betreuter ist in vielen Großstädten recht hoch. Die für geboten gehaltenen (Zwangs-) Maßnahmen werden z.T. durch die Anordnung eines Einwilligungsvorbehalts, nötigenfalls gegen den Willen der Betroffenen, umgesetzt (§ 1903 BGB). I.ü. ist der Anteil Abhängiger an den Unterbringungssachen relativ hoch.

20 BayObLG FamRZ 1999, 1306 m.w.Nachw.
21 s. weiter z.B. OLG Schleswig BtPrax 1998, 185.

3. Anträge aus Heimen, Einrichtungen, Krankenhäusern

80 Nach der Terminologie von § 1896 BGB sind »**Anträge**« auf Einrichtung einer Betreuung allein solche, die die Betreute selbst stellt. Alle anderen Hinweise an das Gericht auf Einrichtung einer Betreuung müßten korrekt als bloße »Anregungen« bezeichnet werden. Das hat Auswirkungen z.B. bei der Frage nach einem eigenen Beschwerderecht. Nicht jede, die eine Anregung einreicht, ist auch beschwerdebefugt; AntragstellerInnen hingegen schon.

81 In der Praxis unterscheidet kaum jemand so. Es werden insoweit zunächst alle **Anregungen auf Einrichtung einer Betreuung** als Antrag (im weiteren Sinn) bezeichnet. Da das Gericht gehalten ist, nötigenfalls von Amts wegen tätig zu werden, kommt es in diesem Stadium des Verfahrens (außer bei ausschließlich Körperbehinderten) nicht darauf an, ob es sich um einen »Antrag« (im engeren Sinn) oder nur eine »Anregung« handelt.

Auch Angehörige haben kein (echtes) »Antrags«recht, können wie alle anderen auch lediglich Anregungen geben, im übrigen also auch nicht darüber entscheiden, ob ein oder daß etwa kein Antrag gestellt wird.

3.1 Antragsbedarf

82 Es ist bereits ausgeführt, daß es nicht geboten ist, jede geistig oder seelische Behinderte »unter« Betreuung zu stellen, gleiches gilt für psychisch Kranke. Es ist deshalb verfehlt, wenn z.B. Alteneinrichtungen – wie geschehen – bei jeder **Heimaufnahme** – sicherheitshalber – einen Betreuungsantrag durch die Betroffene unterzeichnen lassen.

83 Daß für den wirksamen **Abschluß des Vertrages** wie die Finanzierungssicherung mehr als die bloße Unterschrift, nämlich ein wirksamer Vertragsschluß (mithin **Geschäftsfähigkeit** bei der Vereinbarung) erforderlich ist, ist zwischenzeitlich weitgehend bekannt. Auch deshalb ist das Hinausschieben von Anregungen bis zu dem Zeitpunkt, wo »nichts mehr geht«, von einer wohl eher zweifelhaften (überholten) fürsorgerischen Haltung geprägt. Man halte dem nicht entgegen, »die Praxis« handele aber doch so und es gebe damit keine Probleme. Daß es so etwas auch heute noch gibt, ist sicher. Aus einem nervenfachärztlichen Gutachten (erstellt 2000):

Frau U. Mann leidet seit 3 Jahren an einer ausgeprägten Alzheimer-Erkrankung. Sie benötigt selbst für alltägliche Verrichtungen umfassende Hilfen. Bislang wurden alle notwendigen Entscheidungen durch den Partner einvernehmlich geregelt. Mittlerweile ist die Patientin krankheitsbedingt nicht mehr in der Lage, eine Unterschrift zu leisten, weil sie nicht mehr schreiben kann. Die Einrichtung einer Betreuung ist deshalb jetzt auch nervenärztlich indiziert und liegt im wohlverstandenen Interesse der Patientin.

Das mag alles »gut« gemeint sein. Die vorher getroffenen Maßnahmen sind aber nicht wirksam: kein unterschriebener **Vertrag**, keine erteilte **Einwilligung**. Beides setzt ja die **Fähigkeit zu wirksamem Handeln** voraus. Jede Fachkraft, insbesondere eine ÄrztIn, die sich auf so etwas einläßt, handelt »auf eigenes Risiko« und wird im Falle etwaiger Probleme auch Schwierigkeiten mit ihrer Versicherung vergegenwärtigen müssen, da sie so ja selbst für Standardrisiken einstandspflichtig bleibt und mangels **wirksamer Einwilligung** auch für die Begleitrisiken »lege artis« durchgeführter Maßnahmen verantwortlich ist. **84**

Selbst der etwaige noch wirksame **Abschluß eines Heimvertrages** hilft für die **Folgezeit** nicht allein: Für die Post, den Gesundheitsbereich wie die Aufenthaltsregelung ist damit noch nichts geklärt. **Ermächtigungen** im Zusammenhang mit den **Verträgen** tragen nicht, weil zum einen § 1896 Abs. 3 BGB entgegenstehen dürfte, derartige Versuche zum anderen spätestens an der Schwelle von §§ 1904 und 1906 BGB scheitern. **85**

Den Angehörigen kommt auch kein Antragsvorrang zu, sie können einen solchen weder verhindern, noch stehen sie ihrerseits in der Antragstellungspflicht. **86**

»Das Altenheim hat mich geschickt, um einen Ausweis zu holen. Mutter ist gefallen und benötigt ein Bettgitter« **87**

ist Beleg für einen Abwiegelungsversuch, nicht Ausdruck besonderer Beachtung der Position, der Rechte und der Individualität der BewohnerIn. Letztlich greift natürlich auch der Hinweis nicht, der entsprechende Aufwand sei nicht Sache des Heimes bzw. der Einrichtung.

Jede **Einrichtung, die gesetzlich Vertretene** aufnimmt, wird für eine effektive eigene Gegenkontrolle bestehender **Vertretungsberechtigungen**, etwaiger Sicherungsgenehmigungen und dergl. Sorge zu tragen haben. Unwirksame oder abgelaufene Vertretungsberechtigungen ergeben keine geeignete AnsprechpartnerIn mehr, abgelaufene Genehmigungen (unabhängig von der Verantwortung der BetreuerInnen) legitimieren nichts mehr. **88**

Auch der Hinweis, Sicherungsmaßnahmen seien ja nur auf Antrag der Betreuer zu bescheiden, ist sachlich unzutreffend und rechtsirrig. Zwar mögen sich nicht alle Gerichte auf Anträge der Einrichtungen und Heime dazu einlassen. Das beruht aber nicht auf einer gesetzlichen Vorgabe (nur landesrechtliche Unterbringungsgenehmigungen beruhen auf echten Antragsverfahren[22]). Es handelt sich im Betreuungsbereich nicht um derartige Antragsverfahren i.e.S. **89**

22 s. Rn 293

3.2 Antragsinhalte, Koordinationsbedarf

90 Bei Anträgen von **Schweigepflichtigen**, also insbesondere aus Krankenhäusern, Behinderteneinrichtungen, Altenheimen und ähnlichen Institutionen werden oft aus Angst vor einem Verstoß gegen die Schweigepflicht nur marginale Informationen gegeben. Der Antrag:

... kann Frau Anton keine Anträge zur Kostendeckung mehr stellen. Da bereits ungedeckte Heimkosten für mehr als 2 Monate aufgelaufen sind, bitten wir um schnellstmögliche Einrichtung einer Betreuung für finanzielle Fragen durch sofortige Anordnung ...

wird kaum zu der erwünschten Eilabwicklung führen.

91 *Das Formular einer Alteneinrichtung, in dem es heißt, es sei »den Umständen nach erforderlich geworden« die Betroffene »zu fixieren, ein* ***Bettgitter*** *zu benutzen, zu sedieren«, weil sie sich aufgrund von »Unruhezuständen« selbst gefährde, weshalb eine richterliche Entscheidung nach § 1846 BGB ebenso erbeten werde wie die Einrichtung einer Betreuung, soweit noch nicht erfolgt, ist in gleicher Weise ärgerlich und nicht hilfreich.*

Die Mitarbeiterin einer ***geschlossenen Einrichtung*** *teilte mit, ein Betroffener sei bisher freiwillig dort, wolle aber nun nach Hause, was zu verhindern sei. Es werde zur Verlegung in ein offenes Altenheim ein Antrag auf eine einstweilige Anordnung gestellt. Bei einer Entlassung in die häusliche Umgebung bestehe akute Feuergefahr. Es sei vor dem Einrichtungsaufenthalt bereits zu mehreren Feuerwehreinsätzen wegen Fehlbedienung des Ofens mit entsprechenden Folgeproblemen gekommen. Der Betroffene wolle nicht in ein Altenheim. Bei der Anhörung am übernächsten Tag war für die Richterin von »freiwillig« nichts zu hören. Der Arzt habe ihn ins Krankenhaus eingewiesen, das habe ihn hierher verlegt. Er wolle nach nunmehr zwei Wochen endlich hinaus, nur hinaus.*

In einer anderen Sache berichtete die Betroffene anläßlich ihrer Anhörung zu der Einrichtung einer Betreuung, sie sei jetzt ***freiwillig*** *seit 5 Monaten* ***in der geschlossenen Abteilung*** *(wurde von der Leitung bestätigt). Man habe ihr nach 2 Beschlüssen gesagt, wenn sie nunmehr nicht freiwillig bleibe, werde eine weitere Verlängerung beantragt. Sie habe ja erlebt, daß ihr Widerstand zwecklos sei. Danach habe sie sich »freiwillig« unterworfen.*

92 Manche **Bewertungswidersprüche** gehören zu menschlichen Bewertungen, damit auch zum Verfahren und sollten nicht verdeckt, sondern offen diskutiert werden. Andererseits sind die vorstehend erwähnten »Legitimierungen« oder Versuche sinnlos. Der Sinn des Betreuungssystems wird dadurch konterkariert, die betroffenen Menschen werden (wieder) zu Objekten angeblich gut gemeinter Hilfe, letztlich wohl auch psychologisch von (versteckten und deshalb besonders problematischen) **Machtübergriffen**.

93 Bei Anregungen im Umfeld von Betreuungen wird schließlich darauf zu achten sein, rechtzeitig mit begleitenden Maßnahmen zu beginnen und sie nicht zu früh einzustellen.

Das ist kürzlich wieder deutlich geworden, als sich nach einem/r Antrag/Anregung auf Betreuung und 2monatigem Lauf des Betreuungsverfahrens bis zur Entscheidungsreife herausstellte, daß der Betroffene nunmehr (seit Tagen) tot in seiner Wohnung lag.

Umgangssprachlich gefaßt: Wenn eine Behörde, Organisation oder ein sonst Verpflichteter eine Betreuungsanregung gibt, sollte er/sie sich auch bei Hinweis auf den Eilbedarf darüber im Klaren sein, daß das Staffelholz erst weitergegeben ist, wenn die etwa bestellte BetreuerIn es aufgenommen hat.

4. Auswahl der BetreuerIn/Eignungskriterien

94 Bei **neu angeordneten Betreuungen** sind 1996 im Bundesgebiet bestellt worden[23]:

83,83 %	Einzelpersonen (d.h. Angehörige oder Bekannte oder Dritte [ehrenamtlich] oder BerufsbetreuerInnen)
10,28 %	VereinsbetreuerInnen
2,52 %	BehördenbetreuerInnen
0,5 %	Betreuungsverein
2,87 %	Betreuungsbehörde.

4.1. BetreuerInnenarten

95 Es gibt von Gesetzes wegen (ursprünglich **fünf**, seit 1.1.1999) jetzt **sechs** verschiedene BetreuerInnen;

1. primär soll eine **private BetreuerIn** bestellt werden (ehrenamtlich)
2. oder eine **BerufsbetreuerIn**.
3. Ist das nicht möglich, eine **VereinsbetreuerIn**,
4. eine **BehördenbetreuerIn**,
5. hilfsweise ein **Verein** und nur
6. ganz hilfsweise die **Behörde** selbst.

96 Mit dem BetreuungsrechtsänderungsG sind seit 1.1.1999 die »**BerufsbetreuerInnen**« als eigene Kategorie neben die ehrenamtlichen gestellt worden. **VereinsbetreuerInnen** handeln (wie BehördenbetreuerInnen) zwar auch professionell, sind aber nach der Terminologie des Betreuungsrechts **keine Berufs**betreuerInnen.

97 Für die Auswahl ist vorrangig auf **Vorschläge der Betreuten** abzustellen (§ 1897 BGB). Primär ist eine ehrenamtliche, dann eine BerufsbetreuerIn, hilfsweise eine Vereins- oder BehördenbetreuerIn, ganz hilfsweise ein Verein oder eine Behörde zu bestellen. Dabei besteht ein Vorrang der ehrenamtlichen vor beruflichen und innerhalb der beruflichen der freien vor den eingebundenen BetreuerInnen.

98 Es hat insoweit heftigen Streit zu der Frage gegeben, ob trotz dieses Systems nicht dann ein **Verein vorrangig bestellt werden** muß/kann, wenn der Betreute dies wünscht. Die von den entsprechenden Vereinen geförderte Aufgeregtheit dürfte

23 nach: Justizstatistik 1996

übersehen, daß es den Vereinen seit 1992 nicht mehr frei steht, »bürokratisch« aufzutreten. Wenn sie das dennoch wollen, werden sie auch mit dem »Nachteil« leben müssen, nur »zweitrangig«« berücksichtigt zu werden. Der Vorwurf, die Gerichte hielten sich insoweit zu sklavisch und kleinlich an das Gesetz, wirkt eigenartig, insbesondere neben den sonstigen Klagen, das Gesetz werde von manchen bzw. vielen Gerichten zu wenig beachtet. Der Streit erscheint eher vordergründig. Ein Streit allein darum, ob diese oder jene Norm »richtig« angewandt wird, verdeckt oft eher, worum wirklich gestritten wird, als das offenzulegen.

Welche Funktion eine BetreuerIn hat, ist nur dem **Betreuungbeschluß** zu entnehmen[24]. In ihm steht bei Beschlüssen ab 1.1.1999 auch, ob es sich um eine ehrenamtliche oder eine Bestellung als **BerufsbetreuerIn** handelt. Eine BerufsbetreuerIn darf (aus fiskalischen Gründen) jetzt nur noch bestellt werden, wenn keine geeignete ehrenamtliche Person zu finden ist. Der Kern der Diskussionsmöglichkeit liegt im »geeignet«. Es ist es besonders wichtig, bei Vorschlägen u.a. der Darstellung der Belastungsfähigkeit etc. Aufmerksamkeit zu widmen. Bestellte BerufsbetreuerInnen sind verpflichtet, darauf hinzuweisen, wenn sich später andere ehrenamtliche Betreuungsmöglichkeiten ergeben (§ 1897 Abs. 6 BGB). 99

Die BetreuerIn »Frau Meyer« kann private (ehrenamtliche) oder Berufsbetreuerin, 100 Vereins- oder Behördenbetreuerin sein (auch das müßte in dem **Beschluß** und dem **Ausweis** stehen), weil und solange sie als Frau Meyer in der Pflicht ist. Je nach Art ihrer Stellung hat sie aber unterschiedliche Befugnisse (vgl. §§ 1908 i Abs. 2 S. 2; 1908 e, 1908 g und h BGB). Nur wenn der Verein oder die Behörde bestellt ist, ist sie nicht persönlich verpflichtet, selbst wenn sie in der Behörde zuständig ist.

Angehörige wünschen sich nicht ganz selten, »**gemeinsam**« zu Betreuern bestellt zu 101 werden. Davon ist deutlich abzuraten. Die gemeinsame Bestellung führt kraft Gesetzes dazu, daß beide nur **zusammen vertretungsbefugt** sind (§ 1899 Abs. 3 BGB). Die denkbare Möglichkeit, identische Aufgabenkreise zwei Personen je mit völliger **Alleinregelungsbefugnis** zuzuweisen, wird nahezu zwangsläufig auch zu Folgeproblemen führen. In den mir bekannten Fällen haben die Angehörigen, die auf nachhaltigen Wunsch dennoch zusammen bestellt worden sind, in der Folgezeit stets selbst erklärt, das »sei keine glückliche Lösung gewesen«.

Besser ist es zur Regelung der Selbstverständnisse wie **klarer Verantwortungszuweisungen** (z.B.: wen soll das Heim anrufen?), bei der Bestellung mehrerer Personen eine Vertretungsregelung (§ 1899 Abs. 4 BGB) anzustreben. 102

Frau Meyer wird bestellt. Zur weiteren Betreuerin wird ihre Schwester Frau Müller bestellt. Frau Müller ist vertretungsberechtigt, wenn Frau Meyer verhindert ist oder ihr die Besorgung überträgt. – Aus der Übertragungsmöglichkeit ergibt sich, daß keine praktischen Probleme dadurch auftreten können, daß die Verhinderung unklar sein mag. Beide erhalten einen eigenen Ausweis als Betreuerin. Beide werden je über den weiteren Verlauf unterrichtet.

24 Beschlußbeispiel bei den Anlagen.

4.2 Eignungsprüfung

103 Der zweite wesentliche Ansatz dafür, ob eine Betreuung hilfreich oder schädlich wird, ist die **Auswahl der zu bestellenden BetreuerIn**. Betreuung an sich bewirkt ja noch nichts. Erst die Zuweisung der Aufgaben an eine konkrete Person oder Institution führt zum Entstehen der Betreuung und vom Engagement dieser Person, ihren Fähigkeiten, Neigungen, Schwierigkeiten wird im Verlauf der Betreuung vieles abhängen.

104 § 1897 Abs. 1 BGB fordert, daß nur eine »**geeignete« Person** bestellt wird. Sie soll geeignet für die rechtliche Besorgung der Angelegenheiten sein und für den dazu erforderlichen persönlichen Umgang. Das besagt letztlich nichts unmittelbar Umsetzbares.

105 Es werden dabei auch **Ausschlußgründe** genannt, insbesondere für MitarbeiterInnen der Heime und Einrichtungen, z.T. auch für ihre Angehörigen (§ 1897 Abs. 3 BGB). Auf den Umfang dieses Ausschlusses wird noch zurückzukommen sein.

106 **Gesetzliche Vertretungshindernisse** allein sind kein Ausschlußgrund. Niemand kann z.B. seinen Angehörigen (als gesetzlicher Vertreter) gegen sich selbst vertreten (§§ 1908 i Abs. 1, 1795 BGB); man kann mit sich selbst z.B. keine **Pflegevereinbarung** treffen, die Erbauseinandersetzung nicht mit sich selbst ausmachen, das Haus der vertretenen Eltern nicht an sich selbst verkaufen. Wenn solche Probleme zu erwarten sind, muß für diesen Teilbereich nötigenfalls eine ErgänzungsbetreuerIn bestellt werden. Die Betreuung an sich kann die Angehörige aber schon übernehmen (Relativierung nur in § 1897 Abs. 5 a.E. BGB).

107 Als **Auswahlkriterien** nennt das Gesetz als erstes den **Wunsch der Betreuten** (§ 1897 Abs. 4 BGB), verweist dann auf die Familie (§ 1897 Abs. 5 BGB). Beides ist wichtig, wird aber in Auseinandersetzungen oft überbewertet. Maßstab soll ja jeweils wieder die »Eignung« sein. Ungeeignete sind selbst bei ausdrücklichem Wunsch, auch wenn sie aus der Familie kommen, nicht auszuwählen.

108 Die Gefahr liegt im Alltag darin, daß diese **Eignungserörterung** leicht als Bewertung, Abwertung verstanden wird. Einer Familienangehörigen ebenso aber auch einer BerufsbetreuerIn nahezubringen, sie sei in dieser Sache bei dieser Betreuten jetzt möglicherweise (nicht mehr) »geeignet«, wird nicht ganz selten als nahezu beleidigender Vorwurf verstanden. Das mag aus Sicht der Angesprochenen emotional zunächst verstehbar sein. Darum darf es aber nicht gehen.

109 *Eine Angehörige, die den Verfall der 75jährigen Mutter nicht erträgt, sich mit Selbstvorwürfen plagt, daß sie nach 5jähriger eigener Pflege die Mutter »in ein Heim geben mußte«, nun dem Heim dauernde Vorwürfe macht, die Pflege beanstandet, die Medikation für untragbar hält, den Arzt wechselt (auf welcher Grundlage das alles eigentlich?) ist sicher engagiert, ist sicher betroffen, ist jederzeit ansprechbar. Hilfreich ist das weder für sie noch für ihre Mutter. Die Bestellung dieser Tochter zur Betreuerin auch für Ge-*

*sundheit und Sicherungsmaßnahmen macht es ihr wie der Mutter schwer bis unmöglich, diese persönliche **Beziehungsgemengelage** aufzuarbeiten, zueinander (wieder) ein erwachsenengerechtes und der Altersentwicklung enstprechendes Verhältnis aufzubauen.*

*Der Sohn, der sich gegen den **Widerstand** der Mutter nicht durchsetzen kann, sie wunschgemäß – mit vielen Hilfen – in der alten Wohnung läßt, bis es zu einem Großbrand kommt, weil sie die Herdplatten nicht richtig bedient hat (sie war danach wochenlang im Krankenhaus, dann in einem Pflegeheim), ist wohl der falsche Betreuer gewesen.* **110**

Die Eltern einer geistig Behinderten, die ein hohes Anspruchsverhalten hat, sich durch Auffälligkeit immer wieder durchsetzt, sich dabei z.T. selbst erheblich schädigt, mögen von ihrer Umwelt ob ihrer aufopferungsvollen Hillfe bewundert werden, Kandidaten für das Bundesverdienstkreuz sein. Sie sind nur dann geeignete Betreuer, wenn sie es schaffen, die Tocher im Rahmen ihrer Möglichkeiten erwachsen werden zu lassen, wozu auch gehört, das Band zu den Eltern zu lösen. **111**

In **Behinderteneinrichtungen** sind nicht ganz selten gerade die **Bewohner** am auffälligsten, denen diese Möglichkeit zu spät oder nicht mehr (wenn die Eltern gestorben sind, ist es unreparabel zu spät) eingeräumt worden ist. **112**

Das bedeutet nicht, die **Leistungen dieser Eltern**, der Angehörigen herabzuwürdigen. Ohne deren Einsatz wäre, wie die wichtigen und unverzichtbaren Einrichtungen der Lebenshilfe zeigen, vieles so nicht vorhanden. Es gilt nur, den unterschiedlichen Bedarf der Betreuten, d.h. **Erwachsener**, wahrzunehmen und ernsthaft zu berücksichtigen, daß ihre Interessen andere sind, sein müssen, als die der Eltern und daß es möglich ist, beiden gerecht zu werden. Es werden auch den Eltern neue Chancen eröffnet, wenn sie andere Begegnungsmöglichkeiten erhalten als zu Erziehungszeiten. **113**

Das Betreuungsrecht ist 1992 mit der Forderung dem Versprechen angetreten, – schlechte – anonyme Verwaltung Erwachsener durch personenbezogene Tätigkeit abzulösen. Dieses wichtige Ziel sollte nicht überdecken, daß auch **zu viel Nähe, zu wenig Distanz** erdrosseln kann. **114**

Andererseits: **115**

BerufsbetreuerInnen werden i.d.R. sorgfältig geprüft und ausgewählt. Dennoch enthält das keine Garantie für eine langfristige sichere **Eignung**.

So sind in einem mittleren norddeutschen Amtsgericht, das ca. 20 BerufsbetreuerInnen beschäftigt, innerhalb von 5 Jahren 6 davon abgesprungen (eigene Krankheit, Veränderung der persönlichen Situation, Unzufriedenheit mit den wirtschaftlichen Bedingungen etc.) und mußten 4 aus allen laufenden Betreuungen abgezogen werden, weil es z.T. massive, berechtigte Beschwerden gab oder sich im Alltag nicht auffangbare burn-out-Folgen zeigten.

4.3 Nebeneinander professioneller und ehrenamtlicher BetreuerInnen

Bei den **Klientenkreisen** zeigen sich insoweit deutliche **Unterschiede**. (Haupt-)Berufliche betreuen im Schwerpunkt Klienten der mittleren Altersgruppe und insoweit von den betreuten Männern sogar die ganz überwiegende Zahl. Geistig Behinderte **116** werden häufiger von Familienangehörigen betreut, während seelisch Behinderte, insbesondere aber Suchtkranke, eher von Hauptamtlichen betreut werden.

117 **Betreuungen** finden sich mit einer **Dauer** von einem Jahr bis zu 50 Jahren und mehr[25]. Bei professionellen Betreuungen fanden sich überwiegend Betreuungen bis zu 10 Jahren. In 45 % der professionellen Betreuungen kam es zu Unterbringungen, bei einzelnen Betreuten bis zu 12 mal.

118 **Aktivitäten der Betreuer (Schwerpunkte)**

- (**ehrenamtliche**): Umzug, persönliche Pflege, Pflege familialer oder sonstiger Kontakte, Unterbringung (in Werkstätten für Behinderte), Regelung von Erbangelegenheiten, Haus- und Wohnungsverwaltung,
- (**professionelle**): Brief- und Telefonverkehr, Aufenthaltswechsel, Koordination der Möglichkeiten psychosozialer Betreuung, Unterbringungen, Intervention bei familiären Spannungen, Maßnahmen zur Sicherstellung des Lebensunterhalts, Auszahlung von Taschengeld, Schuldenabwicklung.

119 Viele professionelle BetreuerInnen sind auch dem Anspruch ausgesetzt, ehrenamtliche heranzuziehen, fortzubilden, zu unterstützen. Das dabei auftretende Konkurrenz- und Abwertungsgefälle scheint in der Praxis immer noch zu wenig reflektiert zu werden. Die Klagen über die mangelnde Bereitschaft ehrenamtlicher, sich in Betreuungsvereine (auch in den Clinch mit den Professionellen) zu begeben und dort mitzuarbeiten, dürfte unter diesem Aspekt überdenkenswert sein.

120 Betreuungen pro beruflicher/professioneller BetreuerIn (1995):

- BerufsbetreuerInnen 10 - 117
- VereinsbetreuerInnen 10 - 264
- BehördenbetreuerInnen 5 - 90

121 Wichtig bleibt für alle professionell am Betreuungsverfahren Beteiligten das Bewußtsein, daß die Anordnung einer Betreuung wie die Folgebegleitung durch das Gericht jeweils nur an die äußeren Schichten verzweigter Lebensgeschichten berührt. Es ist notwendig, das zu verinnerlichen, damit die **Abwehr** vieler **familialer Betreuer** besser verstanden wird. Sie hatten und haben manchmal jahrelang die (tägliche) Arbeit, kennen die Probleme und sehen sich nun Institutionen (dem Vormundschaftsgericht, der Betreuungsstelle etc.) ausgesetzt, die behaupten, ohne sie sei gar nichts möglich und deren »Hilfe« sich zu oft auf die Versendung von Formularen und die Aufstellung zusätzlicher **bürokratischer Hürden** (Genehmigungserfordernisse) beschränkt. Werden VerfahrenspflegerInnen oder BerufsbetreuerInnen eingesetzt,

25 Eine noch in 2000 laufende Betreuungsakte beginnt mit dem Hinweis aus 1943, dies sei ein Ersatzstück für die bei einem »Terrorangriff« durch Feuer vernichtete Originalakte.

werden sie nicht ganz selten als fremde Störenfriede empfunden, für die man auch noch bezahlen soll.

Auch wenn es vielen BerufsbetreuerInnen nicht gefällt: 122

Sie haben (außer zur Bezahlung) keine andere Rechtsposition als die ehrenamtlichen BetreuerInnen.[26]

Das heißt z.B.: BerufsbetreuerInnen müssen jedes mal wieder zur Verpflichtung kommen, unterliegen allen Genehmigungserfordernissen, können sich auf keine der Freistellungen nach § 1908 i BGB berufen.

In Betracht kommen insoweit nur die allgemeinen gerichtliche **Ermächtigungen** oder **Freistellungen**, soweit sie gesetzlich vorgesehen sind (z.B. im Rahmen des § 1817 BGB).

4.4 Vertretungsfragen/Ergänzungsbetreuungen

Keine BetreuerIn muß alles allein regeln. Insoweit sind »**Untervollmachten**« möglich, Ermächtigungen an Hilfskräfte, nicht aber generell z.B. »an den Hausarzt« oder »an das Pflegepersonal«. 123

Die **Verantwortung bleibt** bei der BetreuerIn. Sie ist für die Aufgabe zuständig, sie hat sich selbst zu informieren, zu koordinieren. BetreuerInnen, die bei den Berichtsbitten des Gerichts auf die Auskunft einer Einrichtung verweisen, betonen damit nachhaltig, daß über ihre Ablösung nachzudenken sein wird. Keine BetreuerIn muß aber bei einer Freizeit mitfahren, um etwa anfallende Entscheidungen zu treffen. Jede BetreuerIn kann auch Urlaub machen. Natürlich können insoweit **Hilfspersonen** eingeschaltet werden. 124

Durch die Neuregelung, daß Betreuungen **und Vollmachten** für Heimmitarbeiter unzulässig (jedenfalls nicht betreuungsersetzend) sind, ergibt sich z.B. bei der Betreuung, die sich auf die Post erstreckt, ein (neues) Abwicklungsproblem, wenn bisher mit (Unter-) Vollmachtslösungen gearbeitet worden ist. Es werden sich hier wie in anderen Bereichen Ermächtigungen an die Einrichtungsmitarbeiter zur inhaltlichen Vorsortierung verbieten. Der Unterschied dieser und anderer Ermächtigungen (z.B.: Medikationskoordination zwischen AH und von der BetreuerIn ausgewähltem Hausarzt) zu den Freizeitfällen wird zunächst ein quantitativer sein. In dem Augenblick, in dem die BetreuerIn mehr als Sofortreaktionen durch **Ermächtigungen an Dritte** erledigen lassen will, wird das Verbot greifen. Vom Wortlaut müßte eigentlich jede Bevollmächtigung unzulässig sein (ein Problem, das der Gesetzgeber so wohl nicht erkannt hat). Wenn weder die Betroffene selbst noch das Gericht diese Personen mit Vertretungsmacht versehen können, kann es der/die BetreuerIn mit der vom Gericht erhaltenen Kompetenz sicher auch nicht. Er/sie kann nicht mehr Kompetenzen ha- 125

26 Anders ist das nur für Behörden- und VereinsbetreuerInnen.

ben, als gesetzlich überhaupt begründbar sind. Vom Sinn und Zweck her werden aber die Freizeit-, Urlaubs-, und spontanen Alltagsreaktionen dennoch delegierbar sein müssen.

Zur Vermeidung von Mißverständnissen sei nochmals betont:

Es geht nicht um das Verbot der Zuziehung von Hilfspersonen, nur um die Unzulässigkeit der Zuziehung ***einrichtungsabhängiger Hilfen.***

126 Wenn die BetreuerIn **rechtlich verhindert** ist (§§ 1908 i Abs. 1, 1795, 181 BGB), ein Interessenkonflikt auftritt (§§ 1908 i Abs. 1, 1796 BGB) oder sie längere Zeit tatsächlich verhindert ist, kann für sie eine Ergänzungsbetreuung bestellt werden. Diese nicht ausdrücklich im Gesetz erwähnte Möglichkeit wird in Anlehnung an die Terminologie von § 1909 BGB allgemein anerkannt, wobei sich nur in der Praxis unterschiedliche Bezeichnungen entwickelt haben. Z.T. wird sie ausdrücklich als **Ergänzungsbetreuung** bezeichnet, z.T. als **Vertretungsfall** (wie bei § 1899 Abs. 4 BGB).

5. Folgen der Anordnung einer Betreuung

Die **Betreuung** wird durch einen **gerichtlichen Beschluß** angeordnet (§ 69 FGG). Das Gesetz schreibt im einzelnen vor, was alles in den Beschluß aufzunehmen ist, § 69 FGG[27]. Für die rechtliche Außenwirkung gilt nur das, was in dem **Beschlußtenor**[28] steht. Ob die Behinderung oder Krankheit z.B. in den **Gründen** falsch bezeichnet ist, ist ebenso unerheblich wie die etwaige versehentliche Zuordnung falscher Familienbeziehungen. **127**

Auch der im Alltag zu Unrecht hoch eingeschätzte **Betreuungsausweis** hat keine eigenen rechtlichen Wirkungen. Wenn ein Widerspruch zwischen Ausweis und Beschlußlage besteht, gilt das, was in den Beschlüssen angeordnet ist, nicht das, was (falsch) im Ausweis ausgeführt ist[29].

5.1 Auswirkungen auf die rechtliche Handlungsfähigkeit

Die angeordnete Betreuung soll primär als Hilfe verstanden werden. Die BetreuerIn, die mit der Bestellung gesetzliche VertreterIn der Betreuten wird (§ 1902 BGB), hat (im rechtsgeschäftlichen Bereich) **Entscheidungsbefugnis** grundsätzlich nur **neben der Betreuten**. Mit der Anordnung der Betreuung verliert die Betreute nicht ohne weiteres die **Eigenentscheidungsmöglichkeit**. Ob ihr/ihm das in der Praxis bei wichtigeren Entscheidungen viel nützt, erscheint allerdings diskussionswürdig. Es spricht vieles dafür, daß sich jedenfalls bei wirtschaftlich wichtigen Entscheidungen die PartnerIn (nur) auf die Zeichnungsbefugnis der BetreuerIn verlassen werden (wie i.d.R. Behörden). **128**

Die Betreute ist lediglich dann nicht rechtsgeschäftlich handlungsfähig, wenn sie geschäftsunfähig ist (vgl. § 104 BGB). Diese Frage wird aber nicht durch die Anordnung einer Betreuung oder in deren Zuge geklärt.

27 Beschlußbeispiele in den Anlagen a.E. des Buches.

28 Das ist der Teil vor der Begründung.

29 Das ist nach altem wie neuen Recht – so weit ich sehe – nie streitig gewesen, wird demgemäß in der Regel nur mit wenigen Worten abgetan; vgl. z.B. Palandt- Diederichsen, BGB, § 1791 Rn.1, was in einem recht krassen Mißverhältnis zu den Annahmen von Laien im Alltag steht.

5.2 Einwilligungsfähigkeit und Geschäftsfähigkeit

129 Das BGB definiert die **Geschäftsfähigkeit** nur indirekt über §§ 2, 104 ff BGB. In § 2 BGB ist festgelegt, daß man mit 18 Jahren volljährig wird. §§ 104 ff BGB knüpfen grundsätzlich an die früheren Lebensbereiche an, ordnen diesen die Begriffe **Geschäftsunfähigkeit** und **beschränkte Geschäftsfähigkeit** zu. In § 104 Nr. 2 BGB werden die dort näher beschriebenen Kranken und Behinderten ebenfalls als **geschäftsunfähig** deklariert.

130 Daraus folgt: Jeder Volljährige ist **geschäftsfähig**, das heißt fähig, durch **eigene** Maßnahmen rechtsgeschäftliche Bindungen auslösen zu können. Ist jemand so krank, daß er deren Folgen nicht übersieht, ist er geschäftsunfähig (§ 104 Nr. 2 BGB). Ist er darüber hinaus so beeinträchtigt, daß er Maßnahmen auch für sich selbst nicht mehr überblicken kann, ist er einwilligungsunfähig, selbst wenn er noch einen sogenannten »natürlichen« Willen bilden und äußern kann.

131 Die **Einwilligungsfähigkeit** wird im Gesetz vorausgesetzt (z.B. bei §§ 1904, 1905 BGB), nicht thematisiert. Einwilligungsfähigkeit setzt mehr voraus, als die Fähigkeit, »ja« und »nein« sagen zu können. Üblicherweise wird erklärt, es sei die Fähigkeit, nach entsprechender Aufklärung die Bedeutung und Tragweite einer Entscheidung zu erfassen und dann den Willen danach ausrichten zu können.[30] Es liegt auf der Hand, daß darin mehr Vorverständnisse abgefragt werden als objektive Zuordnung.

132 Im Bereich **persönlicher Maßnahmen** (insbesondere Zustimmung zu ärztlichen Maßnahmen und Unterbringungen) kommt es jedenfalls nicht auf die Geschäftsfähigkeit, sondern die Einwilligungsfähigkeit an. Ist die Betreute einwilligungsfähig, hat nur sie das Entscheidungsrecht. Ist sie einwilligungsunfähig, hat allein die BetreuerIn die Entscheidungskompetenz, wenn ihr Aufgabenkreis sich darauf erstreckt. Dabei ist die Fähigkeit, »ja« oder »nein« sagen zu können, wie erwähnt nicht identisch mit der Einsichtsfähigkeit. § 1905 BGB stellt beides nebeneinander, zeigt damit deutlich, daß es einen Unterschied geben muß.

133 Bei dem Aufgabenkreis **Aufenthaltsbestimmungsrecht** wird z.T. immer ein Vorrang der Entscheidung der BetreuerIn angenommen[31]. Ist der Betreute nicht einwilligungsfähig (oder nicht ansprechbar), entscheidet nach außen nur die BetreuerIn.

134 **Das System hat allerdings einen immanenten Fehler**. Diesen sieht man, wenn man die Bereiche Minderjähriger daneben stellt:

30 so z.B. bei Jürgens u.a., Betreuungsrecht, § 1905 Rn. 5.

31 Ich halte das so für falsch. § 69 l Abs. 2 FGG hält einen Einwilligungsvorbehalt bei der Aufenthaltsbestimmung für möglich, was nur sinnvoll ist, wenn es wirksame widersprüchliche Entscheidungen in diesem Bereich geben kann.

Minderjähre	d.h.
ab 18 Jahre **voll geschäftsfähig**	höchste Stufe (umfassende Fähigkeiten)
ab ca. 14 Jahre aber (bedingt) **einwilligungsfähig**	mittlere Stufe (begrenzte Fähigkeiten)
7 bis 17 Jahre **beschränkt geschäftsfähig**	
bis 6 Jahre (incl.) **geschäftsunfähig**	geringste Stufe (keine rechtlichen Möglichkeiten).

Betreute

- bleiben trotz Betreuung rechtl. handlungsfähig/**geschäftsfähig**, wenn sie es denn auch ohne Betreuung waren/sind (§§ 2, 104 Nr. 2 BGB)
- können wegen § 104 Nr. 2 BGB **geschäftsunfähig** sein
- können (dennoch) **einwilligungsfähig** sein, weil Einwilligungsfähigkeit wohl weniger (anderes) voraussetzt als die volle Geschäftsfähigkeit
- können **einwilligungsunfähig**, aber willensbildungsfähig sein
- können **willensbildungsunfähig** sein.

Die Anordnung eines **Einwilligungsvorbehaltes** führt dazu, daß Betreute für recht- 135
lich wirksame Handlungen, die sie nach obiger Aufstellung allein wahrnehmen könnten, »entrechtet«, einem beschränkt Geschäftsfähigen gleichgestellt werden. Wenn sie ohnehin »natürlich« rechtlich handlungsunfähig waren (geschäftsunfähig oder einwilligungsunfähig), erhalten sie durch den Einwilligungsvorbehalt nicht mehr Rechte, bleiben vielmehr rechtlich handlungsunfähig; Zustimmungen können insoweit »ins Leere« gehen oder umzudeuten sein[32].

Der erste **Bruch des Betreuungsrechts zum Minderjährigenrecht** liegt also darin, 136
daß es keine ohne weiteres beschränkt Geschäftsfähigen gibt; der wesentliche

32 Zum Einwilligungsvorbehalt s. Rn 164 ff. Man kann i.ü. an eine Eigenvornahme der BetreuerIn denken. Das ist aber nicht unproblematisch. Die Einzelheiten sind streitig. Der Gesetzgeber hielt eine Umdeutung für möglich; BT-Drucks. 11/4528, 137 f. Die Standardkommentierungen halten das für unzulässig; vgl. z.B. Palandt-Diederichsen, BGB, § 1903 Rn. 19. Die zivilrechtliche Praxis wird sich mit Auslegungen behelfen. Wenn der Geschäftspartner und die BetreuerIn einig sind, auch die Betreute keine Einwände hat, ist wenig denkbar, daß es gerichtsrelevanten Streit geben wird. Schwierig wird es allerdings im Bereich einseitiger Rechtsgeschäfte. Aber auch dann wird man mit der Auslegung oft weiter kommen.

sprachliche Fehler darin, daß bei Betreuten die Stufe »geschäftsunfähig« oft mit einem anderen Sinn als bei Minderjährigen belegt wird, insoweit in Wahrheit »nicht voll geschäftsfähig« gemeint ist, in der Praxis ein qualitativer Ansatz wie bei 16/17 jährigen gewählt wird. »Darunter« sind dann die noch Einwilligungsfähigen, qualitative Stufe wie bei 14/15 jährigen, zu finden. § 104 Nr. 1 und Nr. 2 BGB enthalten mit solchem Kontext also zwei ganz verschiedene Aussageebenen.

137 Mit dieser Gegenüberstellung soll nicht wieder der zu Recht überlebte Vergleich Behinderter mit Minderjährigen aufgegriffen werden. **Volljährige haben u.a. eine andere Lebenssituation**, ein anderes Einbindungsfeld, sind keine Minderjährigen. Aber: § 104 BGB stellt beides nebeneinander. Konsequenterweise müßten eigentlich Betreute, die (schon) einwilligungsunfähig sind, noch als geschäftsfähig behandelt werden, bis sie die Grenze der Geschäftsunfähigkeit ereicht ist. Das will offenbar niemand hinnehmen, sie in diesem Bereich nicht schutzlos lassen. Die nach altem Recht bestehende Unterscheidung zwischen starker (Folge: geschäftsunfähig) und schwacher (Folge: beschränkt geschäftsfähig) Entmündigung gibt es nicht mehr. Der Gesetzgeber hat die dadurch entstehende Lücke bewußt offen gelassen. Die Praxis hat sie dahin geschlossen, daß **Betreute, die nicht (offensichtlich) voll geschäftsfähig sind, als geschäftsunfähig geschützt (?) werden** (obwohl sie das nach dem System des § 104 BGB eigentlich noch nicht sind), ihnen aber für den persönlichen Bereich die Einwilligungsmöglichkeit (allein) belassen wird, es sei denn, sie sind auch damit (offensichtlich) überfordert.

138 Schwierig ist immer wieder die Frage nach der Feststellung wie einer etwaigen **Festschreibungsmöglichkeit der Geschäftsunfähigkeit**, insbesondere auch für die Vergangenheit.

Das kann z.B. wichtig sein für Fälle wie dem mit einem notariellen Erbverzicht anläßlich eines Spazierganges mit der Schwiegertochter (Witwe des verstorbenen Sohnes). Die Betroffene lebt an der Grenze der Sozialhilfebedürftigkeit, hat auf mehr als 100.000.- DM (zugunsten der Witwe) verzichtet. Die BetreuerIn möchte den Erbverzicht infrage stellen, traut sich aber nicht, auch wegen des Kostenrisikos.

Vergleichbar ist die Konstellation zu dem Streit mit dem Sozialhilfeträger, der darauf verweist, es sei doch verwertbares Vermögen vorhanden; die Schenkung des Hauses an den Nachbarn sei doch offensichtlich unwirksam.

139 Einige Vormundschaftsgerichte sind in diesem Umfeld bereit, ihre **Beweisaufnahme** (Sachverständigengutachten) auch auf die Frage der gegenwärtigen und/oder früheren **Geschäftsunfähigkeit** zu erstrecken. Das mag zum einen auf den Klärungsbedarf im Rahmen von §§ 1896, 1903 BGB gestützt werden, zum anderen auf Maßnahmen im Umfeld von § 1837 BGB. Wenn unklar ist, ob ein angekündigtes Handeln unbedenklich ist, mag die BetreuerIn ausdrücklich entsprechenden Rat, ggf. nach einschlägigen Ermittlungen oder auch entsprechende Auflagen, erbitten. Wenn insoweit ein qualifiziertes Gutachten zu der Frage erlangt werden kann, erübrigt sich mancher Prozeß. Letztlich ist auch insoweit die Klärung vor Ort möglich und nötig, abzusprechen, wer wie kooperiert oder widerspricht. Zwingen wird die BetreuerIn das Betreuungsgericht zu einer derartigen Beweisaufnahme nicht können, auch nicht über Beschwerden. Für weniger hilfreich halte ich dagegen in diesem Zusammenhang Beweissicherungsverfahren. Dann sollte man sich lieber gleich (prozeßkostenhilfeunterstützt) in den eigentlichen Streit stürzen.

5.3 Funktionelle Zuständigkeiten im Gericht

Während im Antrags- bzw. Anordnungsverfahren (auf Entscheidung über die Einrichtung einer Betreuung) regelmäßig **RichterInnen** zuständig sind, tritt mit Erlaß des Beschlusses ein grundsätzlicher Zuständigkeitswechsel im Gericht ein. Die Verpflichtung wird durch die **RechtspflegerIn**[33] vorgenommen, die auch im laufenden Betreuungsverfahren die unmittelbare AnsprechpartnerIn für die BetreuerInnen und sonstige von außen Anfragende ist. Sie wird die Sache nur dann wieder der RichterIn vorlegen, wenn es um Dinge unmittelbar für die Person d. Betreuten geht (§§ 1904, 1906 BGB), eine Aufgabenkreisänderung oder ein BetreuerInnenwechsel ansteht. **Die sonstige Begleitung, Beratung, Kontrolle, Entscheidung** (so auch alle Genehmigungen zu vermögensrelevanten Vorgängen, unabhängig von dem Wert) **obliegen der RechtspflegerIn,** nicht der RichterIn. **140**

33 RechtspflegerInnen sind BeamtInnen des gehobenen Dienstes mit Fachhochschulausbildung, die im Gericht mit sachlicher Unabhängigkeit als selbständige EntscheidungsträgerInnen bzw. SachbearbeiterInnen beschäftigt werden.

6. Tätigkeit der BetreuerIn

6.1 Innen- und Außenverhältnis

141 Die BetreuerIn hat die (rechtlichen) **Angelegenheiten der Betreuten** so zu regeln, wie es deren/dessen **Wohl** erfordert. Was darunter zu verstehen ist, weiß niemand so genau. Wichtig erscheint, die **Autonomie der Betreuten** im Rahmen der Möglichkeiten zu stärken und zu fördern (vgl. auch § 1901 Abs. 3 BGB). Die Befugnisse der bestellten BetreuerIn richten sich nach den zugewiesenen **Aufgabenkreisen**.

142 Im Innenverhältnis ist die BetreuerIn zwar gehalten, sich an den Wünschen der Betroffenen (§ 1901 BGB) auszurichten. Im **Außenverhältnis** wird die Vertretungsbefugnis der BetreuerIn **aber nicht** durch diese Wünsche begrenzt, sondern ist nach § 1902 BGB eigenverantwortlich zugewiesen, eingegrenzt nur durch die gesetzlich geregelten Beschränkungen (wie z.B. durch §§ 1908 i i.V.m. §§ 1795 sowie 1807 ff. und 1821 ff. BGB). Damit können im Außenverhältnis **im wirtschaftlichen Bereich** Probleme des Vorrangs wie widerstreitender Entscheidungen auftreten. Insoweit gilt grundsätzlich, daß **BetreuerIn und Betreuter nebeneinander befugt** sind, nach außen Maßnahmen vorzunehmen. Die Betreuerbestellung schränkt die Möglichkeiten des Betreuten, selber tätig zu werden, als solche eben gerade nicht ein (wenn und solange die Betreute zu eigenem Handeln in der Lage ist).

143 Die Rechte und Pflichten der BetreuerIn richten sich nach dem und sind begrenzt durch den/die **zugewiesenen Aufgabenkreis/e**. Wenn eine Maßnahme ansteht, ist vorrangig mit zu prüfen, ob der Aufgabenkreis sie enthält. Wenn das nicht der Fall ist, handelt man als Vertreter ohne Vertretungsmacht (mit umfassendem Haftungsrisiko)!

144 Wenig geläufig sind die Auswirkungen der **gesetzlichen Vertretungshindernisse**, insbes. aus §§ 1908 i, 1795 BGB sowie die durch § 1796 BGB vorgezeichneten Eingriffsmöglichkeiten.

§ 1795 BGB enthält ein **gesetzliches Vertretungshindernis**. Wenn es eingreift, besteht selbst dann **keine Vertretungsmacht**, wenn z.B. ein Geschäft beurkundet, genehmigt und durchgeführt worden ist. Der Betreuer hat für alle Konsequenzen der Unwirksamkeit als Vertreter ohne Vertretungsmacht (verschuldensunabhängig!) einzustehen.

Die gelegentlich in diesem Zusammenhang eingeforderte »Großzügigkeit« hilft deshalb niemandem, zumal sie andere Beteiligte nicht binden kann und auch offen ist, ob z.B. 3 Jahre später alle dann Beteiligten das auch immer noch gut finden.

Die hier angesprochene Frage darf nicht mit der nach der Eignung verwechselt werden. Im Bestellungsverfahren wird auch die Frage etwaiger **Interessenkollisionen** geprüft[34]. Die Tatsache, daß jemand dann bestellt wird, verschafft ihm/ihr bei fortbestehender oder nachträglich entstehender Interessenkollision i.S.d. § 1795 BGB keine Vertretungsmacht. Sie bleibt bzw. ist ausgeschlossen. **Das Gericht kann davon nicht befreien.** 145

Ein klassischer Anwendungsbereich von §§ 1795, 181 BGB sind **Mehrfachvertretungen** (für mehrere Geschwister, für die Eheleute), Probleme bei Auseinandersetzungen (Erbfälle oder Grundstückbelastungsänderungen, auch Ablösungen) sowie der Abschluß von **Pflege- oder sonstigen Kostenerstattungsvereinbarungen**. 146

Die Auflösung ist über **ErgänzungsbetreuerInnen** möglich, die gesetzlich nicht geregelt, aber allgemein anerkannt sind. Sie werden z.T. auch als Ferien- oder bei längeren Krankheitsvertretungen eingesetzt. 147

§ 1796 BGB enthält **keinen gesetzlichen Vertretungsausschluß**, nur einen gesonderten, oft nicht gesehenen **Eingriffstatbestand**, der nicht erst bei der Frage des Handelns, sondern auch schon für die Entschlußfassung greifen kann. Hat z.B. der Vertretene Ausgleichs- oder Pflichtteilsansprüche gegen den Vertreter oder dessen Verwandte, so wäre die Geltendmachung ggf. ein § 1795 BGB- Problem; die Frage, »ob« das geschehen soll, kann aber nicht allein durch den dann an der Umsetzung Gehinderten entschieden werden, vielmehr ggf. nach dem Eingriff über eine ErgänzungsbetreuerIn. 148

6.2 Typische Aufgabenkreise

Die Rechte und Pflichten der BetreuerIn richten sich nach dem und sind begrenzt durch den/die zugewiesenen Aufgabenkreis/e. Die wichtigsten sind: 149

- **Aufenthaltsregelung** (oder -bestimmungsrecht, wobei sachlich kein Unterschied besteht, das erste klingt aber freundlicher)
- **Wohnungsangelegenheiten**
- **Gesundheitsfürsorge** (ggf. mit Zustimmung zu ärztlichen Maßnahmen)
- **Vermögenssorge**
- **Bevollmächtigtenkontrolle** (vgl. § 1896 Abs. 3 BGB)
- **Post**kontrolle (vgl. § 1896 Abs. 4 BGB. Sie wird nie allein vorkommen, sondern immer Annex anderer Aufgabenkreise sein. Beachte: »**Alle**« enthält **nicht** die Befugnis zum Anhalten und Öffnen der Post!)

34 Beispiel BayObLG, BtPrax 1998, 74.

- **Vertretung gegenüber Kostenträgern, Behörden und Einrichtungen** (ist einerseits ein Unterfall von Vermögenssorge, andererseits weiter, z. B. für Ausweisfragen)
- **Sterilisation (zwingend gesonderte BetreuerIn)**
- **alle Angelegenheiten** (kaum praktische Relevanz; führt zum Verlust des Wahlrechts).

Sinnlos erscheint mir der Aufgabenkreis: **Vertretung in Rechtsangelegenheiten**. Wenn man das ernsthaft prüft, wird es bedeuten, »alle Angelegenheiten«[35], weil Betreuung immer nur rechtliche Fragen betrifft. Wenn ein Gericht es dennoch für richtig hält, einen solchen Aufgabenkreis auszuweisen, meint es vermutlich nur die Vertretung gegenüber Behörden und Gerichten bzw. in Rechtsstreitigkeiten (vgl. § 13 GVG)[36].

150 Die vorstehenden Aufgabenkreise sind an die Entscheidungspraxis vieler Gerichte angelehnt. Die Nähe einiger Bereiche bzw. die Überschneidungen zeigen augenfällig die Schwierigkeiten der Grenzbestimmung. **Bei der Verpflichtung wird der BetreuerIn mitgeteilt**[37]**, welche konkreten Probleme aufzuarbeiten sind**[38]. Darauf ist aber nicht genug Verlaß. Die BetreuerIn wird deshalb zunächst eine eigene »Eingangsbestandsaufnahme« machen müssen. Zu klären ist ggf. z.B. der Aufenthaltsort des Betreuten (Zu ändern? Warum, mit welchem Ziel? Wie ist die Finanzierung sicherzustellen? Verwandte? Bekannte? Sonstige soziale Kontakte? etc.). Bei der Verpflichtung sollte i.ü. mit dem Vormundschaftsgericht geklärt werden, was dieses von der BetreuerIn erwartet (Wann welcher Erstbericht? Berichtsformulare? etc.). Manche BerufsbetreuerInnen nehmen Einsicht in die vollständigen Akten des Gerichts. Das wird rechtlich unproblematisch sein (hängt vom Aufgabenkreis ab und ist nicht ganz selbstverständlich für vertrauliche Arztberichte). Streitig wird dagegen leicht die etwa gewünschte Einsicht in die Unterlagen anderer Stellen wie z.B. des sozialpsychiatrischen Dienstes.

151 Ich habe früher vorgeschlagen[39], die Aufgabenkreise möglichst konkret zu fassen und von den Standardformularen abzusehen. Vom Ansatz halte ich die Idee immer noch für gut. Es hat sich aber gezeigt, daß damit viele Banken, Behörden, Gewerbetreibende, sonstige Vertragspartner der Betroffenen überfordert werden, daß es dann ständiger Erläuterungen, Klarstellungen, Veränderungen bedurfte und manche BetreuerInnen sich überfordert sahen. Ich rege deshalb heute an, von den Standardbereichen auszugehen und den konkreten Erfordernissen der Betreuten durch daran an-

35 Mit der Folge des Verlustes des Wahlrechtes!
36 Diese Erklärung wird gegenüber der Behörde, die die Wählerliste führt, wenig nützen, wenn sie den Beschluß erst einmal gesehen hat.
37 Wenn das nicht geschieht, sollte sie nachfragen.
38 Protokollbeispiel am Ende des Buches.
39 RPfleger 1988, 451 ff.

gefügte Einschränkungen Rechnung zu tragen (Vermögenssorge mit Ausnahme der Verwaltung … o.ä.).

Eine abstrakte Darstellung der Anforderungen zu den einzelnen Aufgabenkreisen ist schwer, weil die genannten, üblicherweise verwendeten Aufgabenkreise i.d.R. einen größeren Bereich umfassen, der je nach Fall verschiedene Tätigkeiten erfordern kann. So kann »**Aufenthaltsbestimmung**« **umfassen** (es werden auch dazu unterschiedliche Bewertungen vertreten und sind z.T. in einzelnen Bezirken unterschiedliche Handhabungen anzutreffen): 152

- Kündigung des Mietvertrages (genehmigungspflichtig, § 1907 BGB) / (es ist streitig, ob das allein mit Aufenthaltsbestimmung wirklich erfaßt ist)
- Auflösung der Wohnung (auch das ist streitig)
- Abschluß/Änderung/Kündigung von Verträgen mit einem Heim (das ist ebenfalls zweifelhaft, weil erhebliche finanzielle Folgen ausgelöst werden können)
- Unterbringung des Betreuten (allgemein oder nach § 1906 BGB).

Die Entscheidung über etwa erforderliche **Aufnahmeuntersuchungen** ist dagegen durch diesen Aufgabenkreis auch dann nicht erfaßt, wenn Ziel des Verfahrens die Unterbringung war. Andererseits kann »**Aufenthaltsbestimmung**« sich schlicht auf ebendies beschränken, wenn es z.B. nur darum geht, den bestehenden Aufenthalt rechtlich zu sichern. 153

So kann es vorkommen, daß erbhoffnungsträchtige Verwandte plötzlich alle »pflegen« wollen, sich darum streiten, wer der Betreuten näher ist. Wenn sie anfangen, an der Betreuten zu »zerren«, gar »Entführungen« aus dem Altenheim vorkommen, ist rechtlich gesichert zu klären, wo nun der Aufenthalt genommen wird.

»Ärztliche Behandlung« ist ein Unterbereich von »Personensorge«[40], der als solcher (Personensorge) aber bei Betreuungen selten bis nie zu finden ist. **Ärztliche Behandlung** deckt Entscheidungen zu Arztbehandlungen ab. Der Begriff »**Heilbehandlung**« ist andererseits z.B. enger als »ärztliche Maßnahmen«. Dieser Aufgabenkreis wird – z.B. nach einem Unfall – für erforderlich gehaltene **Schönheitsoperationen nicht** decken. Bei den hier zu treffenden Maßnahmen ist i.ü. zwischen der Frage der Einwilligung zu den ärztlichen Handlungen (Frage der Einwilligungsfähigkeit) und dem Abschluß des Behandlungsvertrages (§ 611 BGB, Geschäftsfähigkeit maßgeblich) zu unterscheiden. 154

Es treten dabei immer wieder **Streitfälle zwischen »altem Hausarzt« und BetreuerInnen** auf. Letztlich scheint es sich dabei um Auseinandersetzungen auf dem Hintergrund der von den Ärzten (zu Unrecht) in Anspruch genommenen »**Therapiefreiheit**« zu handeln, verbunden mit der Erwartung, über »eigene« alten Patienten dauerhaft entscheiden zu können (sie nicht zu verlieren). Ein Arzt hat dieses

40 Angesichts der Legaldefinition in § 1631 Abs. 1 BGB halte ich »Personensorge« im Betreuungsbereich zumindest für außerordentlich irreführend.

Vorverständnis so formuliert: Die Betreuer sind heranzuziehen, wenn wir nichts mehr machen können, nicht mehr helfen können und der Pastor noch nicht zuständig ist. So eine offensichtlich irrige Vorstellung. – Zu dem Aufgabenkreis »Gesundheit« gehört es auch, mit dem Arzt eine nachvollziehbare Medikation zu vereinbaren und sonstige Maßnahmen nachvollziehbar abzusprechen. Wenn das nicht möglich ist, wird ein Arztwechsel nicht ausschließbar sein; in manchen Einrichtungen (aus rein tatsächlichen Gründen) ein nicht ganz einfacher Vorgang.

155 Im Bereich der **Vermögenssorge** werden besonders viele Genehmigungserfordernisse relevant (§§ 1908 i i.V.m. 1805 ff, 1821 ff BGB), tritt andererseits die mögliche Zuständigkeitskonkurrenz (Betreute/BetreuerIn) signifikant hervor, was das Genehmigungsproblem vertiefen kann.

Insbesondere bei Fragen aus dem Bereich der Vermögenssorge und damit regelmäßig im Betreuungsalltag hat man es als BetreuerIn im Gericht mit einer anderen Sachbearbeiterebene zu tun als im Anordnungsverfahren. Während die Anordnung einer Betreuung fast ausschließlich durch **RichterInnen** erfolgt (Ausnahme z.B. bei der Zuständigkeit für § 1896 Abs. 3 BGB), werden ab der Verpflichtung **RechtspflegerInnen** tätig, denen die Kontrolle des Anfangsverzeichnisses, alle vermögenbezogenen Genehmigungen wie die Abwicklung der Rechnungsprüfung zur eigenverantwortlichen Entscheidung zugewiesen sind, die aber z.B. auch über Vergütungen entscheiden. Die RichterIn sagt bei der Anordnung der Betreuung nur, »ob« etwas bezahlt wird (Aufnahme der Bestellung als **Berufs**betreuerIn in den Beschluß); wieviel es gibt, entscheidet die RechtspflegerIn. Die RichterIn hat insoweit kaum Zuständigkeiten, kann auch wenig »Vorgaben« machen; über etwaige Beschwerden entscheidet in der Regel nicht die RichterIn, sondern wie bei den richterlichen Beschlüssen das »übergeordnete« Landgericht (§ 11 RpflG).

156 Nach § 1896 Abs. 4 BGB darf ein **Eingriff in den Fernmelde- und Postverkehr** nur erfolgen, wenn dieser Bereich ausdrücklich übertragen worden ist. Damit verbieten sich auch Umleitungen der Post durch Nachsendeanträge an die BetreuerIn, wenn das nicht in dieser Form ausdrücklich im Aufgabenkreis ausgewiesen ist. Die BetreuerIn darf »umgeleitete« Post nicht öffnen, muß sie vielmehr unverzüglich ungeöffnet an die Betreute/n geben, es sei denn, der Aufgabenkreis ermächtigt zum inhaltlichen Zugriff. Die Tatsache, daß die Post die Umschläge auf den Antrag umleitet, eröffnet natürlich keine Zugriffskompetenz.

Insgesamt scheint in diesem Bereich noch erhebliche Unsicherheit zu herrschen. Einige Gerichte verwenden den Aufgabenkreis fast nie, andere standardmäßig, andere nur differenziert (Geschäftspost o.ä.). Was bei genereller Anordnung von den BetreuerInnen leicht übersehen wird, ist, daß sie damit auch die Verantwortung für abgehende Post erhalten haben.

Vorsicht ist geboten, soweit **Mitwirkung in gerichtlichen und/oder behördlichen Verfahren** ansteht, z.B. in **familiengerichtlichen Auseinandersetzungen** oder Insolvenzverfahren. Wenn dabei Zweifel an der Vertretungsbefugnis bleiben, kann das dazu führen, daß erlangte Einigungen oder Entscheidungen letztlich wirkungslos für den Betreuten sind. Ich neige dazu, ggf. ausdrücklich anregen zu lassen, die Vertretungsbefugnis für das Verfahren (nicht zu eng, etwa gar mit Aktenzeichen und Instanz) als Aufgabenkreis aufzunehmen. Andererseits ist eine solche Befugnis sehr eng, deckt Folgeabwicklungen wie die Verwaltung erstrittenen Unterhalts etc. nicht mehr. [41] 157

6.3 Veränderungen des Aufgabenkreises

Die BetreuerIn hat Kompetenzen allein im bestellten Rahmen. Aber: die **Pflichten zur Beobachtung** gehen weiter (das ist übrigens eine Chance für Entgeltdiskussionen). Sie/er muß auch beobachten, ob Veränderungen angezeigt sind, sich entsprechend informieren und hat eine Berichtspflicht gegenüber dem Gericht (§ 1901 Abs. 5 BGB, der sicher nicht nur im Sinn einer Berichtspflicht über Zufallsfunde verstanden werden kann). Wenn diese verletzt wird, aus der Verzögerung Nachteile für die Betreute/n entstehen, kann wieder die Haftungsfrage aufzuwerfen sein. 158

6.4 Arbeitsablauf am Beispiel Heimunterbringung – Wohnungsauflösung

Nicht ganz selten tritt die Frage auf, ob eine Heimunterbringung zu veranlassen ist. 159

- Voraussetzung ist die Existenz und Wirksamkeit einer Betreuungsentscheidung. Notwendiger **Aufgabenkreis** wäre insoweit »Aufenthaltsbestimmung, Vermögenssorge«, **ggf.** auch »Wohnungsangelegenheiten«. Das letztere ist aber nicht zwingend. Es gibt Gerichte, die diesen Aufgabenkreis fast immer als Ergänzung zur Aufenthaltsbestimmung anordnen und andere, die ihn weitgehend für überflüssig halten.
- Wenn die eigene Handlungskompetenz geregelt ist, wäre die **Zustimmung** der Betroffenen zu klären (darf ich handeln, macht die Ausnutzung meiner Kompetenz Sinn?). Will die Betreute? Wenn sie widerspricht: Ist das verbindlich? Im Rahmen des § 1901 BGB nicht. Aber: Ist sie geschäftsfähig/einwilligungsfähig; kann sie das also (nur?) selbst (wirksam/dauerhaft/verläßlich) regeln?

41 Aber: »Vermögenssorge« wird für Insolvenz- und gleichartige Verfahren genügen.

- Wenn die Betroffene nicht will: Ist es vertretbar, sich darauf einzulassen? Welche Gefahren bestehen? Das geht über in die **Abklärung der Notwendigkeit** dieser Maßnahme (ärztliche und persönliche Aspekte) hinaus.
- Wer liefert welche verwertbaren Unterlagen, auch zur Erzielung etwa erforderlicher Genehmigungen?
- Wobei ist welche Unterstützung nötig? Insoweit wird ein nicht unerheblicher Gesprächsbedarf bestehen.
- **Kosten?** Wenn Hilfen nötig sind: Wer leistet sie, wer bezahlt sie? (Schwierig z.B. in Entmüllungsfällen).
- **Auswahl des Heimes** unter Berücksichtigung des Pflegebedarfs, sozialer und kommunikativer Bedürfnisse, örtlicher Gegebenheiten. Vor Abschluß eines **Heimvertrages** ist dessen genauer Inhalt zu klären (Zimmerbelegung, Pflichten, Kündigungsfristen, Kostenpflichten für Zusatzleistungen etc.), ebenso der Genehmigungsbedarf (§ 1907 BGB) und die Finanzierung.
- Wie wird der Umzug erfolgen? Ist Vollzugshilfe nötig? Bedarf es dazu (welcher?) Ermächtigungen?
- Rechtzeitig vor bzw. zum Umzug ist auch die Wohnungskündigung und -auflösung zu betreiben (Genehmigungsbedarf: § 1907 BGB). Die Fristen sind zu beachten (Kündigungsfristen können sich durch Pflegebedürftigkeit verkürzen). Die Finanzierung ist zu sichern (Probleme bei Überschneidungszeiten, insbesondere bei »Probeumzug«). Die Pflichten aus dem Mietvertrag sind zu beachten und abzuwickeln. Auch leerstehende Wohnungen müssen gesichert werden (z.B. Frostschutzmaßnahmen im Winter; regreßträchtig). Bei der Wohnungsauflösung sollte immer, auch bei »wertlosem Inventar«, ein Verzeichnis unter Zuziehung eines Zeugen aufgenommen werden und/oder für anderweitige beweiskräftige Dokumentation gesorgt werden (regreßträchtig). Vorsicht ist geboten vor pauschalen Entsorgungs-/Entrümpelungsangeboten. Soweit z.B. Schönheitsreparaturen Sache der MieterIn sind, sollten vor Vergabe zwei Kostenangebote eingeholt werden[42].
- Die Wohnung ist an d. VermieterIn zurückzugeben (Übergabeprotokoll, Verbrauchsdaten festhalten).
- Die Einlebensphase im Heim ist zu begleiten bzw. abzusichern. (Welche Qualitätskontrollen bei den Leistungen sind nötig? Wie wird der Kommunikationsweg geklärt, kontrolliert und ggf. gesichert?)

Es nützt nichts, wenn die BetreuerIn 2 Tage nach dem Auszug der Betreuten aus dem Heim erfährt, daß sie gegangen ist, weil sie oder ein Angehöriger es nicht mehr aushielt.

42 Aus diesem Bereich entsteht immer wieder Streit, nicht zuletzt mit etwaigen Erben, also Personen, die zunächst gar nicht als Beteiligte in Erscheinung treten. Wenn bei der Abwicklung keine sorgfältige Dokumentation erfolgt, ist die BetreuerIn einer späteren Haftungsinanspruchnahme relativ hilflos ausgesetzt.

Auch wenn das Heim Arztgespräche führt, Medikationen veranlaßt oder ändert, ist das nur z.T. ein Problem des Heimes, überwiegend ein Betreuungsproblem, wenn sich der Aufgabenkreis darauf erstreckt. Die BetreuerIn muß sich um diese Dinge kümmern, nötigenfalls auf Veränderungen hinwirken, ggf. sogar das Heim wechseln.

- Bei schriftlich fixierten Zwischenschritten von größerer Bedeutung kann die Übersendung einer Kopie z.d.A. nicht schaden. Das Gericht erwartet in jedem Fall die umgehende Mitteilung der aktuellen Anschrift.

6.5 Tätigkeiten der BetreuerIn nach dem Tod der Betreuten

Für die Zuständigkeit zu einer **Totenfürsorge** stellt man bürgerlich-rechtlich auf Gewohnheitsrecht und insoweit primär den Willen des Verstorbenen ab[43]. Zuständig ist nicht die ErbIn, sondern die Angehörigen oder ggf. auch die BetreuerIn[44]. 160

Die Kosten trägt dagegen die ErbIn (§ 1968 BGB). 161

Nach den **Landesbestimmungen über das Leichenwesen**, dies sind in der Regel Verordnungen zu den jeweiligen Ordnungsbehördengesetzen, stellt eine nicht bestattete Leiche eine Gefahr für die öffentliche Sicherheit dar. Nach diesen Bestimmungen haben die Familienangehörigen des Verstorbenen, auch wenn sie die Erbschaft ausgeschlagen haben, für die **Bestattung** zu sorgen. Kümmern sie sich nicht darum, ist es Aufgabe des Ordnungsamtes, die Bestattung zu organisieren. Lediglich in Bayern und Sachsen kann die Ordnungsbehörde auch die bisherige BetreuerIn, die die Personensorge innehatte, zur Bestattung verpflichten. Aufgabe des Betreuers ist es i.ü. daher nur, die Ordnungsbehörde (der Stadt oder des Landkreises) von der bestattungsbedürftigen Leiche zu informieren. 162

Jede **Betreuung erlischt mit dem Tod der zu Betreuenden**, ohne daß eine Aufhebung erforderlich ist. Bei der Mehrzahl der Betreuungsgerichte wird die Regelung der Beerdigung aber als **Notfallabwicklung** (vgl. §§ 1908 i; 1893, 1698 a und b BGB) verstanden und finanziell mitgetragen[45]. Die BetreuerIn kann nicht gezwungen werden, diese Dinge abzuwickeln. 163

43 vgl. BGH FamRZ 1992, 657; Kommentierung zu den Einzelfragen bei Palandt-Edenhofer, Einleitung vor § 1922 Rn. 9.

44 LG Bonn FamRZ 1993, 1121; Stockert BtPrax 1996, 203.

45 LG Bonn FamRZ 1993, 1121; Gregersen-Deinert, Die Vergütung des Betreuers, 6.10.15, S. 110.

7. Einwilligungsvorbehalt

164 § 1903 Abs. 2 BGB beschreibt neben seinem Regelungskern z.T. auch **Grenzen, die für jede Betreuung** bestehen, jenseits der demgemäß auch kein Einwilligungsvorbehalt möglich ist. Keine gesetzliche VertreterIn kann ihre Vertretene/n verheiraten, für sie/ihn ein Testament machen etc. Natürlich gibt es auch noch andere vertretungsfeindliche Bereiche. Das folgt dann aber aus Spezialregelungen (z.B. beim Wahlrecht).

7.1 Grundlagen

165 Die **Anordnung eines Einwilligungsvorbehalts** setzt das Bestehen einer erheblichen Gefahr voraus (§1903 BGB), etwa durch »unvernünftige« Willenserklärungen. Die Existenz dieser Voraussetzung zeigt, daß »Unvernunft« noch keinen Schluß auf Geschäftsunfähigkeit zuläßt. Gefahren für Dritte rechtfertigen einen Einwilligungsvorbehalt nicht. Er kann nur angeordnet werden, wenn die/der Betreute aufgrund einer psychischen Erkrankung seinen/ihren Willen nicht frei bestimmen kann, da der Staat von Verfassungs wegen gehindert ist, auf diesem Wege eine Besserungsmaßnahme aufzudrängen oder die/den Betreuten zu hindern, sich selbst zu schädigen[46].

Die Regelung hat auch den Zweck, massive **Störungen in der Führung der Betreuung** durch konkurrierendes Handeln der Betreuten, mit dem sie sich selbst Schaden zufügt, zu vermeiden.

166 *Einer Betreuten, die bei jeder Gelegenheit Brötchen kauft, sie in ihrem Haus versteckt und für die die Bäcker sich weigern, zu »kooperieren«, sich zu verweigern, weil sie Angst vor Streit in dem Geschäft haben; wie dem Betreuten, der pro Tag bis zu 10 Schnitzel kauft und sie in seinem Altenheimzimmer hortet, wird z.B. nicht anders zu helfen sein. Aber: Bei beiden ist vor einem Antrag bzw. einer Anordnung zu klären, ob aus ihren Handlungen wirklich eine erhebliche Gefahr begründet wird. Ich neige dazu, das bei der Dame mit den Brötchen zu verneinen, halte deren Handeln eher für lästig, nicht für gefährlich. Auch die Gefahr von Schädlingsbefall der Wohnung wegen der versteckten Lebensmittel wird durch geringer eingreifende Mittel als durch einen vorgeschalteten Einwilligungsvorbehalt aufzufangen sein. Bei den Fleischereiprodukten kann das anders sein, wenn denn der Einwilligungsvorbehalt geeignetes Mittel ist, das Horten zu unterbinden. Solange es nur um das verlorene Geld geht, wird vorab zu klären sein, ob der Betreute sich diese Ausgaben leisten kann, keine Not leidet, wenn er weiter diesem Spleen nachgeht.*

167 ***Die Möglichkeit der Anordnung eines Einwilligungsvorbehaltes zielt auf** andere Fälle, wie etwa den der geistig leicht behinderten jungen Frau (25 Jahre) und Mutter (Kind 2 Jahre), die mit ihren geringen Mitteln nicht umgehen kann, sich und das Kind der Gefahr aussetzt, massiv zu hungern und die dennoch immer wieder das Geld, das sie erhalten kann, sofort umsetzt (für Kleider, Versandbestellungen etc). und*

46 die Einzelheiten zu diesem »Recht auf Krankheit oder Recht auf Verwirrtheit« sind außerordentlich str.; s. Rn. 305 bei Fußn. 120 und Rn. 332 ff.

die häufig die Wohnungen wechselt, und ständig neue Mietverträge unterschreibt. Sie mag geschäftsunfähig sein oder nicht. Klärbar wäre das nur in jedem Einzelfall und ohne Bindung für den nächsten. Zudem ist die Ernährung und Grundversorgung jedenfalls infrage gestellt. Hier liegen »erhebliche« Gefahren vor, und ein Einwilligungsvorbehalt im Vermögenssorgebereich wäre naheliegend.

Gleiches gilt etwa für den geistig behinderten Sozialhilfeempfänger mit einer Vorliebe für teure Modellautos, die er immer wieder im Versandhandel bestellt. Hier mag ***ein auf Versandbestellungen begrenzter Einwilligungsvorbehalt*** *genügen, um die für ihn immer wieder eintretenden Folgeprobleme wie Gerichtsverfahren mit entsprechenden Zusatzkosten aufzufangen*[47]. **168**

Ähnliches mag für die in ihrer eigene Wohnung lebende ***Betreute gelten, die sich nicht gegen Besucher wehren kann****, jede Aufforderung zur Bestellung von Büchern etc. unterschreibt. Gegen den Einwilligungsvorbehalt für »Haustürgeschäfte« spricht auch nicht die entsprechende allgemeine Widerrufsmöglichkeit. Die Betreute widerruft nicht. Die BetreuerIn erfährt nichts davon, bis sie von dem nächsten Vollstreckungsbescheid hört, der nun auch noch zu zahlen sei.*

Lediglich für **Eheschließungen und Verfügungen von Todes wegen** (z.B. Testamente) ist die Anordnung eines Einwilligungsvorbehaltes **nicht** möglich (§ 1903 Abs. 2 BGB), allerdings kann die natürliche Geschäftsunfähigkeit (§ 104 Nr. 2 BGB) einer Eheschließung bzw. einer Testamentserrichtung entgegenstehen. Auch das prüft und entscheidet aber nicht das Betreuungsgericht oder die BetreuerIn, sondern die jeweils angerufene Stelle, z.B. der Standesbeamte. **169**

Ein Einwilligungsvorbehalt bewirkt, daß der Betreute zur Rechtswirksamkeit einer Willenserklärung, die in den Aufgabenkreis des Betreuers fällt, dessen Einwilligung bedarf. Dies entspricht der beschränkten Geschäftsfähigkeit (§§ 108 bis 113 BGB). **170**

7.2 Einwilligungsvorbehalt in persönlichen Angelegenheiten?

Für die **Aufenthaltsregelung** wird ein Einwilligungsvorbehalt nicht in Betracht kommen, dadurch weder das Festhalten in einem Heim noch die Ausgrenzung von streitbaren Angehörigen, die Unruhe in das Heim tragen, legitimierbar sein. Für das **171**

47 Bei BetreuerInnen noch weniger geläufig ist, daß es auch geboten sein kann, rechtskräftig titulierte Forderungen zu prüfen. Bekannt ist insoweit, daß die Rechtsprechung davon ausgeht, daß Zustellungen an geschäftsunfähige (Erwachsene) wirksam sind, die entsprechenden Fristen in Lauf gesetzt werden und Rechtskraft eintreten kann. Daß diese Rechtskraft aber über § 579 Abs. 1 Nr. 4 ZPO wieder beseitigt werden kann, wird selten gesehen. Wenn im Prozeß nicht erkannt worden ist, daß die Partei prozeßunfähig war oder mangels Geschäftsfähigkeit keine wirksame Vollmacht erteilen konnte, besteht die Möglichkeit einer Nichtigkeitsklage (vgl. z. B. BGHZ 84, 27 m.w.Nachw.; BGH MDR 1964, 126; Hans. OLG Hamburg FamRZ 1981, 962; OLG Stuttgart FamRZ 1980, 379). Die Darlegungs- und Beweislast für die entsprechende Geschäftsunfähigkeit während des Vorprozesses liegt natürlich bei den Betreuten, jetzt vertreten durch eine entsprechend legitimierte BetreuerIn. Ob es stets Sinn macht, sich auf eine derartige Klage einzulassen, muß i.ü. auch inhaltlich geprüft werden. Praktisch geworden ist es z.B. kürzlich wieder bei der Frage, inwieweit eine Betroffene aus einer familiengerichtlichen Auseinandersetzung, in der sie krankheitsbedingt fast alles verloren gegeben hatte, auf Dauer gebunden bleiben sollte. Wenn ein entsprechendes Gutachten vorliegt, die psychische Krankheit damit belegt werden kann, wird eine entsprechende neue Verhandlungsmöglichkeit bestehen, in die man aber das Argument aus § 579 ZPO gegen titulierte Fragen zunächst selbst einbringen muß (**Achtung:** Klagefrist beachten, § 586 ZPO).

Festhalten wird auch bei »offenen« Einrichtungen auf § 1906 BGB und für die Regelung des Besuchsverkehrs auf die entsprechenden personenbezogenen Kompetenzen (vgl. §§ 1908 i i.V.m. 1632 BGB) abzustellen sein. Soweit in diesem Bereich ein Einwilligungsvorbehalt angeordnet wird (vgl. auch § 69 l Abs. 2 FGG), bezieht er sich nicht auf die rein tatsächliche Aufenthaltsregelung etc., sondern allein auf die in dem Zusammenhang anfallenden rechtgeschäftlichen Erklärungen[48].

172 Auch für **Gesundheitsfragen** wird ein Einwilligungsvorbehalt trotz des anders klingenden Wortlautes in §1903 BGB ausscheiden. Es wird nicht möglich sein, schädliche, »unvernünftige« Entscheidungen Einwilligungsfähiger dadurch zu unterlaufen. Soweit in diesem Zusammenhang rechtsgeschäftliche Erklärungen bedeutsam werden, gilt das bei Rn. 171 Ausgeführte entsprechend.

7.3 Rechtsgeschäftliche Umsetzung; kein Gutglaubensschutz für Dritte

173 In der Praxis kann der Einwilligungsvorbehalt zu erheblichen **Einschränkungen im Rechtsverkehr** führen, denn ohne Einwilligung vom Betreuten geschlossene Verträge sind schwebend unwirksam, ihre Wirksamkeit hängt von der nachträglichen Genehmigung des Betreuers ab (§ 108 BGB), es sei denn, sie sind wegen Geschäftsunfähigkeit nichtig.

174 **Einseitige Rechtsgeschäfte** des Betreuten sind ebenfalls unwirksam. Willenserklärungen, die von Dritten dem Betreuten gegenüber abgegeben werden, sind nicht wirksam, bevor sie dem Betreuer zugegangen sind (§ 131 BGB).

175 Der Betreute kann trotz des Einwilligungsvorbehaltes wirksam Rechtsgeschäfte tätigen, die ihm **lediglich einen rechtlichen Vorteil** bringen; ein wirtschaftlicher Vorteil reicht nicht. Dies gilt seit 1.1.1999 auch für »geringfügige Angelegenheiten des täglichen Lebens« betreffende Geschäfte, es sei denn, das Gericht ordnet insoweit etwas anderes an.

176 Der Hinweis (in den obigen Fällen) der Kaufleute wie der Bank im Hinblick auf eine junge geistig Behinderte, für die ein Einwilligungsvorbehalt (Vermögenssorge) bestand, die dennoch alleine ein Konto eröffnete und das erheblich überzog, sie seien gutgläubig gewesen, wird nichts nützen. Es gibt keinen Gutglaubensschutz an die Geschäftsfähigkeit. Die Kaufleute bzw. die Bank müssen das Geld zurückgeben oder zurückbuchen, ohne auf eine gleichwertige Gegenleistung hoffen zu können.

48 OLG Hamm FamRZ 1995, 433; mißverständlich BayObLG FamRZ 1993, 852; Jürgens u.a., Betreuungsrecht, § 1903 Rn. 7 ff.

Zm **Sozialstaatsprinzip** gehört es, daß in diesem Bereich der **Schutz Hilfsbedürftiger Vorrang** vor dem Schutz des Rechtsverkehrs hat. Zwar »können die anderen nichts dafür, waren nicht fahrlässig«, sie müssen aber das soziale Problem mit tragen und erhalten keine »Entschädigung«.

8. Vormundschaftsgerichtliche Verfahren

177 Die Tätigkeit des **Gerichtes für Betreuungssachen, des Vormundschaftsgerichtes** (VG), gehört wie die des Nachlaßgerichts, Grundbuchamtes, Registergerichts u.a. mehr zum Bereich der sogenannten **freiwilligen Gerichtsbarkeit**. Sie wird im allgemeinen von den ordentlichen[49] Gerichten erledigt. Es handelt sich mithin überwiegend um eine besondere Verfahrensart im Rahmen der ordentlichen Gerichtsbarkeit.[50]

178 Die Verfahren nach dem **FGG sind typischerweise nicht auf Streitentscheidung** ausgelegt. Es handelt sich vorwiegend um **Rechtsfürsorge** – Vorsorge, Sicherung, Registrierung – wenn auch auf der Hand liegt, daß im Vormundschaftsgericht wie bei dem Nachlaßgericht heftige Auseinandersetzungen denkbar erscheinen. Sie werden aber dort i.d.R. nicht mit Rechtskraftwirkung entschieden. So schützt ein erlangter Erbschein nicht vor der Klage auf Herausgabe des Erbes.

Das Verfahren ist insgesamt – zur Struktur wie zum Einzelablauf – im FGG geregelt. Das Gerichtsverfassungsgesetz gilt nicht; die ZPO nur, soweit eine Verweisung vorliegt, sonst im Analogiewege hilfsweise ergänzend.

179 Die **Beteiligten** werden i.d.R. als AntragstellerIn bzw. AntragsgegnerIn bezeichnet. Es gibt im FGG keine KlägerInnen oder Beklagten. Während im Zivilprozeß grundsätzlich die Dispositionsmaxime gilt, gilt für das FGG i.d.R. die Offizialmaxime. Im Zivilprozeß gilt der Verhandlungsgrundsatz, die Parteien bringen die Tatsachen und benennen die Beweismittel. Das FGG kennt dagegen die **Amtsermittlung** (§ 12 FGG; auch in Antragsverfahren).

180 Wie bei jedem anderen Vorgang auch wird i.d.R. als erstes die **Zulässigkeit** geprüft. Dies umfaßt die:

- Zuständigkeit
- Beteiligtenfähigkeit
- Verfahrensfähigkeit
- Vertretung (kein Anwaltszwang!) und
- ggf. den Antrag.

49 historisch geprägter Begriff, vgl. §§ 12,13 GVG; im Gegensatz insbesondere zu den Verwaltungsgerichten etc.

50 Zur freiwilligen Gerichtsbarkeit (i.w.S.) gehört aber auch die Tätigkeit der Notare, die als staatliche Hoheitsträger legitimiert, z.T. auch eingebunden sind (für sie gilt z.B. die KostO).

Zu unterscheiden sind die sachliche, die örtliche (§ 65 FGG) und die funktionelle (RechtspflegerIn/RichterIn) Zuständigkeit. Die Zuständigkeit der Betreuungsstelle läuft damit nicht immer synchron. 181

8.1 Zuständigkeiten

In Betreuungssachen richtet sich die gerichtliche Zuständigkeit in der Regel nach dem **gewöhnlichen Aufenthaltsort**, hilfsweise nach dem Ort, an dem ein Regelungsbedürfnis besteht (§ 65 FGG). Wenn allerdings für die Betroffene bereits ein Betreuungsverfahren läuft, ist das Gericht zuständig, das dies betreibt, selbst wenn die Betroffene zwischenzeitlich ihren gewöhnlichen Aufenthaltsort geändert hat. 182

In **Unterbringungssachen**, die aus Betreuungssachen entstehen, ist ebenfalls das bereits tätig gewordene Betreuungsgericht zuständig; in PsychKG-Sachen dagegen das Gericht, in dessen Bezirk das Problem auftritt oder das, in dem sich die Einrichtung befindet, in der sich die Betroffene befindet. Das bedeutet, dass das **PsychKG-Gericht und das Betreuungsgericht** für dieselbe Betroffene **oft nicht identisch** sind, zumal in der Mehrzahl der PsychKG-Sachen die Betroffenen erst in das Krankenhaus gebracht werden und dann der Antrag gestellt wird (§ 18 PsychKG).

Während im Zivilprozeß i.d.R. mündlich verhandelt wird, wird das Verfahren im FGG-Bereich i.d.R. mit schriftlichen und weniger formalisierten Maßnahmen gefördert. Es gibt aber auch **mündliche Anhörungen**. Diese sind nicht der Regelfall – wenn auch gelegentlich (wie im Betreuungsverfahren) ausdrücklich vorgeschrieben und insoweit nicht auf Geschäftsfähige beschränkt (vgl. z.B. § 50 b FGG). Das Verfahren ist dabei **nichtöffentlich (grundsätzlich nur beteiligtenöffentlich**[51])! Die Empörung vieler Angehöriger etc., sie seien nicht zugezogen worden, geht deshalb oft ins Leere. 183

8.2 Akteneinsicht

Die Akten können nach § 34 FGG bei **berechtigtem Interesse** eingesehen werden. Das sollte man bedenken, wenn einem Gericht vertrauliche Vorgänge übermittelt werden sollen. Das Gericht ist grundsätzlich gehalten, die Beteiligten zu informieren, die wie sonstige Berechtigte die Unterlagen dann auch einsehen können. Das Gericht darf (aus gutem Grund) keine Geheimakten führen oder gar aus diesen entscheiden (Art. 103 GG). Akteneinsicht in die Gerichtsakten wird allgemein sogar eher undifferenziert gewährt. Selbst vertrauliche Arztberichte, die nach sonstiger Rechtspre- 184

51 Anhörungen Betroffener werden aber ohne die anderen Verfahrensbeteiligten durchgeführt, soweit sie nicht ein gesondertes, ausdrücklich geregeltes Anwesenheitsrecht haben.

chung nicht einmal ohne weiteres dem Betroffenen selbst zugänglich gemacht werden, sind dadurch ebenso leicht einzusehen wie alle Vermögensunterlagen. Der, wie man schon vor dem Betreuungsgesetz wußte, problematische Datenschutz ist mit den neuen Regelungen nur sehr rudimentär geregelt worden[52].

8.3 Aktenzeichen

185 Gerichte arbeiten in der Regel mit einheitlichen Aktenzeichensystemen. Öffentlich-rechtliche Unterbringungen werden mit XIV-er AZ erfaßt, Betreuungen und Unterbringungen nach Betreuungsrecht werden als XVII-er Sachen in Erscheinung treten (Unterbringungen von Kindern jetzt mit F-AZ).

Da die gerichtlichen Zuständigkeiten nicht deckungsgleich sind, kann es hilfreich sein, daß an dem XIV-Aktenzeichen zu sehen ist, daß es um eine PsychKG-Sache geht, während bei dem XVII-er von einer bestehenden Betreuung ausgangen werden kann. Wenn ich etwas zu der XIV-Sache mitteile, wird die BetreuungsrichterIn i.d.R. nichts davon erfahren. Ich muß eine Kopie zu der XVII-er Sache schicken.

186 Beispiele:

12 XIV 32/99: Die Abteilung 12 des Gerichts ist in der PsychKG-Sache, die 1999 als lfd Nr. 32 einging und erfaßt wurde, zuständig. (Ein nachgestelltes »L« kann auf die Unterbringung nach Landesrecht (PsychKG) verweisen. 12 XIV 32/99 L.)

9 XVII 2367: Es handelt sich um eine Betreuungssache, bearbeitet in Abt. 9 des Gerichts. Das Gericht arbeitet nach dem alten System, nach dem in Betreuungssachen alle Vorgänge (d.h. seit 1.1.1992) fortlaufend gezählt werden; alternativ möglich z.B.: 9 XVII 25/00.

Etwaige vorgestellte zusätzliche arabische Zahlen betreffen i.d.R. eine etwaige EDV-Erfassung (wichtig z.B. für Überweisungen etc.), sind bei direkten Rückfragen und für eine Zuordnung im richtigen Gericht unerheblich.

52 Die z.Zt. noch bestehenden Handhabungen sind wenig befriedigend, nicht ganz selten wohl auch nach geltendem Recht problematisch, so wenn Angehörigen undifferenziert alle Betreuungsakten mit allen Einzelheiten offen gelegt werden. Auch Angehörige können nur ihre eigenen Rechte wahren, nicht die Akten einsehen, um festzustellen, ob die BerufsbetreuerIn »Mutter bzw. Vater« richtig betreut. Das hat sich in der Praxis auch der Landgerichte aber noch nicht so gefestigt, daß man sich wirklich darauf verlassen kann. Grundsätzlich zu dem Thema schon Pardey NJW 1989, 1647 ff. sowie Pardey BtPrax 1998, 92 ff.
Zur Eingrenzung der Position der Angehörigen auf die Wahrnehmung eigener Rechte recht deutlich: BGH BtPrax 1997, 28 f; OLG Düsseldorf BtPrax 1995, 69 f.

8.4 Ärztliche Gutachten

Vor betreuungsrechtlichen Entscheidungen ist i.d.R. eine ÄrztIn zu hören; Unterbringungen sind nur auf der Grundlage **ärztlicher Gutachten** zulässig. Nach § 70 e I 2 FGG »soll« der Gutachter in der Regel **Arzt für Psychiatrie** sein; jedenfalls muß er **Erfahrungen auf dem Gebiet der Psychiatrie** haben. Was darunter i.e. zu verstehen ist, ist offen; ein Assistenzarzt wird i.d.R. nicht berechtigt sein, sich darauf berufen zu können. In der Praxis werden oft jede Art ärztlicher Äußerungen hingenommen, ein zureichendes Gutachten dann gegebenenfalls nachgefordert. Für Maßnahmen nach § 1906 Abs. 4 BGB genügt immer ein ärztliches Zeugnis. **187**

Die **Anforderungen an die Gutachten sind recht streng**[53]. In der Praxis ist davon, erstaunlicherweise insbesondere bei den Unterbringungen, wenig zu spüren[54]. Da die Rechtsbehelfsquote in dem gesamten Bereich sehr niedrig ist, wirkt sich das wenig aus und es ändert sich letztlich wohl nichts[55]. Zu den Anforderungen an die Gutachten hat z.B. das OLG Düsseldorf[56] zu Recht betont: **188**

... (durch das Gutachten nach § 70 e FGG) soll eine in den jeweiligen Einzelheiten nachprüfbare Entscheidungsgrundlage geschaffen werden..., was wiederum voraussetzt, daß das Gutachten insbesondere

a) Art und Ausmaß der Behinderung im einzelnen anhand der Vorgeschichte, der durchgeführten Untersuchungen und der sonstigen Erkenntnisse darstellt und wissenschaftlich begründet,

b) sich mit den gesetzlichen Voraussetzungen für die Freiheitsentziehung (§ 1906 I BGB) detailliert auseinandersetzt und

c) auch zu der Frage Stellung nimmt, ob und welche Alternativen anstelle der Freiheitsentziehung zur Verfügung stünden.

Die **Auswahl der Sachverständigen** steht im Ermessen des Gerichts. Eine große Zahl von ÄrztInnen verweigert sich Antragstellern und verweist auf das Bedürfnis eines gerichtlichen Auftrages (nicht ganz selten aufgrund eines Irrtums über die dann angenommene Befreiung von der Schweigepflicht). Die bestellte ärztliche Sachverständige hat in Unterbringungsverfahren keine ärztliche Schweigepflicht und kein darauf gestütztes Aussage- und Gutachtensverweigerungsrecht, jedenfalls soweit es sich um die aus Anlaß der Begutachtung festgestellten objektiven Befunde und die daraus ableitbaren Folgerungen handelt[57]. **189**

53 Jürgens/Kröger/Marschner/Winterstein, BetrR, Rn 383 ff und 546 ff m.w. Nachw., KG FamRZ 1995, 1379 ff.

54 Ob sich das durch die neuere Haltung zur Regreßverantwortlichkeit ändern wird (vgl. die Erörterung von Coeppicus in BtPrax 1997, 131) bleibt abzuwarten.

55 Die (grobe) Verletzung der Gutachterpflichten kann zu einer Schadensersatzpflicht führen, vgl. OLG Schleswig-Holstein MedR 1994, 325f.; OLG Nürnberg NJW-RR 1988, 791, 796.

56 OLG Düsseldorf BtPrax 1995, 29, 30.

57 die Einzelheiten sind str.; vgl. einerseits: Jürgens, BetrR, § 70 e FGG, Rn 4; andererseits: Saage/Göppinger, Freiheitsentz. und Unterbringung, § 70 c Rn. 12.

190 Die Sachverständige darf das Gutachten **nicht nach Aktenlage** erstatten. Sie muß die Betroffene persönlich untersuchen bzw. befragen.

Wenn eine ambulante Untersuchung nicht genügt, kann das Gericht eine **Unterbringung zum Zwecke der Begutachtung** (6 Wochen, verlängerbar) anordnen, die auch zwangsweise umgesetzt werden kann.

Der Abstand zwischen Untersuchung und Gutachten darf maximal einige Wochen betragen, kann dann schon problematisch sein. Zugezogene sachverständige Hilfskräfte (z.B. PsychologInnen) müssen im Gutachten benannt werden.

191 Bis zum 31.12.1998 durfte die ÄrztIn, die bei Entscheidungen nach § 1904 BGB als Sachverständige zugezogen werden mußte, nicht (zugleich) behandelnde ÄrztIn sein (§ 69 d Abs. 2 S. 2 FGG). Das ist ab 1.1.1999 relativiert worden und gilt nur noch als Regel, nicht mehr als Muß-Bestimmung. Einige Gerichte halten daran fest, daß die behandelnde ÄrztIn grundsätzlich ungeeignet ist, bei anderen hat sich das Regelverhältnis umgekehrt.

8.5 VerfahrenspflegerInnen

192 § 67 FGG schreibt vor, daß der Betroffenen bei wesentlichen Verfahrensabschnitten ein/e **Verfahrenspfleger/in** beizuordnen ist. Das soll geschehen, wenn von einer **Anhörung abgesehen** werden soll oder wenn **alle Angelegenheiten** betroffen sind. Für **Unterbringungsverfahren** gelten entsprechende Regelungen (§ 70 b FGG).

193 Für **Unterbringungssachen** hat sich insoweit für die Betroffenen eine Einschränkung ergeben. Während früher praktisch immer eine RechtsanwältIn beigeordnet wurde, erfolgt heute nur noch gelegentlich die Bestellung einer VerfahrenspflegerIn.

194 Die erstinstanzlichen Gerichte neigen insgesamt eher dazu, sich mit Bestellungen von VerfahrenspflegerInnen zurückzuhalten. Das geht u.a. darauf zurück, daß es den Betroffenen wie **den Angehörigen schwer zu vermitteln** ist, was dieser zusätzliche »Mensch soll, der im Verfahren auftaucht und dann gleich wieder verschwindet; sich im Verfahren auf dasselbe Gericht beruft, das einen gerade behelligt und im übrigen nichts weiter bewirkt, als zusätzlichen Aufwand zu verursachen«.

Man stelle sich vor, es kommt eine Nachricht vom Gericht, das mitteilt, es sei eine Betreuung angeregt worden. Das Gericht gibt Gelegenheit zur Stellungnahme und kündigt eine ÄrztIn wie sich selber an. Als nächste kommt die ÄrztIn, dann die Betreuungsstelle. Es klingelt wieder und es steht jemand vor der Tür, die das ganze noch einmal von vorn beginnt, dazu erklärt, sie wolle einem im Verfahren helfen. Vielleicht kommt sie auch erst mit dem Gericht, sitzt stumm daneben und schickt danach eine Rechnung zu den Akten.

195 Nicht nur für die Betroffenen ist die **Rolle der VerfahrenspflegerIn** wenig nachvollziehbar. Auch die so Bestellten scheinen oft nicht unerhebliche Schwierigkeiten zu haben, ihre eigene Rolle zu definieren, auszufüllen. Das Bewußtsein der Vorläu-

figkeit der Tätigkeit, der Abhängigkeit von dem bestellenden Gericht scheint die Extreme (formalistisches langatmiges Erklären, Beschweren oder stummes Begleiten) zu begünstigen. Es ist auf diesem zeitlich sehr begrenzten Pfand wohl sehr schwer, Zugang zu dem Betroffenen zu finden und sich selbst mit der weitgehenden **inhaltlichen Hilflosigkeit** zu bescheiden und dennoch die Funktion in den Fällen, in denen etwas schief läuft, wahrnehmen zu können.

Vielleicht wäre es einfacher, wenn es sich wie z.B. in Österreich bei den **Patienten-anwältInnen** in der Psychiatrie um **Dauereinrichtungen** handelte, die sich dann auch der hier Betroffenen annehmen. **196**

8.6 Entscheidungen

Die gerichtlichen Entscheidungen (Verfügungen oder **Beschlüsse**) werden grundsätzlich mit Bekanntmachung (§ 16 FGG) **wirksam**. Sie unterliegen der Beschwerde, ggf. der weiteren Beschwerde. **197**

Für den **Bestand der Betreuung ist allein die Beschlußlage,** nicht der Ausweis, maßgeblich. Im Ausweis mag stehen, was will. Eine Gewähr für die Richtigkeit der dort enthaltenen Angaben gibt es grundsätzlich nicht. Der Ausweis ist bloßes (oft überschätztes) Hilfsmittel, nicht aussagekräftige Urkunde. **198**

Das Gericht ist gehalten, die Entscheidungen auch **anderen Stellen mitzuteilen** (§§ 69k,l FGG). Was diese daraus machen, ist nicht immer vorhersehbar. **199**

Zum Teil gibt es für das **Wahlrecht** mehr als 8 Jahre nach Inkrafttreten des Betreuungsrechtes immer noch Fortwirkungen aus alten Informationen über Entmündigungen oder Zwangspflegschaften. Bei dem Gemeinden, die die Wahllisten führen, ist klärbar, ob insoweit alles richtig »umgebucht« ist. **200**

8.7 Fristen

In dem die Betreuung anordnenden Beschluß muß eine **Kontrollfrist** genannt werden, z.T. sind für Beschlüsse Maximallaufzeiten vorgesehen. Es empfiehlt sich, die insoweit verwendeten Formulierungen sehr ernst zu nehmen. **201**

So heißt es in einem recht weit verbreiteten Standardbeschluß für vorläufige Regelungen, die Betreuung »endet« (o.ä.) am 9.9.2000. Wenn das so formuliert ist, besteht am 10.9. keine Handlungsbefugnis mehr, wird die Tätigkeit ab 9.9.00 24:00 Uhr nicht mehr bezahlt, greift die eigene grundsätzlich nicht beschränkbare Haftung für fast alle rechtsgeschäftliche Handlungen als VertreterIn ohne Vertretungsmacht.

Anders ist es dagegen, wenn mit einem anderen Beschlußmuster nur angekündigt wird, die Betreuung werde »spätestens zum 9.9.2000« überprüft. Dann gilt die Betreuung bis zu einer gegenteiligen Entscheidung.

202 **Ablauffristen** werden sich in der Regel auch bei Unterbringungsgenehmigungen finden. Insoweit handelt es sich um Maximalfristen. D.h., daß am letzten Tag die Befugnis zur Sicherung endet, am Folgetag die Straftat beginnt. D.h. aber nicht, daß während der Frist die Fortsetzung allein deshalb berechtigt ist, weil der Beschluß noch läuft. Die inhaltliche Berechtigung ist in eigener Verantwortung durch d. BetreuerIn zu prüfen, ggf. ist die Maßnahme zu beenden und die Beschlußaufhebung (danach) zu beantragen.

8.8 Kosten

203 Für die Tätigkeit des Vormundschaftsgerichts werden **Gebühren** erhoben, außerdem sind die Auslagen zu erstatten. Kostenschuldner ist grundsätzlich diejenige, die die Tätigkeit veranlaßt hat, auch wenn eine Entscheidung dazu nicht ergeht. Die Kostenpflichtigkeit ergibt sich unmittelbar aus dem Gesetz. Voraussetzung für eine Kostenpflicht ist i.d.R. die Überschreitung eines nicht unerheblichen **Schonvermögens** (z. Zt. 50.000.- DM).

204 Anders als im Zivilprozeß ist die **Auslagenerstattung** in FGG-Verfahren stark eingeschränkt, d.h. jede Beteiligte muß damit rechnen, ihre RechtsanwältIn selbst bezahlen zu müssen, auch wenn sie »Recht hat« (§ 13 a FGG). Eine Auslagenerstattung durch die Staatskasse ist nicht vorgesehen.

205 Die **Prozeßkostenhilfe**-Vorschriften der ZPO gelten kraft Verweisung in § 14 FGG auch hier. Es wird aber häufig angenommen, daß in einfacheren Sachen die Zuziehung einer RechtsanwältIn nicht angemessen sei.

206 Wesentlicher als die entstehenden gerichtlichen Kosten sind für die Frage danach, was eine Betreuung kostet, in der Regel die **Kosten, die für die BetreuerInnen** entsteht. Insoweit verweise ich auf die Ausführungen zur **Vergütung** (vgl. Rdnr. 383 ff.).

8.9 Abgabe an ein anderes Gericht

207 Da die örtliche Zuständigkeit an den regelmäßigen Aufenthalt gebunden ist, kann sie sich ändern, wenn die Betreute umzieht. Es bleibt zwar zunächst das mit der Sache befaßte Gericht zuständig. Es kann das **Verfahren aber nach Anhörung der Beteiligten abgeben** (§§ 65 a, 46 FGG).

Der **Sinn der Abgabe** liegt auch darin, das ortsnächste und damit zu den Lebensumständen sachkundigste Gericht mit der Sache zu befassen. Die Gerichte kennen z.B. die Umstände in den einzelnen Einrichtungen in der Regel nur in ihrem Bezirk.

Auch können etwa erforderliche kurzfristige Anhörungen (z.B. bei Maßnahmen nach §§ 1904 oder 1906 BGB) sonst kaum sicher gestellt werden.

Selbst wenn es für eine RichterIn aus Hannover z.B. nach Hildesheim nicht besonders weit ist, ist es ein Problem, in Hannover alles liegen zu lassen und die Fahrtzeit nach Hildesheim »abzuschreiben«, zumal in Hildesheim entsprechende Strukturen bestehen und die dortigen Beteiligten zudem wissen, mit wem wie zu reden ist.

Für BetreuerInnen kann das andererseits bedeuten, daß sich alle AnsprechpartnerIn- **208**
nen ändern, die neuen sich möglicherweise nicht an die alten **Absprachen** halten wollen. Wenn sich daraus wesentliche Probleme ergeben, kann man/frau erwägen, anzuregen, eine neue BetreuerIn »vor Ort« zu bestellen. Vergessen Sie dabei aber bitte nicht die etwaigen persönlichen Belastungen der Betreuten.

9. Einstweilige Anordnungen

209 Wenn ein Vorgang **wirklich dringlich** ist, kann eine Betreuungsentscheidung vom Erstkontakt bis zur Verpflichtung in weniger als 1 Stunde durchgeführt werden. Man muß dazu nur die richtigen Wege finden, es auch wollen und darf diese Möglichkeit nicht mißbrauchen.

Es gibt nicht nur BetreuerInnen, bei denen immer alles eilig ist, wenn sie sich melden. Der Erfolg wird i.d.R. nach kurzer Zeit sein, daß alles seinen »geregelten Gang« nimmt.

Da die **Abwicklung eines Betreuungsverfahrens** in der Regel aber **erhebliche Zeit in Anspruch** nehmen wird (bis zu 3 Monate und mehr), gibt es die Möglichkeit einstweiliger Anordnungen (§ 69 f FGG). Insoweit kann z.B. schon ohne Sachverständigengutachten eine vorläufige BetreuerIn bestellt werden.

9.1 Möglichkeiten und Mindesterfordernisse

210 **Einstweilige Anordnungen sind möglich, wenn dringende Gründe** für die Annahme bestehen, daß eine BetreuerIn zu bestellen oder ein Einwilligungsvorbehalt anzuordnen sein wird. Ein Antrag ist für diese vorläufigen Maßnahmen nicht erforderlich. Ein ärztliches Zeugnis muß vorliegen und in der Regel muß auch die Anhörung der Betroffenen erfolgen. Diese gesetzliche Grundlage wird aber in der Praxis dadurch weitgehend ausgehebelt, daß es dazu eine Gegenausnahme gibt (s. Rn. 212), die nach meinen Erfahrungen bei Eilentscheidungen dazu führt, daß fast immer zuerst die Entscheidung ergeht und dann die **Anhörung nachgeholt** wird. Die Voraussetzungen für die Bestellung einer VerfahrenspflegerIn sind hier nicht strenger als im allgemeinen Verfahren (§§ 69 f Abs. 1 Nr. 3 i.V.m. § 67 FGG). Während es dort allerdings recht selten zur Bestellung einer VerfahrenspflegerIn kommt, neigen die Gerichte bei dem »Überfall« mit einer vorläufigen Regelung zu Recht eher dazu, die Betroffene durch eine VerfahrenspflegerIn in ihrer Verfahrensposition zu stärken.

211 Auch für **(vorläufige) Unterbringungsgenehmigungen** (§ 70 h FGG) bedarf es **immer** mindestens eines ärztlichen Zeugnisses (ausführlicher Befundbericht). Ohne ÄrztIn geht in diesem Bereich nichts, allein mit der Ä**rztIn** aber auch nichts. Sie hat **keine Anordnungsbefugnis** für Maßnahmen, die über kurzfristige Sofortreaktionen hinausgehen.

Die Überweisung in die Klinik legt die Grundlage für die Kostenregelung wie für die Frage, ob die Klinik der BetreuerIn die PatientIn unter medizinischen Aspekten abnimmt; allerdings nicht für die Frage, ob ihre Befugnis die Maßnahme deckt.

Es gibt inzwischen z.B. beschützende Alteneinrichtungen, die die Aufnahme ohne den zusätzlichen gerichtlichen Beschluß schlicht verweigern.

9.2 Eilige einstweilige Anordnungen

Bei Gefahr im Verzuge sind einstweilige Anordnungen auch ohne Anhörung des Betroffenen möglich (§ 69 f Abs. 1 S. 1 4 FGG). Die Anhörung und die Verschaffung des persönlichen Eindrucks werden dann alsbald nachgeholt. **212**

Derartige vorläufige Regelungen werden **zeitlich besonders befristet** (§ 69 f Abs. 2 FGG). Die vorläufig bestellte BetreuerIn hat innerhalb der Bestellungszeit dieselben Befugnisse wie eine regulär bestellte BetreuerIn. **213**

9.3 Unmittelbare gerichtliche Maßnahmen bei Unerreichbarkeit der BetreuerIn

Als dritte Form einstweiliger Anordnungen sind schließlich **unmittelbare Maßnahmen des Vormundschaftsgerichts** denkbar (§ 1908 i Abs. 1 i.V.m. § 1846 BGB). Das kommt z.B. bei einer etwaigen Zustimmung zu Operationen, dem Bedürfnis nach PEG-Sonden oder dergleichen[58], wohl aber nicht im Zusammenhang mit Unterbringungsmaßnahmen in Betracht (insoweit ist die Zulässigkeit streitig; es gibt auch die Ansicht, dann müsse immer zugleich eine vorläufige BetreuerIn bestellt werden[59]). Bei § 1846 BGB vertritt das Gericht den Betroffenen unmittelbar, was sonst grundsätzlich nicht in Betracht kommt. **214**

Es gibt Gerichte, die sich **weigern**, derartige Vorgänge in dieser Weise selbst zu entscheiden und grundsätzlich **immer** auf der **Bestellung einer vorläufigen BetreuerIn beharren**. In der Sache spricht viel für diesen Weg, wenn man genug erreichbare BetreuerInnen hat, die sich dann auch gleich auf den Weg machen und sich wirklich vor Ort um die Betroffene und die Vorgänge kümmern. **215**

58 Entscheidungsbeispiel bei den Anlagen am Ende des Buches.

59 zulässig auch ohne vorläufigen Betreuer: OLG Schleswig NJW 1992, 2974 f; LG Berlin BtPrax 1992, 43. A.A.: OLG Frankfurt FamRZ 1993,357; Rink FamRZ 1993, 512.

10. Vormundschaftsgerichtliche Kontrolle und Hilfe

216 Trotz aller Bemühungen im Betreuungsrecht, die persönlichen Dinge zu betonen, hat der Gesetzgeber die **stärkste und engste Kontrolle** d. BetreuerInnen durch das Vormundschaftsgericht im Bereich der **Vermögenssorge** (s. aber auch §§ 1904, 1906, 1907 BGB) vorgesehen. Nach wie vor ist die Angst vorhanden, fremdes Geld könne zu Leichtsinn verführen.

Ansatz der Kontrolle und Rückfragen ist: Die BetreuerIn bekommt **durch die Betreuungsentscheidung vom Staat** über die gerichtliche Entscheidung **Macht über einen anderen Menschen**. Derjenige, der diese Macht zuweist, ist danach sicher auch gehalten, aufzupassen, wozu diese Macht genutzt wird.

In der Praxis ergeben sich immer wieder Fälle, die zeigen, daß Kontrolle nötig ist. Ob man Mißbrauch durch diese Maßnahmen wirksam verhindern kann, ist schwer einzuschätzen. Sie macht es BetreuerInnen jedenfalls unmöglich, sich später auf bloße Nachlässigkeit zu berufen.

217 Im Rahmen der **gesetzlichen Vertretung** haben die Vertreter

- Rechtsgeschäfte für d. Betroffene/n vorzunehmen,
- bei einem Einwilligungsvorbehalt auch über die Zustimmung zu eigenem Handeln des Betroffenen zu entscheiden und
- die Betreute in etwaigen Prozessen zu vertreten.

218 Grundsätzlich gelten §§ 164 ff. BGB, jedoch mit der Maßgabe, daß die Vertretungsmacht eben nicht aus Erteilung durch einen anderen, sondern kraft Gesetzes aufgrund der gerichtlichen Entscheidung besteht. **Der Inhalt wie die Begrenzung ergibt sich damit zwangsläufig ebenfalls unmittelbar aus dem Beschluß i.V.m. dem Gesetz** (vgl. z.B. §§ 1908 i, 1841, 1805 ff, 1905 BGB).

§ 164 BGB fordert **Offenkundigkeit**; sonst haftet die BetreuerIn selbst.

219 Das **Vormundschaftsgericht** ist **nicht etwa »Supervertreter«**, sondern nur ausnahmsweise berechtigt, unmittelbar selbst tätig zu werden (§§ 1908 i, 1846 BGB). I.ü. bleibt es in den gesetzlich vorgesehenen Fällen zur Kontrolle aufgerufen, sonst auf eine allgemeine Mißbrauchskontrolle verwiesen (§§ 1908 i, 1837 BGB).

10.1 Allgemeine Kontrolltätigkeit

Das Vormundschaftsgericht verlangt grundsätzlich einen **Anfangsbericht – Vermögensverzeichnis** (§1908 i i.V.m. § 1802 BGB) – sowie jährliche Folgeberichte (**Rechnungslegung und Bericht zu den persönlichen Lebensbedingungen**). Die Abrechnung wird dabei anhand der mit eingeforderten Belege recht genau geprüft. 220

In der Regel bespricht die RechtspflegerIn bei der **Verpflichtung**, was sie als nächstes an Informationen erwartet und wird nach Eingang des VVerz (Vermögensverzeichnisses) mitteilen, ob und welche Art der Rechnungslegung in Zukunft vorzunehmen ist. Wenn bei geringem Vermögen oder nur durchlaufenden Posten **keine Rechnungslegung** von dem Gericht gefordert wird, heißt das **nicht, daß die BetreuerIn nicht bei sich verpflichtet bliebe**, genau zu buchen und zu belegen. Spätestens die etwaigen Erben werden nicht ganz selten zu jeder Mark wissen wollen, wofür sie ausgegeben worden ist. **Und die BetreuerIn muß das dann belegen können, auch noch nach Jahren** – oder es aus eigener Tasche ersetzen. 221

Die Aufforderungen des Gerichts sind nicht nur – manchmal sicher lästige – Begleiterscheinung. Unabhängig von der Frage nach ihrer Einzelberechtigung kann die **Beantwortung bzw. Umsetzung jeweils erzwungen werden (§ 33 FGG).** 222

Das BGB verlangt **Genehmigungen** für einige dem persönlichen Bereich zuzuordnenden Gegenstände und i.ü. i.d.R. für **alle Grundstücksgeschäfte und für alle weiteren Geschäfte, die es für besonders gefährlich oder belastend hält, auch für viele Kontenvorgänge** (§ 1908 i i.V.m. §§ 1812 ff, 1821 ff BGB). Hier zeigt sich die Wirkung der Zurückverweisung in § 1908 i BGB besonders deutlich. Es gilt fast alles, was im Bereich der Vormundschaft über Minderjährige gilt, aber eben auch nur »fast«. 223

Bei der Verpflichtung wird ein Merkblatt ausgehändigt, in denen die wesentlichsten Genehmigungen aufgelistet werden. 224

Der **Genehmigungskatalog** ist unterschiedlich, je nachdem, ob eine (private) BetreuerIn oder z.B. die Betreuungsstelle handelt (vgl. §§ 1908 i, 1852 ff, 1857 a BGB; **1908 i Abs. 2 Satz 2** BGB). Bei den privaten wird unterschieden, ob es sich um nahe Angehörige oder »Fremde« handelt. 225

BetreuerInnen, die keiner Kontroll- und Genehmigungbefreiung unterliegen (§ 1908 i Abs. 2 2 BGB), haben nach wie vor Probleme mit den unterschiedlichen Bewertungen der Gerichte zu den Verfügungen über **Girokonten**[60] sowie zu **Sperrungsfragen**[61]. Während z.T. vertreten wird, eine Sperrung komme erst in dem Bereich von Einwilligungsvorbehalten in Betracht, gibt es andererseits sogar Versuche, Girokon- 226

60 Übersicht über den Streitstand bei Suschkow in JurBüro 1997, 508 ff.

61 dazu Bienwald in BtPrax 1998, 15 ff in Anm. zu LG Mönchengladbach, das davon ausgeht, Sperrvermerke seien erst im Bereich von Anordnungen nach § 1903 BGB möglich.

ten versperrt laufen zu lassen[62]. Ich halte beides für wenig sinnvoll. Die BetreuerInnen werden sich insoweit jeweils mit ihrem »Hausgericht« verständigen müssen, sollten sich aber auch nicht widerstandslos auf alles einlassen, andererseits die Sperrungen nicht stets als persönlichen Mißtrauensbeweis verstehen. Der Vorteil liegt doch auch darin, daß generell Mißbrauch unterbunden werden kann. Die Genehmigungspflichten gehen i.d.R. ohnehin weiter.

227 Eine Chance ergibt sich insoweit aus § 1817 BGB (generelle **Befreiung** bei Vermögen (ohne Grundbesitz) bis zu 10.000.- DM). Achten Sie aber bitte darauf, daß auch diese Freistellung (wie alle anderen) **nicht von der internen Buchführung befreit**. Die BetreuerIn bleibt bei Abgabe der Betreuung oder Beendigung nachweispflichtig für jede/n Mark/Euro, zwar nicht gegenüber dem Gericht, aber gegenüber den Erben etc. Die sind oft sehr viel weniger bereit, so »großzügig« zu sein wie das Gericht.

228 Ich rege insoweit an, die Abgrenzung nicht »draußen« im Alltag zu suchen, sondern über eine ggf. mögliche **Konkretisierung des Aufgabenkreises** den Problemen grundsätzlicher und klarer zu begegnen. So kann es z.B. lediglich erforderlich sein, Kostenfragen zu klären und Finanzierungen zu sichern. Dafür bedarf es nicht der »Vermögenssorge«, sondern würde ein entsprechender engerer Aufgabenkreis genügen; in einigen Amtsgerichten wird insoweit der (oder ein Teil des) Aufgabenkreis(es) »Vertretung gegenüber Kostenträgern, Banken, Einrichtungen und Behörden« in Betracht gezogen.

229 Wenn einzelne Konten oder Sparbücher von den Betreuten selbst verwaltet werden sollen, wäre z.B. **denkbar, ein** von der BetreuerIn einzurichtendes »**nur im Guthabensbereich zu führendes Girokonto**« von der Vermögenssorge (sonst von einem Einwilligungsvorbehalt) **auszunehmen**.

Mit einiger Phantasie und konkreten Absprachen sollten insoweit die meisten praktischen Fragen lösbar sein.

10.2 Beschränkung gegenüber engen Verwandten, Ämtern und Vereinen

230 Ein Teil der BetreuerInnen ist von der **Rechnungslegungspflicht befreit** (§§ 1908 i Abs. 2 S. 2 BGB). Das schwächt nur die Nachweispflicht gegenüber dem Vormundschaftsgericht ab, nicht die Rechnungslegungspflicht im Innenverhältnis (z.B. Nachweis bei Beendigung der Betreuung; Abrechnung mit den Erben).

Im Bereich der Aufgabenkreise, die sich auf die Personensorge beziehen, wird jährlich (mindestens) ein Bericht erwartet.

62 s. auch Rn 357 f.

Rechtssystematisch begegnet man hier, wie bei manchen Teilen der Vermögenssor- 231
ge, dem nicht nur für Laien am schlechtesten lesbaren Teil des Gesetzes. Die **Verweisung auf Teilbereiche des Minderjährigenrechts**, die untereinander wieder Verweisungen enthalten (z.B. § 1857 a auf §§ 1852 ff BGB), verwirrt erheblich. Im Kern regeln diese Vorschriften im Ergebnis nur, daß für Standardgeldgeschäfte von diesem Beteiligtenkreis keine vormundschaftsgerichtlichen Genehmigungen erforderlich sind, daß sie nur ein Anfangsverzeichnis und jeweils belegte Jahresbestandsübersichten einreichen müssen, wenn das Gericht nicht ausdrücklich anderes einfordert.

Das Gericht kann auch in diesem Bereich Gegenteiliges anordnen. Das wird in der Praxis insbes. bei größeren Werten und/oder Streit der Verwandtschaft in Betracht kommen.

Zum Ärger vieler **BerufsbetreuerInnen** gelten die **Befreiungen nicht** für sie. Bei 232
genauerem Hinsehen dürfte dieser Ärger unberechtigt sein, zumal die Freistellung nur für die Kontrolle durch das Gericht gilt; sie bedeutet nicht, daß die RechtsnachfolgerIn der Betreuten nicht verlangen könnte, daß Rechnung gelegt und alles ganz genau abgerechnet wird. Es dürfte von daher im Interesse jeder BerufsbetreuerIn sein, die interne Buchhaltung jeweils konkret und penibel auf dem laufenden zu halten und nichts zu vereinfachen.

10.3 Das System vormundschaftsgerichtlicher Genehmigungen

Eine Reihe von Rechtsgeschäften sind dem Erfordernis vormundschaftsgerichtlicher 233
Genehmigungen unterworfen. Der Gesetzgeber hielt sie für so problematisch, daß er stets eine Kontrolle für sinnvoll hielt. **Ohne** eine wirksam erteilte und mitgeteilte **Genehmigung** ist im Fall der erforderlichen Außengenehmigungen das entsprechende Rechtsgeschäft (schwebend) **unwirksam**, einseitige Rechtsgeschäfte sind nichtig (§ 1831 BGB).

Das bedeutet z.B., daß eine ***Mietvertragskündigung ohne Genehmigung nichtig*** *ist, die Kündigungsfrist dadurch nicht eingehalten ist, man ggf. mit neuer (langer) Frist noch einmal kündigen muß, sobald frau/man die Genehmigung hat (regreßträchtig!).*

Dieses **zusätzliche Wirksamkeitserfordernis** tritt neben die nach allgemeinem Recht bestehenden. D.h., ein Vertrag, der z.B. die erforderliche Form nicht erfüllt (z.B. §§ 313, 125 BGB), bleibt auch dann nichtig, wenn er genehmigt wird, ist andererseits **nicht deshalb wirksam, weil ein Notar ihn beurkundet hat**.

Über die **Erteilung oder Versagung dieser Genehmigung entscheidet** die Rechts- 234
pflegerIn. Sie muß ggf. vor einer Entscheidung Ermittlungen anstellen, so z.B. klären, ob das Geschäft wirtschaftlich sinnvoll ist und die berücksichtigten Bewertungen richtig bzw. angemessen sind.

In der Regel werden **Nachgenehmigungen** erbeten und erteilt. Die BetreuerInnen können sich aber auch schon vorab (beratend) mit der RechstpflegerIn ins Benehmen setzen, sich ggf. auch eine **Vorgenehmigung** erteilen lassen oder auch nur vorher klären, ob sie für das Beabsichtigte später den »Segen« des VG bekommen.

235 Die **instanzgerichtliche Überprüfung** ist in diesem Bereich nur eingeschränkt möglich (vgl. z.B. § 55 FGG). Der Vertragspartner hat weder ein »Antrags«- noch ein Beschwerderecht.

10.4 Einzelfragen im Zusammenhang mit einer Heimaufnahme

236 Die Frage der **Genehmigungsbedürftigkeit von Heimverträgen** erschließt sich aus § 1907 BGB und wird für die Masse der üblichen Verträge zu einer **Genehmigungsfreiheit** führen, weil die Verträge Kündigungsmöglichkeiten enthalten, die eine Beendigung innerhalb der vom Gesetzgeber als problemlos angesehenen Frist erlauben (nicht länger als 4 Jahre; § 1907 Abs. 3 BGB).

237 Die erstinstanzlichen Gerichte scheinen immer mehr bereit, ein **Sonderkündigungsrecht** entsprechend §§ 565, 570 BGB **für Wohnungen** zu akzeptieren, **wenn** die Betroffenen kraft Betreuerentscheidung in **Altenheime** umziehen, insbesondere wenn gar eine Unterbringungsgenehmigung vorliegt[63] (mit gesetzlicher Kündigungsfrist, mithin deutlich kürzeren Kündigungsfristen als nach langer Mietzeit[64]). Wirklich darauf verlassen kann man sich aber wohl noch nicht.

238 Es kommt immer wieder vor, daß Ältere, die ihre Häuser an die Folgegeneration überschreiben, sich nur ein Wohnrecht vorbehalten. Die Beteiligten gehen dabei davon aus, daß das genügt, um sich für das Alter abzusichern. Nicht ganz selten stellt sich dann heraus, daß der Umzug in ein Heim dennoch erforderlich wird. Die **Verwertung des Wohnrechtes** ist problematisch, zumal nach § 1093 Abs. 2 BGB nur die Aufnahme von Angehörigen erlaubt ist, keine Weitervermietung. Demgemäß war bisher eine Vermietung und der Anspruch auf ein entsprechendes Entgelt verneint worden[65]. Dagegen haben sich jetzt die OLG Köln und Celle ausgesprochen[66].

Das OLG Celle hat als Kernsatz formuliert:

Zieht der Wohnungsberechtigte in ein Pflegeheim, so kann er in Ausnahmefällen eine Vermietung der dem Wohnungsrecht unterliegenden Räume verlangen, sofern dies dem Verpflichteten zumutbar ist.

63 vgl. z.B. AG Altötting BtPrax 1997, 207 f.

64 nur möglich zum ersten Kündigungstermin, nicht beliebig später! Vorher Kündigungsgenehmigung einholen; § 1831 BGB geht weiter als § 174 BGB.

65 z.B. OLG Oldenburg Nds. Rpfl. 1994, 305.

66 OLG Köln ZMR 1995, 256; OLG Celle MDR 1998, 1344.

Zur Begründung wird im wesentlichen der allgemeine Gedanke aus § 242 BGB herangezogen.

HeimmitarbeiterInnen sehen sich nicht ganz selten der Frage ausgesetzt, ob es sinnvoll ist, daß **eigene Angehörige in »ihre« Einrichtung** aufgenommen werden/gehen sollen oder in ein (anderes) Haus ihres Trägers gehen können. Unabhängig von der Grundsatzproblematik der allgemeinen Interessenverquickungen tritt dann als Frage auf, wer für etwaige (gesetzlichen) Vertretungen in Betracht kommt. § 1897 Abs. 3 BGB schließt insoweit jedenfalls die EinrichtungsmitarbeiterIn aus; selbst dann, wenn sie in einem anderen Haus desselben Trägers arbeitet[67]. Daraus ergeben sich z.B. für MitarbeiterInnen der Lebenshilfe weitgehende Ausschlüsse. 239

Das gesetzliche Verbot richtet sich einerseits nur an die MitarbeiterIn, betrifft nicht unmittelbar ihre Angehörigen. Andererseits bleibt aber auch das Problem des generell denkbaren **Interessenkonfliktes** zu berücksichtigen (vgl. auch § 1908 i, 1796 BGB).[68] 240

10.5 Hilfen durch das Gericht gegen die BetreuerIn

Die Tätigkeit des Gerichtes ist auf die Betreute bezogen, wobei nach der Einrichtung der Betreuung die HauptansprechpartnerIn des Gerichtes neben der Betreuten die BetreuerIn ist. Das bedeutet aber nicht, daß sich alle anderen hilflos diesem »Machtbereich« ausgesetzt sehen und hinnehmen müssen, was immer die BetreuerIn für richtig hält. Das **gerichtliche Kontrollsystem** setzt ja bei den **beabsichtigten Handlungen** der BetreuerIn an. Nun sind aber Probleme nicht nur hierdurch, sondern ebenso gut dadurch denkbar, daß die **BetreuerIn nichts unternimmt**, eine Handlung, eine Einwilligung ablehnt und sich deshalb gar nicht an das Gericht wendet. 241

Hält eine Einrichtung beispielsweise eine Sicherung für erforderlich, die BetreuerIn lehnt sie aber ab und verlangt eine (nicht vorhandene) Stuhlwache, hat die BetreuerIn keinen Anlaß, sich an das Gericht zu wenden. ***Lehnt die BetreuerIn Geldausgaben ab,*** *weil die vorhandene Kleidung genüge und sehen die anderen Verwandten oder EinrichtungsmitarbeiterInnen das anders (weil die vorhandene Kleidung z.B. nicht wintergeeignet ist), hat die BetreuerIn keinen Anlaß, sich an das Gericht zu wenden.* 242

In diesen wie in ähnlichen Fälle greift § 1908 i Abs. 1 i.V.m. § 1837 Abs. 2 BGB. Das Gericht hat von Amts wegen derartigen Anregungen nachzugehen und nötigenfalls zu klären, ob das **Nichthandeln noch angemessen** ist oder nicht doch Handlungen und Entscheidungen angebracht sind. Z.T. ist es schwer, solche Anregungen zu erhalten, weil es als »anschwärzen« gelten mag. Es geht aber auch hier nicht primär um Sanktionen, sondern darum, durch den zusätzlichen Blick aus einer anderen 243

67 BayObLG MDR 1998, 268 f. Es ist nicht selbstverständlich, daß die weiteren Angehörigen (z.B. der Ehepartner der MitarbeiterIn) als nicht befangen zugelassen werden.

68 BayObLG a.a.O. S. 269

Warte das vermutete Problem zu beleuchten und ggf. einen (hoffentlich gemeinsamen) neuen Weg zu finden.

Z.T. beruht die starke Zurückhaltung Außenstehender (außer im Streit liegender Verwandter) wohl auch darauf, daß ein Teil der Gerichte solche Hinweise nicht nur positiv aufnimmt, sondern vielmehr auch als lästig, weil zusätzliche Arbeit verursachend und pauschal mit dem Hinweis auf die Entscheidungskompetenz der BetreuerInnen abweist. Hat man ein berechtigtes Anliegen, sollte man mutig genug sein, diese Reaktionen zu hinterfragen.

10.6 Beratung und Unterstützung für die BetreuerIn

244 Auch die BetreuerInnen sind berechtigt, sich an das Gericht zu wenden und müssen sich nicht mit dem Hinweis auf die angeblich unzulässige **Rechtsberatung** abweisen lassen. § 1908 i Abs. 1 i.V.m. § 1837 Abs. 1 BGB sieht ausdrücklich eine **Beratung durch das Gericht** vor, d.h. auch Arbeitshilfen, die in juristische Fragestellungen hineinreichen, ohne daß es natürlich z.B. Aufgabe des Vormundschaftsgerichts sein kann, eine Beratung durch RechtsanwältInnen ersetzen zu wollen.

Im Alltag gilt es hier, eine Konkordanz zwischen der Eigenverantwortlichkeit der BetreuerIn und den Möglichkeiten der Gerichte – auch aus deren begrenzten Ressourcen – herauszufinden.

11. Unterbringungen und unterbringungsähnliche Maßnahmen

Unterbringungen sind nach **Bürgerlichem Recht (Betreuungsrecht)** wie nach **öffentlichrechtlichen** Vorschriften, insoweit insbesondere nach den landesrechtlichen Unterbringungsgesetzen, hier als **Beispiel** herangezogen **das niedersächsische PsychKG**, denkbar. Verfahrensrechtlich sind beide Formen in §§ 70 ff FGG erfaßt.[69] Daneben sind Maßnahmen auf strafrechtlicher Grundlage wie nach Sondergesetzen (z.B. im SeuchenR) denkbar. 245

Rechtlicher Hintergrund für Unterbringungen sind Art 104 Abs. 1 und 2 GG, wonach über die Zulässigkeit und Fortdauer jeder **Freiheitsentziehung** nur ein Richter entscheiden kann. Unsere Verfassung stellt auf der Grundlage der Erfahrungen aus der Zeit davor auf das zusätzliche Erfordernis ab, Außenstehende, einen Richter zu beteiligen. Diese richterliche Entscheidung ist jeweils »unverzüglich« herbeizuführen, spätestens in der Regel aber bis zum Ablauf des Tages, der auf den folgt, ab dem jemand ohne seine wirksame Zustimmung festgehalten wird. Es gibt außer für sofortige, kurzfristige Hilfen keine ärztliche Anordnungskompetenz, auch nicht im Rahmen anderer Behandlungen.[70] 246

Freiheitsentziehung ist die Unterbringung einer Person **gegen ihren Willen oder im Zustand der Willenlosigkeit** in einer JVA, einem Haftraum, einer abgeschlossenen Anstalt der Fürsorge, einer abgeschlossenen Krankenanstalt oder einem abgeschlossenen Teil einer Krankenanstalt (§ 1 FEVG). 247

Verfassungs- wie zivilrechtlich **kommt es nicht auf die Art der Einrichtung** an, sondern auf die Einschließungswirkung, die z.B. schon dadurch entstehen kann, daß jemand durch das Personal am Verlassen des Bereichs gehindert wird, z.B. durch Trickschaltungen (auch einfachster Art) oder sonstige Hilfsmittel.

Eine **Zustimmung** legitimiert nur dann, wenn die Betroffene versteht, worum es geht, die Folgen der Zustimmung überblickt und sie dennoch **nach sachgerechter Abwägung** erteilt. 248

Es kommt für die Anwendbarkeit dieser Vorschriften nicht darauf an, ob der Beteiligte sich wehrt. Erforderlich ist entweder eine wirksame Zustimmung des Betroffenen oder eine gerichtliche Entscheidung. Auch die Unterbindung bloßer Bewegungsimpulse wird insoweit als »Zwang« verstanden. **Ob** denen **ein erkennbarer** 249

69 Im Fall (s. Anhang am Ende des Buches) wird an Hand verschiedener Alltagskonstellationen verdeutlicht, wie mit diesem Instrumentarium umgegangen wird.

70 Eine vorher erteilte Ermächtigung an den Arzt, die sich auch auf die etwaige Fixierung nach der OP beziehen sollte, müßte schriftlich erfolgt sein, diese Maßnahme ausdrücklich benennen und würde dennoch nicht von der richterlichen Mitwirkung befreien können; vgl. § 1906 Abs. 5 BGB. Es handelt sich dann ja nicht mehr um eine eigene Entscheidung des Patienten, sondern nur seine Einwilligung in die anderweitig zu entscheidende Folgemaßnahme. Das entspricht dem Vertreterhandeln.

Sinn, ein bewußtes, nachvollziehbares Verhalten zugrunde liegt, ist unerheblich.

Auch die Altersdemente, die durch jede offene Tür läuft und außen dann nicht weiter weiß, unterfällt diesen Regelungen. Anders ist es nur, wenn es allein darum geht, z.B. Erschlaffungsfolgen aufzufangen (die Betreute rutscht im Rollstuhl nach unten, kippt nach vorne); deren mechanische Sicherung ist kein Thema von § 1906 BGB bzw. des PsychKG. Wer dagegen immer wieder versucht, aus dem Stuhl aufzustehen, dann zusammenbricht, weil die Kraft zum Stehen nicht mehr aufgebracht wird, unterfällt § 1906 BGB.

Es kommt auch nicht darauf an, daß die Hilfen »**nur zum Schutz**« da sind. Wenn es anders wäre, wäre keine Genehmigung denkbar. Das ist aber erst das Ende der Diskussion, nicht zureichender Grund, gar nicht erst damit zu beginnen.

250 Wichtig ist für das Verständnis, daß § 1906 BGB wie das PsychKG **kein Verbot von Sicherungen** oder Hilfen aussprechen oder begleiten. Es soll lediglich in eine nach außen gerichtete Diskussion eingetreten werden.

Selbst ein Computer fragt bei wichtigen Schritten, ob Sie das, was Sie gerade selbst eingegeben haben, wirklich ausführen lassen wollen. Ähnlich ist es konzipiert, wenn die BetreuerIn Hilfen in der Form der Sicherung für erforderlich hält, nur daß die Zustimmung hier von außen kommen muß.

Diese Sicherungen betreffen den Kern der Möglichkeiten eines anderen Menschen.

Stellen Sie sich vor, Ihnen passiert das gleiche durch gutmeinende Angehörige, wenn Sie grippekrank, aber uneinsichtig sind. Vielleicht können Sie dann nachempfinden, worum es geht. Das, was hier als Schutz aufgedrängt werden soll, soll mit dem Gericht geklärt, von diesem kritisch hinterfragt und dann gegebenenfalls ja gerade wirklich umgesetzt werden.

251 **Beim** Umgang mit **Unterbringungen** müssen sowohl die **Begrenzung der Handlungsberechtigung** wie die etwaige **Pflicht zum Handeln** gesehen werden. Hilfe zu leisten kann auch »Wegnehmen« gebieten.

Die Frau, die durch einen mißlungenen Suicidversuch sie lebenslang entstellende und behindernde Verletzungen erlitten hat, mag später z.B. ebenso erbittert über die ihr gewährte »Freiheit« zu dem Versuch sein, wie sie diese während der Phase eingefordert hat.

252 Der allgemeine Sprachgebrauch (Alltagssprache) unterscheidet sich hier deutlich vom fachlichen:

*Unterbringung in dem hier behandelten Sinn ist **nicht** identisch mit der umgangssprachlichen »Unterbringung«. Wenn jemand in einem Heim »untergebracht« wird, ist das vielleicht eine Frage der Aufenthaltsregelung. Rechtlich wird es erst dann eine »Unterbringung«, wenn es sich um ein Einschließen handelt. Nicht die Verbringung in ein Heim ist Unterbringung, erst die Verbringung in die **»beschützende« (geschlossene) Station.**[71]*

253 Jede dieser Maßnahmen erfordert rechtliche Kompetenz (Aufenthaltsbestimmung), die (rechtliche) Unterbringung **zusätzlich** eine richterliche Genehmigung.

254 Verläßliche **Zahlen über Unterbringungsverfahren** sind schwer zu finden. Pro Jahr werden in der Bundesrepublik etwa 150.000 bis 200.000 Unterbringungsverfahren betrieben, davon etwas mehr als die Hälfte aus dem BGB-Bereich. Der **Trend**

71 oder der Einsatz von Maßnahmen mit gleichartiger Wirkung.

zur Ausweitung solcher Verfahren dauert an – bedingt auch dadurch, daß die Sensibilität dafür, was alles »Unterbringung« im o.a. Sinn bedeutet, wächst.

Unabhängig davon, daß die **Legitimierung von Folgemaßnahmen** je nach der Art **255** der Genehmigungsentscheidung unterschiedlich geregelt ist[72], ist die Abgrenzung der beiden Unterbringungsarten für die Praxis immer noch auch deshalb von Bedeutung, weil die PsychKG-Unterbringung auf die dafür ausgewiesenen Einrichtungen beschränkt ist. Das kann z.B. bedeuten, daß ein fremdgefährdender geistig Behinderter nicht in seiner Einrichtung eingegrenzt werden dürfte, weil sie nicht anerkannte Unterbringungseinrichtung nach PsychKG ist, er wieder (wie in alten Zeiten) auf die geschlossenen LKH/KH-Station verbracht werden müßte, **wenn** man wirklich dabei bleiben wollte, Fremdgefährdungen könnten nicht über das BGB aufgefangen werden.[73]

11.1 Unterbringungen nach bürgerlichem Recht (§ 1906 BGB)

Eine Freiheitsentziehung nach § 1906 Abs. 1 BGB liegt vor, wenn die Betroffene **256** ohne ihre wirksame Zustimmung am Verlassen eines räumlichen Bereichs gehindert wird. Nicht erst, wenn sie widerspricht, ist eine Regelung nach § 1906 BGB nötig; sondern immer schon dann, wenn sie nicht **wirksam** zugestimmt hat. Das bloße »ja, ist gut« besagt also auch noch nichts[74].

Für § 1906 Abs 1 und 4 BGB ist streitig gewesen, welche Interessen insoweit Maßnahmen rechtfertigen, **257** *ob es z.B. möglich ist, einen Altenheimbewohner, der Mitbewohner dadurch ängstigt, daß er laut brummt, in fremde Zimmer geht und dort herumschreit, über § 1906 BGB zu »reglementieren« oder ob erst dann eingegriffen werden kann, wenn die Schwelle des PsychKG erreicht ist.*

§ 1906 Abs. 1 BGB stellt auf das »**Wohl des Betreuten**« ab. Was das genau heißt, **258** ist wohl nur mit anderen sehr allgemeinen Worten zu beschreiben. Aus dem engen Wortlaut des Gesetzes kann man hier wie bei den Absätzen 2 und 4 allein nichts klären. So ist es ja auch nicht wörtlich zu nehmen, wenn Abs. 2 sagt, die Genehmigung sei unverzüglich nachzuholen. Gemeint ist, der Antrag auf Genehmigung sei nachzusuchen. Das Gericht kann natürlich auch nachträglich eine Genehmigung verweigern mit der Folge, daß die Betreute dann unverzüglich zu entlassen ist.

Die Begrenzung in Abs. 4 »ohne untergebracht zu sein« ist nach inzwischen ganz einhelliger Meinung ebenfalls sprachlich verfehlt[75]. Auch bei **genehmigter Unterbringung ist ggf. eine zusätzliche Genehmigung** nachzusuchen, **wenn die Betreute auf der Station noch weiter begrenzt** werden soll. Und diese Regelung greift

72 Einwilligungsunabhängige Zwangsbehandlungen gibt es nur (in begrenztem Umfang) im PsychKG-Bereich § 21 PsychKG.

73 s. dazu auch Fall 3 (Aktenfälle a.E. des Buches).

74 Einzelheiten bei der Behandlung der Einwilligungsfähigkeit.

75 deutlich betont in BayObLG FamRZ 1994, 721 ff.

nicht nur bei Maßnahmen in den aufgezählten Einrichtungen, sondern auch bei einem Einschluß außerhalb solcher Bereiche[76].

259 Früher hat man aus dem »Wohl« abgeleitet, gemeint sei jeweils **nur** das **eigene Interesse** der Betreuten an der Durchführung der Maßnahme als solcher. Dieser Ansatz, Maßnahmen nach § 1906 BGB seien **nur** im Eigeninteresse zulässig, hat sich zu Recht überlebt[77]. Eigeninteresse und Drittinteresse werden oft lediglich dasselbe Phänomen aus unterschiedlichen Blickwinkeln beschreiben.

Verhaltensweisen, die die weiteren **Lebenschancen verschlechtern**, verletzen die eigenen Interessen. Die Tatsache, daß (auch) Dritte von den Handlungen betroffen sind, schließt eine Bewertung dahin nicht aus, daß die Unterbindung des Übergriffs auf Dritte dennoch dem eigenen Interesse dienen kann[78].

260 In den Bezirken, in denen die Gerichte z. Zt. noch darauf bestehen, daß eine **Drittschutzbegründung ausgeschlossen** ist, dann nur noch PsychKG-Maßnahmen möglich bleiben, die einrichtungsgebunden sind, wird ggf. dem Grundanliegen durch eine entsprechende **sprachliche Umsetzung** Rechnung zu tragen sein. Das Problem ist dann aus der anderen Sicht zu beschreiben, nicht aus der der Dritten. In der Mehrzahl der Fälle wird das keine unlösbare Probleme aufwerfen[79].

261 Ein andere überkommene, immer wieder aufgestellte Behauptung geht dahin, die **landesrechtliche Unterbringung** sei **»nachrangig«**, könne bei bestehender Betreuung nicht eingesetzt werden. Das geht so weit, daß in der Praxis einiger Ordnungsbehörden wie Gerichte Unterbringungsanträge bzw. Unterbringungsgenehmigungen nach dem PsychKG abgelehnt werden mit dem Hinweis, die BetreuerIn möge sich (gefälligst) an das Betreuungsgericht wenden.[80]

Das ist so kaum haltbar, selbst wenn die Ausgangsthese zum Teil stimmen mag. Wenn eine BetreuerIn bestellt ist und die Unterbringung befürwortet, ihrerseits bereit

76 vgl. z.B. AG Tiergarten BtPrax 1998, 194.

77 Holzhauer, FamRZ 1995, 1463, 1472: »Nur leidenschaftliche Erwachsenenbildner würde es vielleicht reizen, die subtilen rechtlichen Unterschiede dem Pflegepersonal zu vermitteln und den Ärzten auch zu begründen, die beide wahrlich ganz andere Sorge haben«. Das ist dann zutreffend, wenn diese bereit sind, endlich auch für den PsychKG-Bereich die Reste »hoheitlichen« Verständnisses (das überholte besondere Gewaltverhältnis) über Bord zu werfen. Zum grundsätzlichen Problem auch Pardey BtPrax 1995, 81 ff und FamRZ 1995, 713 ff.

78 Der Fall 3 am Ende des Buches enthält eine derartige Konstellation. Die Übergriffe des Bewohners sind sicher drittgefährend. Andererseits ist es in seinem Interesse, für ihn sehr wichtig, dort wohnen bleiben zu können. Das geht nur, wenn er die Regeln einhält, die anderen unbehelligt zu lassen. Er selbst kann das nicht zureichend steuern. Dann mag ihm über die nächtliche Sicherung in seinem Zimmer geholfen werden, sich durch sein eigenes Verhalten als gruppenfähig zu erweisen. Die Alternative wäre eine Unterbringung in der Psychiatrie.

79 Wenn man das nicht mittragen will, müßte man den Heimbewohner aus Fall 3 der Fallsammlung a.E. des Buches in die geschlossenen Psychiatrie verlegen lassen, die aber weitgehend ihre entsprechenden Stationen aufgelöst hat. In der Wohneinrichtung könnte er nach PsychKG nicht gesichert werden. Das schließt das PsychKG ausdrücklich aus.

80 s. Fall 4 der Fallsammlung a.E.

ist, einen Unterbringungsantrag zu stellen, wird das PsychKG als ordnungsrechtliches Modell »nachrangig«. Das **setzt** im Alltag aber diese **übereinstimmende Bewertung wie die Mitwirkung** (Gutwilligkeit) der BetreuerIn **voraus**. Erzwungen werden kann das nicht. Die Behauptung eines (absoluten) Vorrangs der betreuungsrechtlichen Unterbringung ist damit falsch[81]. § 1906 BGB setzt die Maßnahme der BetreuerIn voraus. Wenn sie sich pflichtwidrig sperren sollte, mag das Betreuungsgericht die Möglichkeit haben, mit ihr in einen Diskurs dazu einzutreten (§§ 1908 i, 1837 BGB), wozu auch eine Gewährung rechtlichen Gehörs gehört, damit Zeit erforderlich ist. Das kann aber nicht ernsthaft begleitend dadurch gelöst werden, daß die Betreute in der Zeit »auf der Straße« steht.

Im Alltag machen die **Standardfälle der Unterbringung in der Gerontopsychiatrie, der Akutpsychiatrie und beschützenden Stationen** von Einrichtungen wenig Probleme, weil die Sachlage offen zu Tage liegt. Es gibt aber auch jeweils Grenzfälle, bei denen der Sinn durchaus problematisch ist. **262**

So ist die Verlegung einer alten, verwirrten Frau in die Gerontopsychiatrie, weil sie nach Angaben des Heimes »aggressiv und nicht führbar« gewesen sei, wohl eher problematisch, wenn die Station des LKH anschließend berichtet, sie sei fast ausgetrocknet gewesen, habe einen nicht behandelten Harnwegsinfekt gehabt und sei i.ü. medikamentös falsch eingestellt, u.a. mit deutlich überdosierten Haldolgaben. Die Haldolverschreibung beruhte auf einer Erstverordnung anläßlich einer Operation im Krankenhaus, die der Hausarzt wenig kritisch fortgeschrieben hatte.

Die Freiheit der Betroffenen ist ein hohes Gut. Das müßte dafür sprechen, sie sofort wieder aus dieser Station nehmen zu lassen. Andererseits wird hier deutlich, daß die Alternativen zunächst nicht förderlich sind. Es wird nicht tragbar sein, sie lange dort zu lassen. Die anzustrebende Verlegung sollte aber schon berücksichtigen dürfen, was man ihr an Folgeproblemen zumutet.

An solchen Nahtstellen wird deutlich, daß es um Rechtsschutz geht, darum geht, nicht »**nur** zu helfen«, andererseits das **Gesetz** auch **nicht** zum **Selbstzweck** werden darf. Gerade wegen dieser »Grauzonen« ist es wichtig, sich nicht mit internen Strukturen oder Kontrollen zu beruhigen, sondern die Thematik je nach außen offenzulegen und die Lösung zu suchen.

11.2 Unterbringungsähnliche Maßnahmen

Nach § 1906 Abs. 4 BGB bedürfen auch die sog. **unterbringungsähnlichen Maßnahmen** gerichtlicher Genehmigungen. Das betrifft Sicherungsmaßnahmen wie z.B. Bettgitter, Fixierungen u.ä. Sie sind nach jetzt ganz einhelliger Ansicht nicht bereits mit der etwaigen Unterbringungsgenehmigung genehmigt, müssen vielmehr gesondert beantragt und genehmigt werden – und zwar trotz des mißlungenen Gesetzeswortlautes des § 1906 Abs. 4 BGB. Wenn der Betroffene z.B. fixiert oder in der Station in seinem Zimmer eingeschlossen werden soll, bedarf es auch bei Vorliegen **263**

81 vgl. auch OLG Hamm BtPrax 2000, 35 f.

einer Genehmigung nach § 1906 Abs. 1 BGB entsprechender zusätzlicher Einwilligungen und Genehmigungen[82].

264 Dazu hat das BayObLG[83] ausgeführt:

Die Unterbringungsgenehmigung umfaßt grundsätzlich alle mit der Unterbringung in einer geschlossenen Einrichtung regelmäßig verbundenen Beschränkungen der körperlichen Bewegungsfreiheit. Hierzu gehört nicht das Anbinden des Betreuten im Bett durch einen Beckengurt für einen längeren Zeitraum oder regelmäßig (...) Fügt das Amtsgericht der Genehmigung eines Anbindens des Betreuten im Bett den Zusatz hinzu, der Betreute dürfe nur nach ausdrücklicher Anordnung des behandelnden Arztes angebunden werden, so wird damit nicht die Verantwortung des Betreuers auf den Arzt übertragen, sondern nur die dem Betreuer erteilte Genehmigung(...) eingeschränkt.

In den Gründen weist das Gericht darauf hin, daß diese Bewertung aus verfassungsrechtlichen Gründen trotz des Wortlautes von § 1906 Abs. 4 BGB geboten sei. Das **Anbinden sei die stärkste Form der Freiheitsbegrenzung**.

265 Die bloße Genehmigung der Verbringung in eine geschlossenen Station deckt damit genau dies, nicht mehr; im übrigen könnte auch eine bloße gesetzliche Regelung ohne eine Art. 104 GG entsprechende Umsetzung keine Legitimationswirkung für Einzelmaßnahmen entwickeln. Es sind jedenfalls gerichtliche Einzelentscheidungen geboten.

266 *»Als Freiheit der Person wird (...) die körperliche Bewegungsfreiheit geschützt. Diese kann kaum stärker entzogen werden als durch die hier in Rede stehende (Sicherung im Bett), weit stärker als die bloße Unterbringung in die körperliche Bewegungsfreiheit eingreifende Maßnahme; gerade eine solche Maßnahme stellt auch dann eine Freiheitsentziehung dar, wenn sie nur verhältnismäßig kurze Zeit andauert. Über ihre Zulässigkeit und Fortdauer muß daher der Richter entscheiden.«*[84]

267 Die bisher eher vereinzelten Ansätze, auch **Schutzmaßnahmen in der häuslichen Umgebung** entgegen dem Wortlaut des § 1906 BGB für genehmigungsbedürftig zu halten, finden zunehmend Anhänger[85].

Dem entspricht, daß man auch für die Klienten/Patienten/Bewohner offener Stationen von einer entsprechenden Genehmigungspflicht ausgeht, wenn sie eingegrenzt, gesichert erscheinen, mit ihren Fähigkeiten nicht in der Lage sind, die konkrete Situation im Sinne einer eigenen Aktionsfreiheit auszunutzen[86]. Das gilt z.B. bei **Drehknöpfen an Außentüren**, die die entsprechenden Bewohner mangels feinmotorischer Koordinierung **nicht benutzen bzw. bedienen können**. Ich habe Zweifel, ob sich hier inzwischen nicht teilweise schon wieder eine Übersensibilität ergibt und neige eher dazu, auf den Einzelfall, die Gesamtmöglichkeiten der Betroffenen und die Ziele der Baulichkeiten abzustellen.

82 Nach BayObLG FamRZ 1994, 721 jetzt wohl nicht mehr ernsthaft str.
83 BayObLG FamRZ 1994, 721 ff.
84 betr. Sicherung im Bett im Zusammenhang mit § 1906 Abs. 4 BGB: BayObLG a.a.O.
85 vgl. z.B. AG Tiergarten BtPrax 1998, 194; LG München I BtPrax 1999, 242.
86 Nach AG Wolfshagen BtPrax 1998, 83 f. soll das schon gelten, wenn d. Betreute die gerichtliche Anordnung als bindend versteht und deshalb die Station nicht verläßt; kritisch dazu Dodegge in NJW 1998, 2716 unter 2 b).

Richtig ist, daß es **nicht auf den Zuschnitt der Station** oder der Wohngruppe ankommt, sondern auf die **Einschlußwirkung**. Ist die Gruppe verschlossen und verfügen BewohnerInnen über Schlüssel, die sie jederzeit nutzen können, liegt für sie keine Genehmigungsbedürftigkeit nach § 1906 BGB vor. Ist die Alteneinrichtung offen, sagt eine MitarbeiterIn auf Befragen aber ganz unbefangen »hier läuft nach 19:00 Uhr keiner mehr draußen rum, was soll er da auch«, handelt es sich nicht mehr um eine »offene Unterbringung«. 268

Da es möglich ist, daß das jeweilige Heimatgericht und die dort i.ü. beteiligten Behörden die Situation unterschiedlich beurteilen, empfehle ich in diesen Grenzfällen einen Kurzbericht mit einem **Hilfsantrag**. Ähnlich kann man in den Grenzbereichen von § 1904 BGB und § 1906 Abs. 4 BGB verfahren. 269

Auch bei Anträgen auf Bettgitter etc. ergeben sich oft nicht unerhebliche Unsicherheiten über die zulässige Verfahrensweise nach Antragstellung bis zur Genehmigung. Entsprechendes gilt für den Umgang mit **ablaufenden Genehmigungen**. 270

Wenn die BetreuerInnen »ihr« Gericht dazu befragen, werden sie nicht ganz selten hören, sie hätten die Anträge rechtzeitig zu stellen, eine sorgfältige gesetzeskonforme Prüfung koste Zeit, i.ü. hätten sie ja eigene vorläufige Schutz- und Sicherungspflichten[87].

Es wird angeregt, mit dem Hausgericht zu vereinbaren, daß bei sofortigem Handlungsbedarf mit der Antragstellung die Maßnahme umgesetzt werden kann und das Gericht sich meldet, wenn es dagegen Einwendungen erheben will, andernfalls die **vorläufige Regelung** bis zum Eingang einer Entscheidung zulässig ist. Das sollte dann jeweils auch in die eigenen Berichte bzw. Antragstexte eingearbeitet werden. 271

Die Regelungsbefugnis der BetreuerIn, nicht die gerichtliche Entscheidung ist auch gefragt, soweit es um **Erprobungen, Beurlaubungen** etc. geht[88]. Die erteilte Unterbringungs- oder Sicherungsgenehmigung bedeutet keine Pflicht zum Einsperren, verleiht nur das Recht dazu, wenn es denn nötig ist. 272

Das schließt es nicht aus, daß z.B. ein jüngerer geistig behinderter Wohnheimbewohner an einer Erprobungs- und Trainingsphase, ggf. auch über Jahre, beteiligt wird, mit dem weitere Freiräume für ihn geklärt werden können. Die Grenzen ergeben sich insoweit aus den Aufsichtspflichten, nicht aus der Genehmigung. Die Genehmigung bestimmt die Grenzen der zulässigen maximalen Eingrenzung, nicht zugleich den Soll-Bereich.

Es steht auch nicht in der Entscheidung der Einrichtung oder des Arztes, ob bzw. wann die Betroffene **entlassen** wird. Wenn insoweit aufgrund mangelnder Koordi-

87 Insoweit ist natürlich wichtig, etwaige Verlängerungsanträge rechtzeitig zu stellen. Die »beste« Möglichkeit, bald Streit mit dem Gericht zu bekommen, ist es, Verlängerungsanträge immer wieder kurz vor dem Auslaufen mit »Eilt-« Hinweis einzureichen.
Gebotene Mindestfrist dürften 2 Wochen sein, bei absehbaren Verlängerungen von über Jahresfrist genehmigten Maßnahmen aber mindestens 1 Monat.

88 Der Hinweis, » das Krankenhaus hat meine Betreute wieder entlassen, ohne mich zu verständigen«, entlastet die BetreuerIn nicht. Sie ist in der Pflicht, nicht das Krankenhaus.

nierung mit dem Betreuer Folgeprobleme eintreten, kann es zu nicht unerheblichen Regreßforderungen kommen.

273 Ärztliche Maßnahmen können nach § 1904 BGB genehmigungsbedürftig sein. Nicht nur bei Psychopharmaka ist man sich, unabhängig von allem sonstigen Streit[89] zu § 1904 BGB einig, daß eine Genehmigung nach § 1904 BGB nur in Betracht kommt, wenn eine Verbesserung des Gesundheitszustandes zu erwarten ist[90].

Das macht Schwierigkeiten, wenn der ***Einsatz aus verhaltensverursachten, pädagogischen Erwägungen*** *in Betracht gezogen wird und bei einer Ablehnung der Betroffene wegen seiner unbehandelt für die Gemeinschaft untragbaren Verhaltensweise sein Wohnumfeld verlassen müßte*[91]*. Aber auch bei der unglücklichen Altenheimbewohnerin wird man hier schnell an Grenzen stoßen, es sei denn, man wollte postulieren, nur ein glücklicher (sedierter) Mensch sei ein gesunder Mensch.*

274 Denkbar ist, diesen Einsatz von Medikamenten mit allen Folgen für die Betroffenen zu unterbinden oder an eine Anwendung von **§ 1906 Abs. 4** BGB zu denken. Wenn ich jemandem über Medikamente den Wunsch nehme, sich so zu bewegen, wie er es unbeeinflußt tun würde, kann es nicht zureichen, daß er rein physisch noch in der Lage wäre, zu gehen[92].

275 *Dem ist das OLG Hamm*[93] *entgegengetreten. Es ging um eine Betreute, für die Cyatil-Z-Depot eingesetzt werden sollte, um eine »einigermaßen ausreichende Impulssteuerung für sich zu erlangen«. Sie war ohne Medikation durch Eigen- und Fremdverletzungstendenzen aufgefallen.* ***Das Amtsgericht hat den Einsatz des Mittels unter Bezug auf § 1906 Abs. 4 BGB genehmigt,*** *die Beschwerde war erfolglos. Das OLG Hamm hat die Heranziehung von § 1906 Abs. 4 BGB schon grundsätzlich für verfehlt gehalten und gemeint, eine Genehmigung komme nur auf der Grundlage von § 1904 BGB in Betracht:*

(Leitsatz:) Die ***Verabreichung von Medikamenten stellt nur dann eine unter § 1906 Abs. 4 BGB fallende unterbringungsähnliche Maßnahme*** *dar, wenn sie gezielt eingesetzt wird, um den nicht untergebrachten Betreuten am Verlassen seines Aufenthaltsortes zu hindern.*

(Aus den Gründen:) ... Das Landgericht hat aber weder festgestellt, daß das Medikament...zur Einschränkung der Bewegungsfreiheit verabreicht werden soll, noch ist ersichtlich, daß die Betroffene infolge der Einnahme (...) überhaupt gehindert würde, ihren Aufenthaltsort zu verlassen, auch wenn diese Medikament eine sedierende Wirkung hat. Das Landgericht hat nämlich nicht auf die räumliche Bewegungsfreiheit abgestellt, sondern auf die persönliche Willensfreiheit, die durch die zwangsweise Verabreichung von Medikamenten eingeschränkt wird. Deren Schutz erfolgt aber nicht durch § 1906 Abs. 4 BGB.

276 Ich halte das für überdenkenswert. Wenn man jemandem über Medikamente den Wunsch nimmt, sich so zu bewegen, wie er es unbeeinflußt tun würde, kann es doch

89 vgl. z.B. Palandt-Diederichsen, BGB, § 1904 Rn 4, 5 und Jürgens, BetrR, § 1904 Rn. 5 ff. je m.w.Nachw.

90 sehr deutlich ausgesprochen in LG Berlin BtPrax 1993, 66.

91 Juristen scheinen insoweit vom Ansatz weniger Probleme zu sehen als Ärzte. Grundsätzlich zu diesem Komplex Gaedt, Psychophamakotherapie bei Menschen mit geistiger Behinderung, 1996.

92 Man käme wohl nicht einmal im Strafrecht bei § 239 StGB auf die Idee, eine Betäubung (für § 239 StGB zureichend; RGSt 61, 241) erst dann als Hinderungsgrund anzusehen, wenn sie sich auf die physischen Möglichkeiten (Muskelversagen; volle Bewußtlosigkeit) auswirkt.

93 OLG Hamm BtPrax 1997, 162.

nicht zureichen, daß er rein physisch noch in der Lage wäre, zu gehen[94]. Im übrigen würde das **bedeuten, daß erheblich sedierende Mittel trotz des gezielten Einsatzes zur Eingrenzung kontrollfrei** blieben, solange sie nicht das Gefahrenpotential aus § 1904 BGB erreichen.

Auch insoweit wird es angezeigt sein, nicht auf der Basis unterstellter Einwilligungsfähigkeiten oder **verdeckend medizinisch** zu argumentieren. Es sollte offen ausgesprochen werden dürfen, soweit es z.B. um **Disziplinierungsmaßnahmen oder Anpassungsstrategien** geht. Die »Gesundheitsdiskussion« hilft weniger, als wenn über die Erwartungen gesprochen werden darf. Ein Kampf gegen derartige Begründungen kann die Diskussion darüber, wieviel Anpassungsdruck ausgeübt werden darf und womit nur verdrängen, wird die Maßnahmen nicht verhindern können. **277**

Diese Fragen werden in gleicher Weise für BGB-Maßnahmen wie für solche nach dem PsychKG relevant[95] (das Antragserfordernis in § 17 Abs. 3 PsychKG setzt das Problem voraus, regelt es nicht). **278**

11.3 Unterbringungen nach öffentlichem Recht (PsychKG, Landesunterbringungsgesetze)

Zugrunde liegen der öffentlichrechtlichen Unterbringung (als Beispiel ist das Nds. Recht gewählt): **279**

§ 1 Nds. PsychKG: **280**

Dieses Gesetz regelt

1. Hilfen für Personen, die infolge einer psychischen Störung krank oder behindert sind oder gewesen sind oder bei denen Anzeichen für eine solche Krankheit oder Behinderung bestehen,

2. die Unterbringung von Personen, die im Sinne der Nummer 1 krank oder behindert sind.

Träger der Hilfen sind die Landkreise und kreisfreien Städte, die dafür bei den Gesundheitsämtern einen **sozialpsychiatrischen Dienst (SpDienst)** einzurichten haben. **281**

Schutzmaßnahmen einschließlich des Vollzuges der gerichtlichen Entscheidung über die Unterbringung **obliegen** den Landkreisen und kreisfreien Städten (**Verwaltungsbehörden**). Dort werden geeignete und entsprechend ausgebildete Bedienstete bereit gehalten, denen nötigenfalls die Polizeidienststellen Vollzugshilfe leisten.

94 s. Fußn. 92.

95 Da es sich um freiheitsbegrenzende Maßnahmen handeln kann, bzw. wenn es sich im Einzelfall darum handelt, versagen die Behandlungsermächtigungen des PsychKG jedenfalls, ohne daß es auf die Auswirkungen von § 1904 BGB ankommt (vgl. § 21 PsychKG).

282 § 15 PsychKG:

(1) Die Unterbringung wird in der Regel in den Krankenhäusern des Landes vollzogen. Krankenhäuser anderer Träger kann diese Aufgabe mit deren Zustimmung widerruflich übertragen werden.

(2-4) ...

§ 16 PsychKG:

Die Unterbringung einer Person ist nach diesem Gesetz nur zulässig, wenn von ihr infolge ihrer Krankheit oder Behinderung im Sinne des § 1 Nr. 1 eine gegenwärtige erhebliche Gefahr (§ 23 Nr 1 Buchst. b und c NGefAG) für sich oder andere ausgeht und diese Gefahr auf andere Weise nicht abgewendet werden kann.

§ 17 PsychKG:

(1) Das Vormundschaftsgericht entscheidet über die Unterbringung nach diesem Gesetz auf Antrag der zuständigen Behörde. Satz 1 gilt entsprechend, wenn die betroffene Person zur Vorbereitung eines Gutachtens über ihren Gesundheitszustand untergebracht werden soll, um festzustellen, ob die Voraussetzungen des § 16 erfüllt sind. Dem Antrag ist ein ärztliches Zeugnis beizufügen.

(2) Die Ärztin oder der Arzt, die oder der das ärztliche Zeugnis nach Abs. 1 Satz 3 erstellt hat, soll in dem weiteren Verfahren nicht für die Verwaltung tätig werden.

(3) Abs. 1 gilt entsprechend, wenn der Person, die nach diesem Gesetz untergebracht werden soll oder bereits untergebracht worden ist, durch mechanische Vorrichtungen, Medikamente oder auf andere Weise über einen längeren Zeitraum oder regelmäßig die Freiheit zusätzlich beschränkt werden soll. In diesem Fall ist auch die Leitung des Krankenhauses antragsberechtigt.

283 Die **Verwaltungsbehörde kann eine vorläufige Einweisung** verfügen. Danach hat das Vormundschaftsgericht zu entscheiden, dem es auch obliegt, ggf. die Entlassung anzuordnen.

§ 18 PsychKG:

(1) Kann eine gerichtliche Entscheidung nicht rechtzeitig herbeigeführt werden, so kann die zuständige Behörde die betroffene Person längstens bis zum Ablauf des folgenden Tages in ein geeignetes Krankenhaus (§ 15) einweisen, wenn die Voraussetzungen des § 16 durch das Zeugnis einer Ärztin oder eines Arztes mit Erfahrung auf dem Gebiet der Psychiatrie dargelegt werden, dem ein frühestens am Vortage erhobener Befund zugrunde liegt.

(2) § 19 NGefAG findet mit der Maßgabe Anwendung, daß das Vormundschaftsgericht über die vorläufige Einweisung entscheidet. Die vorläufig eingewiesene Person ist über die ihr zustehenden Rechtsbehelfe zu belehren. Ihr ist nach Maßgabe des § 20 Abs. 2 NGefAG unverzüglich Gelegenheit zu geben, eine Person ihrer Wahl zu benachrichtigen.

284 Ein wesentlicher Unterschied zu der betreuungsrechtlichen Unterbringung besteht in der **Behandlungsbefugnis**. Nur für die öffentlichrechtliche Unterbringung gilt:

§ 21 PsychKG:

(1) Eine untergebrachte Person erhält während der Unterbringung die nach den anerkannten Regeln der ärztlichen Kunst gebotene Heilbehandlung.Diese kann die Förderung durch heilpädagogische und psychotherapeutische sowie durch beschäftigungs- und arbeitstherapeutische Maßnahmen einschließen.

(2) Die Heilbehandlung bedarf der Einwilligung der untergebrachten Person. Ist die untergebrachte Person nicht fähig, Grund, Bedeutung und Tragweite der Behandlung einzusehen oder ihren Willen nach dieser Einsicht zu bestimmen, so ist die Einwilligung der Personensorgeberechtigten oder die Einwilligung der Person einzuholen, die zur Betreuung oder Pflege bestellt ist und deren Aufgabenkreis diese Einwilligung umfaßt. § 1904 des Bürgerlichen Gesetzbuches bleibt unberührt.

(3) Ist die Einwilligung im Sinne des Abs. 2 nicht erteilt, so hat die untergebrachte Person eine Heilbehandlung zu dulden, wenn diese notwendig ist, um

1. diejenige Krankheit oder Behinderung zu heilen oder zu lindern, wegen derer sie untergebracht ist, oder

2. die Gesundheit anderer zu schützen.

Satz 1 ist im Falle der Nummer 1 nicht anzuwenden, wenn die nach § 1904 des Bürgerlichen Gesetzbuches erforderliche Genehmigung des Vormundschaftsgerichts nicht erteilt worden ist.

Während der Unterbringung kann die Betroffene nach PsychKG also ohne ihre Zu- **285** stimmung **(zwangs-) behandelt** werden. **Operationen** dürfen auch hier **nur mit seiner/ihrer Einwilligung oder** der Zustimmung **des gesetzlichen Vertreters** durchgeführt werden. Andererseits enthält die Regelung auch in dem Bereich zulässiger Behandlungen eine wesentliche **Rückverweisung auf § 1904 BGB**, wodurch der dort bestehende Streit[96] z.B. zu der Behandlung mit Leponex von zentraler Bedeutung auch für die öffentlichrechtliche Unterbringung und Behandlung wird. Wenn bzw. weil z.B. Leponex nur mit gerichtlicher Genehmigung verabreicht werden kann, darf es ohne eine solche Regelung auch bei dieser Behandlung außer im Rahmen der Gefahrenabwehr nicht herangezogen werden. Dasselbe gilt für alle anderen Mittel und Maßnahmen, die von dieser Diskussion berührt sind.

§ 25 PsychKG regelt die **Kontrolle** und Regulierung von **Brief- und anderen Sen- 286 dungen** sowie von Ferngesprächen. Auch diese Befugnis hat das Krankenhaus bei Betreuungs-Unterbringungen nicht. Der vermeintlich besonders sorgfältige Stationsarzt, der bei untergebrachten Betreuten die Post kontrolliert, macht sich strafbar[97]. Nach § 26 PsychKG kann eine Beurlaubung erfolgen. Auch das ist nur bei dieser Unterbringungsart durch den Arzt zu entscheiden. Eine untergebrachte Betreute darf nicht ohne Absprache mit der BetreuerIn »beurlaubt« werden. §§ 27 ff. PsychKG regeln die Entlassung.

Der Untergebrachte ist mit **Ablauf der Unterbringungsgenehmigung zu entlas- 287 sen**, wenn nicht zuvor eine gerichtliche Verlängerung der konkreten Unterbringungsanordnung erfolgt ist.

96 Kap. 12.2., Rn. 316 ff.; die landesrechtlichen Regelungen zum (Zwangs-)Behandlungsrecht differieren etwas.

97 wird nur in der Regel (bisher) nicht verfolgt, weil kein Strafantrag gestellt wird; §§ 202, 205 StGB.

11.4 Freiwillig in der geschlossenen Abteilung

288 In einem LKH befand sich ein Patient mit HOPS[98] nach langjährigem Alkoholmißbrauch »freiwillig« in einer geschlossenen Station. Der darauf angesprochene Stationsarzt meinte, der Patient habe die Station kennengelernt und sich dort arrangiert. Er akzeptiere das so. Wenn man ihm gegenüber allerdings den Charakter als »verschlossen« betone, werde er sich wehren. So war es in der Folgezeit. Er hat sich bis zu ernsthaften Suicidansätzen gegen die weitere Unterbringung in dieser Station und gegen die entsprechenden Entscheidungen empört.

Die »Erklärung«, es sei dem Patienten vorher besser gegangen, verkennt die von unserer Verfassung allein anerkannten **Legitimierungsstrukturen**. Es mag sein, daß es besser gewesen wäre, den Patienten nicht zu behelligen[99]. Das steht aber nicht in der Entscheidungsgewalt der Einrichtung. Die Zustimmung hätte dann anderweitig geprüft und ggf. erteilt (oder versagt) werden müssen.

289 Jede freiwillige **Schutzmaßnahme** in derartigen Bereichen ist in sich schwierig, eigentlich ein offensichtlicher Widerspruch. Dabei hilft das Argument wenig, die Betroffene könne in unbeeinträchtigen bzw. klaren Momenten die **Ermächtigung** geben, sie in den weniger klaren oder akuten festzuhalten, wenn es nötig sei. Spätestens seit der Neuregelung des § 1906 BGB und der Anfügung von Abs. 5 trägt diese Begründung kaum mehr. Wenn auch Bevollmächtigte eine gerichtliche Genehmigung benötigen, i.ü. Vollmachten an EinrichtungsmitarbeiterInnen nicht tragfähig sein sollen (§ 1896 Abs. 2 i.V.m § 1897 Abs. 3 BGB), wird die Ermächtigung aus der vorab abgegebenen **»Freiwilligkeitserklärung« allein nichts legitimieren** können.

290 Natürlich gilt weiter:

»Die Anordnung der Unterbringung ist nicht verhältnismäßig, weil nicht erforderlich, wenn sich der Betroffene zum freiwilligen Verbleib in der Einrichtung bereit erklärt.[100]
Dies gilt jedoch dann nicht, wenn Zweifel an der Ernsthaftigkeit und Verläßlichkeit der Freiwilligkeitserklärung bestehen.«[101]

98 hirnorganischem Psychosyndrom.

99 das Betreuungsrecht enthält ausdrückliche Abwicklungsregelungen dafür, wie zu verfahren ist, wenn ein Patient durch Informationen überfordert würde; vgl. z.B. §§ 70 c, 68 Abs. 2 Nr. 1 FGG.

100 LG München I BtPrax 1998, 152.

101 LG München I a.a.O.

11.5 Unterbringungen durch Bevollmächtigte

Seit dem 1.1.1999 ist durch § 1906 Abs. 5 BGB ausdrücklich geklärt, daß es möglich ist, **Vollmachten auch für den Unterbringungsbereich** zu erteilen, daß andererseits dadurch eine gerichtliche Mitwirkung nicht entfällt. 291

»Die Unterbringung des Betroffenen, durch einen Bevollmächtigten, zu dessen Aufgaben dies gehört, ist unter den gleichen Voraussetzungen vormundschaftsgerichtlich zu genehmigen wie die Unterbringung durch einen Betreuer.«[102]

Der Umgang mit diesen Regelungen ist insbesondere für die Gerichte nicht einfach, weil sie hier keine **Vorinformationen** haben, auch aus der Folgebegleitung ausgeschlossen sind. Andererseits handelt es sich für die Gerichte um eine ähnliche Situation wie bei der öffentlichrechtlichen Unterbringung, in der ja auch nur dieser kurze Lebensabschnitt zu betrachten und bewerten ist.

In der Praxis sind bisher noch nicht viele dieser Vorgänge angefallen, weil einerseits die Zahl der Vollmachten sich insgesamt noch sehr in Grenzen hält, die präsentierten oft erst unmittelbar vor der Maßnahme mit zitteriger Hand (geführt?) unterschrieben und damit im Zweifel unwirksam sind. **Die bis 1998 vorgehaltenen Formulare sind zudem zu pauschal**, so daß selbst die früher üblichen notariell beurkundeten **Generalvollmachten** für diesen Bereich oft ungeeignet sind. § 1906 Abs. 5 BGB verlangt eine »ausdrückliche« Benennung dieses Themas[103] (das bis Ende 1998 niemand so kannte).

11.6 Zum Unterbringungsgenehmigungsverfahren

Die rechtlichen Ansätze aus dem öffentlichen wie dem Zivilrecht würden eigentlich auch ein entsprechendes Nebeneinander der Fachgerichtsbarkeiten erwarten lassen. Mit Rücksicht auf historische Gepflogenheiten ist der Gesetzgeber im Umfeld von Art. 104 Abs. 1 GG aber nicht diesen Weg gegangen. **Verfahrensrechtlich** bewegt man sich hier (unsystematisch) deshalb grundsätzlich **in einem Spezialbereich** des Zivilrechts, **der ordentlichen Gerichtsbarkeit**. 292

Diese Vereinheitlichung hat 1992 zusätzliche Verfahrensgarantien geschaffen, z.T. aber auch einen Rückschritt bewirkt. Anders als nach früherem PsychKG-Verfahrensrecht muß nicht mehr immer eine RechtsanwältIn beigeordnet werden. Das Gesetz sieht jetzt einen sog. **Verfahrenspfleger** vor (§ 70 b FGG). Der Vorteil gegenüber dem alten Recht ist wohl, daß der Aufgabenkreis damit auch für andere Profes-

102 AG Frankfurt a.M. BtPrax 1999, 246.

103 Ich habe Zweifel, ob das wirklich so viel erfordert, wie das Landgericht Hamburg in BtPrax 1999, 243, 244 meint. Eine generelle Bevollmächtigung an sich reicht aber sicher nicht.

sionen eröffnet worden ist. Eine erhebliche Einschränkung hat sich in der Praxis daraus ergeben, daß es sich bei den Bestellungsregelungen nur noch um eingeschränkte Sollvorschriften handelt, die zudem seit 1999 weiter relativiert worden sind.

293 Bei der **zivilrechtlichen Unterbringung** handelt es sich um die Genehmigung einer **Entscheidung der BetreuerIn**, bei der **öffentlichrechtlichen um eine gerichtliche Anordnung** (nach möglicherweise vorausgegangener vorläufiger Regelung durch die entsprechende Behörde). Das bedeutet, daß Ansprechpartner für Krankenhäuser, Ärzte und Dritte im BGB-Bereich grundsätzlich nur die BetreuerIn ist, im öffentlichrechtlichen Bereich unmittelbar das Gericht.

Unterbringungsverfahren sind angeblich echte **Antragsverfahren**. Das Gericht wird nur auf Antrag eines Berechtigten tätig. Das gilt für den öffentlichrechtlichen Bereich (PsychKG) uneingeschränkt, im BGB-Bereich nicht immer. Das Gericht kann die **betreuungsrechtliche Unterbringung** zwar nicht gegen den Willen der BetreuerIn betreiben, ist bei den Einzelentscheidungen aber **nicht durch den Antrag** gebunden.

294 Das Gericht ist gehalten, den Betroffenen zu verschiedenen Fragen (ggf. auch wiederholt) anzuhören **und** (kumulative Pflicht) sich einen **persönlichen Eindruck** von ihm zu verschaffen. Wenn erhebliche Nachteile für den Betroffenen zu befürchten sind, kann die Anhörung (nur diese) unterbleiben. Ansehen muß sich das Gericht den Betroffenen auch in diesen Fällen.

295 Der Kreis der **Beteiligten bei Anhörungen** ist eng gezogen. Zur Anwesenheit berechtigt sind ein etwaiger Rechtsanwalt des Betroffenen oder die etwa bestellte VerfahrenspflegerIn (§ 68 Abs. 4 FGG; vgl. auch § 70 c S. 5 FGG). Das Gericht kann einen Sachverständigen hinzuziehen, wenn es den Betroffenen anhört und sich einen unmittelbaren Eindruck von ihm verschafft. Auf Verlangen des Betroffenen ist einer Person seines Vertrauens die Anwesenheit zu gestatten. Anderen Personen kann das Gericht die Anwesenheit gestatten, jedoch nicht gegen den Willen des Betroffenen. Angehörige haben kein eigenes Anwesenheitsrecht.

296 Über Unterbringungen entscheidet immer eine RichterIn. **Anlaufstelle im Gericht** ist jeweils (vorgeschaltet) zunächst die **Geschäftsstelle bzw. heute sog. Service-Einheit** (Aktenverwaltung und Koordination; Schreibarbeiten).

297 Denkbare Kontrolliste für BetreuerInnen:

- Welcher Handlungsbedarf besteht und warum?
- Welche Alternativen (räumlich, zeitlich, sozialer Rahmen) sind möglich?
- Welche gesetzlichen Grundlagen sind die Basis für die beabsichtigte Entscheidung und deren Umsetzung?

- Muß eine Erweiterung der BetreuerInnenaufgaben bei nicht ausreichend erscheinendem Aufgabenkreis beantragt werden?
- Welche Institutionen sind mit einzubeziehen?
- Welche Schritte sind im Vorfeld einer Zwangsmaßnahme erforderlich?
- Stimmt die Ablaufkonzeption für die Umsetzung der Zwangsmaßnahmen?
- Was muß als vertrauensbildende Maßnahmen für die Zeit "danach" konzipiert werden?
- Sind die Informationswege für die Beendigungsmöglichkeiten von Unterbringungsmaßnahmen gesichert?

Die Möglichkeit, einzelne **Vollzugs- bzw. Umsetzungsmaßnahmen** durch das Ge- **298**
richt **überprüfen** zu lassen, besteht nur bei der öffentlichrechtlichen Unterbringung (§ 70 l FGG). Im betreuungsrechtlichen Bereich ist das nicht vorgesehen, weil insoweit nicht »öffentliche Gewalt« zu kontrollieren ist (Art. 19 Abs. 4 GG), vielmehr alle Vollzugsakte von dem Betreuer zu verantworten sind. Eine Betreute kann nur über eine Anregung – die Anrufung des Vormundschaftsgericht mit der Anregung von Kontrollmaßnahmen nach §§ 1908 i Abs. 1, 1837 Abs. 2 BGB – versuchen, sich gegen Einzelakte zu wehren. Ein derartiges Vorgehen würde allerdings eine sehr differenzierte Artikulationsmöglichkeit voraussetzen, zumal das Gericht wohl nur eine Mißbrauchskontrolle vornehmen kann.

Mit der Entlassung, nicht schon mit der Beurlaubung[104] aus der genehmigten Un- **299**
terbringung, wird der **Genehmigungsbeschluß gegenstandslos**, was gegebenenfalls klargestellt werden muß. Der Beschluß ist, selbst wenn er nicht aufgehoben wird, **nicht geeignet, eine erneute Aufnahme** in die geschlossene Unterbringung zu legitimieren. Auch dann nicht, wenn die angegebene Maximalzeit noch läuft, vermeintlich »nicht verbraucht« ist. Es ist vielmehr ggf. ein neues Verfahren zu betreiben.

Die gerichtlichen Unterbringungsgenehmigungen erledigen sich mit der Entlassung **300**
des Betroffenen aus der genehmigten Unterbringung. Während die gerichtliche Praxis lange davon ausging, daß gerichtliche Unterbringungsverfahren sich erledigt haben, wenn der Betroffene entlassen worden ist, hat das BVerfG klargestellt[105], daß das Beschwerdegericht auch über die **Rechtmäßigkeit von erledigten Unterbringungsmaßnahmen** zu befinden hat, das Verfahren also nicht schlicht unter Hinweis auf die Erledigung abgeschlossen werden kann[106]. Die Rechtsprechung der Instanz-

104 Die Beurlaubung zum Zwecke der Erprobung der Entlassung ist nur in den Verfahren nach den landesrechtlichen Unterbringungsgesetzen vorgesehen. Im BGB-Bereich ist das nur in Abstimmung mit der BetreuerIn und nur in sehr viel engeren Zeitgrenzen zulässig bzw. möglich.

105 BVerfG BtPrax 1998, 184

106 In diesem Sinn auch OLG Schleswig BtPrax 1998, 238 in einem Fall, in dem die Unterbringung von vorherein auf 2 Wochen begrenzt war.

gerichte ist nicht nur zu den Unterbringungsvoraussetzungen oft erheblich rigider als die erstinstanzliche Praxis[107].

107 aber nicht immer: BVerfG BtPrax 1998, 144 hat dem AG, LG und OLG Vorwürfe gemacht (S. 146) und die Unterbringung für verfassungswidrig gehalten. Exkurs: In LG München BtPrax 1998, 152 hat das LG eine vom AG abgelehnte (öffentlichrechtliche) Unterbringung gegen einen HIV-Infizierten für sachgerecht gehalten, weil von ihm auch in Zukunft ungeschützter Verkehr (mit Minderjährigen) zu befürchten sei.

12. Ärztliche Maßnahmen und Medikationen

Das **allgemeine Persönlichkeitsrecht** jeder PatientIn bedingt, daß der Arzt zu jeder Maßnahme, auch für bloße Untersuchungen und erst recht bei Eingriffen, eine **wirksame Einwilligung** benötigt. Sie kann sich bei geringfügigen Maßnahmen aus den Umständen ergeben.[108] Die Einwilligung ist nur wirksam, wenn der Patient das Wesen, die Bedeutung und Tragweite der ärztlichen Maßnahmen in seinen Grundzügen verstanden hat. Dies setzt eine zutreffende, auch auf Alternativen hinweisende Aufklärung durch den Arzt voraus.[109] 301

12.1 ÄrztIn und Selbstbestimmung der PatientIn

Die in Medizinerkreisen oft betonte »**Therapiefreiheit**« des Arztes ist jedenfalls nach dem alltagssprachlichen Verständnis außerhalb von Notmaßnahmen und von unvorhersehbaren Situationen bei Operationen nicht vorhanden[110]. Vielmehr ist vor jeder Behandlung[111] die Einwilligung des Patienten einzuholen[112], nötigenfalls die des berechtigten Vertreters. 302

Es ist ein schwerer ärztlicher Behandlungsfehler, wenn der Patient über einen (bedrohlichen) Befund (...) nicht informiert und ihm die erforderliche ärztliche Beratung versagt wird. Die therapeutische Aufklärung naher Angehöriger, ***soweit sie überhaupt ohne Einwilligung des Patienten zulässig ist,*** *kann in aller Regel nicht das direkte Gespräch zwischen Arzt und Patienten ersetzen.*[113]

Liegt **keine wirksame Einwilligung vor, ist nur bei** PsychKG-Unterbringungen (Unterbringungen nach den Landesunterbringungsgesetzen) im begrenztem Umfang **eine Behandlung**, jedoch keine OP zulässig[114]. Eingriffe ohne wirksame Zustimmung sind nur zulässig, wenn der Arzt sie nicht einholen kann **und** (kumulativ) Ge- 303

108 Ein eigenmächtiger HIV-Test verletzt das Persönlichkeitsrecht des Patienten, der allein deswegen ein Schmerzensgeld verlangen kann, LG Köln, MedR 1995, 409 = NJW 1995, 1621.

109 BGH NJW 1981, 633.

110 Daß einige Ärzte das nicht wahrhaben wollen, ändert am Prinzip nichts, führt nur immer wieder dazu, daß der von ihnen gelegentlich beschworene Staatsanwalt sich für ihr Verhalten interessiert. So hatte auch 1999 der BGH wieder zu einer Strafsache zu entscheiden, der zugrunde lag, daß ohne Einwilligung im Zuge eines Kaiserschnittes die Frau sterilisiert worden war.

111 Grundsätzlich Saage/Göppinger, Freiheitsentziehung und Unterbringung, S. 321 ff.

112 systematisch dazu Scholz MDR 1996, 649 ff.

113 BGHZ 107, 222.

114 § 21 PsychKG; die Landesgesetze differieren an dieser Stelle.

fahr im Verzuge besteht[115]. **Lebensrettende Sofortmaßnahmen** sind immer zulässig[116], können ggf. sogar geboten sein.

304 Die einem bestimmten Arzt erteilte Einwilligung ermächtigt einen anderen nicht. **Ohne** wirksame **Einwilligung** ist schon der lege artis durchgeführte Eingriff mit den dabei ggf. zwangsläufig auftretenden Beeinträchtigungen ein **schadensersatzfähiger Körperschaden**[117].

305 Erteilte Einwilligungen sind nur dann wirksam, wenn sie auf einer konkreten, vollständigen Aufklärung beruhen. Die mancherorts übliche telefonische Kurzaufklärung mit folgendem Einwilligungsfax wird deshalb selten genügen.

Bei der gebotenen Aufklärung wird üblicherweise unterschieden, ob es sich um eine **»Eingriffs«-Aufklärung** oder eine therapeutische handelt. Z.T. wird dargestellt, die Aufklärungspflicht sei umfassender, je weniger lebensnotwendig die Maßnahme sei. Es müsse aber auch bedacht werden, ob psychische Schäden eintreten können, die möglicherweise (unberechtigt) durch Informationen ausgelöst wurden, die einer bloßen Zwischenklärungsstufe entsprachen, aber kein abgesicherter Befund waren[118]. Es ist teilweise diskutiert worden, ob der Arzt im psychiatrischen Bereich von einer Aufklärung und der Einholung **von Einwilligungen absehen** kann, wenn die Aufklärung nach dem psychischen bzw. psychiatrischen Krankheitsbild kontraindiziert ist[119]. Dieser Ansatz dürfte heute **überholt** sein. Die starke Betonung des Rechts auch auf die/an der eigenen Krankheit wie ggf. Verwirrtheit spricht wie der Diskussionsstand zum Selbstbestimmungsrecht gegen derartige Ansätze[120].

306 Bei der **Eingriffsaufklärung** soll gewährleistet werden, daß der Patient, bevor er sich zu einer Einwilligung in eine vom Arzt für notwendig erachtete Behandlung oder eine OP entschließt, zur **Wahrung seines Selbstbestimmungsrechts** die zu seiner Entscheidung notwendigen Informationen über das Für und Wider erhält. Bei der Sicherheitsaufklärung hingegen besteht weniger Anlaß zu der ärztliche Sorge, den Patienten gesundheitlich nicht über Gebühr zu beschweren, durch belastende Hinweise

115 D.h. es darf nicht mehr genug Zeit sein, um z.B. das Vormundschaftsgericht (per Tel. und/oder Fax) einzuschalten. Durch organisatorische Abstimmungsprobleme auftretende Zeitprobleme rechtfertigen nicht, sind vielmehr auszuräumen.

116 Vorsicht sollte allerdings im sonstigen Umgang mit dem Nothilferecht des StGB geübt werden. Wigge, MedR 1996, 291, 296 f geht m.E. etwas sorglos mit diesen Begriffen um.

117 Der insoweit seit mehr als hundert Jahren bestehende dogmatische Streit hat in der Praxis keine Relevanz, weil einerseits die Rechtsprechung fest auf dem o.a. Weg eingefahren ist, der Gegenansatz andererseits mehr Geste gegenüber ärztlichem Selbstverständnis als Mittel ist, um Alltagsprobleme lösen zu können. – S. i.e. Katzenmeier, ZRP 1997, 156 ff.

118 OLG Köln NJW 1987, 2936.

119 Deutsch NJW 1979, 1905 f; OLG Celle VersR 1981, 1184f.

120 Scholz in MDR 1996, 649, 653.

zu schädigen oder von dem Gebotenen abzuhalten. Daher können hier sehr niedrige Zwischenfallquoten genügen.[121]

Die **Folgedienste** wie sonstige Helfer **können sich nicht darauf berufen, »der Arzt«** habe etwas angeordnet. Die Krankenhäusern, in denen Besucher auf Unverständnis stoßen, wenn sie Fragen haben, welche Grundlage z.B. bestehe, wenn Ärzte über Tage das Anbinden der Hände von Patienten zur Verhinderung des Herausziehens einer Ernährungssonde anordnen, sind deutlich rarer geworden. Es geht hier nicht um Sofortmaßnahmen. Die kann der Arzt anordnen, muß es ggf. sogar. Thema sind die Maßnahmen an den Tagen und Wochen danach. 307

Ist eine erwachsene PatientIn nicht in der Lage, eine wirksame Einwilligung zu erklären, bedarf es ggf. einer Fremdentscheidung, die durch einen ausreichend ermächtigten[122] Vertreter oder das Vormundschaftsgericht, aber nie durch Verwandte als solche erklärt werden kann. 308

Die BetreuerIn kann im Gesundheitsbereich nur dann entscheiden, wenn die Betreute einwilligungsunfähig ist. Anders als bei Eltern/Kind-Konstellationen gibt es insoweit keine Bereiche mit Doppelzuständigkeit.

Die Problematik dieser Struktur erschließt sich auch bei der Frage nach **Zwangsmedikationen**. Das LG Kassel hat dazu betont[123]: 309

»Im Bereich von Heilbehandlungen ist dabei anerkannt, daß ein grundsätzlicher Willensvorrang des Betreuten besteht. Solange dieser über eine natürliche Einsichtsfähigkeit[124] verfügt, muß der Betreuer den Willen des Betroffenen respektieren und achten, selbst wenn dieser Wille sachlich auf die Verweigerung eines medizinisch an sich gebotenen Eingriffs gerichtet ist (...) Lehnt der Betreute eine bestimmte ärztliche Gesundheitsmaßnahme ab, ist der Betreuer nicht befugt, seine Meinung an die Stelle des Betroffenen zu setzen (...)

Letztendlich bleibt der Betreuer hinsichtlich einer medikamentösen Behandlung gezwungen abzuwarten, ob eines Tages der Zustand der Einwilligungsunfähigkeit oder des Notfalls eintritt (...) Dies mag unbefriedigend erscheinen, folgt aber aus dem Grundsatz, daß im Bereich von Heilbehandlungen dem Willen des einsichtsfähigen Betroffenen der absolute Vorrang einzuräumen ist.

Betroffen war eine Frau, die an einer schizoaffektiven Psychose litt. Sie war schon mehrfach untergebracht. Die Unterbringungen wurden immer wieder dadurch ausgelöst, daß sie die Behandlung beim Facharzt abbrach und sich weigerte, Medikamente zu nehmen oder eine Depotspritze zu tolerieren. Das Amtsgericht hatte den Betreuer ermächtigt, zur Vermeidung erneuter Unterbringungen auch gegen den Willen der Betroffenen entsprechende Medikamente verabreichen zu lassen, nötigenfalls 310

121 BGH MDR 1995, 585, 586 in einem Impfschadensfall; Ansteckung einer Kontaktperson. Risiko 1: 15,5 Mio.

122 Gesetzlichen Vertreter im Rahmen seines Aufgabenkreises oder einen rechtgeschäftlichen Vertreter mit nach Form und Inhalt zureichender sowie auch sonst wirksam erteilter Vollmacht. Letzteres ist oft nicht schnell genug verläßlich zu klären; dann kann trotz zweifelhafter Vollmacht der Bevollmächtigte zum Betreuer für diesen Bereich bestellt werden, damit dann unproblematischer wirksam handeln.

123 BtPrax 1997, 38.

124 Der Begriff ist so mißverständlich. Es geht um die Einwilligungsfähigkeit.

unter zwangsweiser Umsetzung (Ermächtigung an die Betreuungsstelle und für diese, die Polizei hinzuzuziehen). Das Landgericht hat diesen Beschluß aufgehoben.

311 Der Beschluß zeigt sehr klar, daß viel von der **Vorbewertung der Einwilligungsfähigkeit** abhängt. Hier hätte man (ohne daß ich die Einzelheiten der Krankengeschichte kenne) sicher auch darüber nachdenken können, ob nicht zumindest eine partielle Einwilligungsunfähigkeit bzgl. gerade dieser Behandlung vorliegt. Das mag im Hinblick auf die Nebenwirkungen nicht zwangsläufig naheliegen. Die Frage verdeutlicht aber, warum es viele Rechtsfragen in diesem Bereich nicht oder erst dann gibt, wenn der Sachverhalt aufbereitet ist und wie schwierig es ist, Kontroversen nicht über Sachverhaltsverschiebungen unlösbar zu machen.

312 Die ÄrztIn hat sich von den Beeinträchtigungen ein eigenes Bild zu machen, Angaben Dritter nachzuprüfen und wichtige Befunde selbst zu erheben. Maßnahmen müssen medizinisch indiziert sein, sonst ist auch eine Einwilligung unbeachtlich. Bestehen Zweifel, ob vorgeschlagene Maßnahmen durch die Kostenträger übernommen werden, ist der Patient auch darauf hinzuweisen.

313 Der Arzt hat die vertragliche Pflicht, sorgfältige und **vollständige Krankenunterlagen** zu führen; diese sind nicht nur interne Gedächtnisstütze. (Auch) Der Krankenhausträger hat dafür zu sorgen, daß über den Verbleib von Behandlungsunterlagen jederzeit Klarheit besteht. Verletzt er diese Pflicht, dann ist davon auszugehen, daß er es zu verantworten hat, wenn die Unterlagen nicht verfügbar sind. Gerät dadurch der Patient mit seiner Behauptung, dem Arzt sei ein Behandlungsfehler unterlaufen, in Beweisnot, dann kann ihm eine Beweiserleichterung zugute kommen.

314 Für BetreuerInnen schwierig zu handhaben, weil in der Praxis immer noch als angeblich unproblematisch eingeschliffen, **sind Untersuchungen und Behandlungen bei stationären Behandlungen oder Unterbringungen**. Anders als im PsychKG finden sich im Betreuungsrecht keine spezifischen Regelungen. Erstaunlich ist dabei, wie wenig sensibel in manchen Krankenhäusern die Bestimmungen des PsychKG gelesen und umgesetzt werden und daß der so eingeschliffene Behandlungsstil (selbstverständlich) auf die Behandlung im Zuge anderer Unterbringungen umgesetzt wird. Das PsychKG legitimiert nur die Behandlung der Auffälligkeit, die Einweisungsanlaß war, keine Verlegung in das Allgemeinkrankenhaus wegen etwaiger Probleme aus dem internistischen Bereich, keine Maßnahmen im Zusammenhang mit Ernährungssonden etc.

Die **Besprechungen mit Verwandten sind rechtlich ohne Wert**. Selbst die konkludente Vollmacht, der angebliche mutmaßliche Wille, hilft hier nicht weiter, weil rechtsgeschäftliche Ermächtigungen im PsychKG nicht als Grundlage für Handlungen vorgesehen sind. **Rechtsgeschäftliche VertreterInnen sind weder »personensorgeberechtigt« noch dasselbe wie gesetzliche Vertreter**. Die etwaige ausdehnende (analoge) Anwendung müßte sich der Frage nach etwaigen Formerfordernissen (schriftlich!) wie Mindestinhalt stellen. Ich sehe nicht, daß das bisher zureichend berücksichtigt wird.

12.2 § 1904 BGB

Hat die BetreuerIn oder wirksam Bevollmächtigte anstelle des Betroffenen zu entscheiden, bedarf sie ggf. noch der vormundschaftsgerichtlichen Genehmigung (zusätzliche Wirksamkeitsvoraussetzung). Nicht die Behandlung (oder der Mediziner) bedarf nach § 1904 BGB der Genehmigung[125], sondern d. Handelnde für ihre[126] Einwilligung.[127] Das Genehmigungserfordernis hängt nicht davon ab, ob »der riskantere Weg« gewählt werden soll, sondern es wird allein an das Risiko der beabsichtigten Maßnahmen (nur ihr spezifisches Moment) angeknüpft. 315

Es ist deshalb für die Feststellung der Voraussetzungen des § 1904 BGB z.B. verfehlt zu fragen, ob z.B. Leponex (Clozapin) der risikoärmere Weg für Betroffene ist[128].

Darauf kommt es erst für das Gericht an, wenn es prüft, ob die Genehmigung zu erteilen ist. Nicht der Arzt wird kontrolliert, dazu in einen Diskurs gezwungen, sondern der Betreuer und auch dieser nur, wenn er ein »ja« will.

*Ich bitte anzunehmen: Ein Patient mit einem schwer geschädigten Bein soll allein dann eine Chance haben, wenn amputiert wird. Der Arzt sagt dann leicht, die **Vorausetzungen des § 1904 BGB** seien nicht ersichtlich, weil die einzige Chance, der »bessere« Weg, im Eingriff liegt. Der Jurist sagt: 1. die OP ist **genehmigungsbedürftig**, weil es sich um einen entsprechenden erheblicher Eingriff handelt. Erst 2.: sie ist **genehmigungsfähig**, weil zum Überleben geboten. Daß niemand den Betroffenen durch eine Behandlungsverweigerung sterben lassen dürfte, ist eine mit der Genehmigungsbedürftigkeit nicht identische Frage.* 316

Als weiteres Beispiel: »Leponex«. Dieses Mittel darf nur unter bestimmten Voraussetzungen eingesetzt werden. Das indiziert die Genehmigungsbedürftigkeit. Daß andere Mittel in der Anwendungspraxis mehr Probleme aufwerfen, stellt das nicht infrage, wirft nur die Frage nach der Genehmigungsbedürftigkeit des Einsatzes auch dieser Mittel auf. 317

Ausgangspunkt der Betrachtung zu § 1904 ist der **Patient »ohne Mittel«**. Es geht ihm angeblich oder vermutlich schlecht. Deshalb soll er etwas erhalten. Ist das unproblematisch oder riskant? Abstrakt bei jedem oder mit besonderem individuellen Risiko? Bis hierher dürfte Einigkeit bestehen. 318

Dann darf m.E. aber für die Frage der **Genehmigungsbedürftigkeit** nicht der Vergleich mit anderen Mitteln oder einer Entwicklung ohne Behandlung erfolgen (deshalb das Beispiel mit dem Bein). Zu fragen ist für § 1904 BGB: was wird dem Patienten mit der vorgesehenen Handlung »angetan«?

125 Das verschiebt z.B. Dose, Nervenarzt 1994, 789, nach richtigem Ansatz S. 787 f.
126 Es geht deshalb nur um Maßnahmen für Betreute, die nicht selbst einwilligungsfähig sind.
127 Für die Ablehnung bedarf er *keiner* Genehmigung! Wenn sie pflichtwidrig sein sollte, wird sie nicht über § 1904 BGB aufgefangen, sondern über Maßnahmen nach §§ 1908 i, 1837 Abs. 2 BGB.
128 So aber die Argumentation bei Dose, Nervenarzt 1994, 787, 789, 790.

319 Dies ist aus einer gesamtsystematischen Betrachtung nicht ganz konsequent, weil man z.B. im Strafrecht auch das **Unterlassen als »Tat«** betrachtet. Das z.T. sehr alte **Konzept des BGB** und auch noch des Familienrechts **geht anders vor**. Vormundschaftsgerichtliche Genehmigungen knüpfen nicht an Unterlassungen, sondern, soweit ich das übersehen kann, immer nur an aktiven (beabsichtigten) Handlungen an. U.a. dieser Ansatz macht ja die Diskussion der etwaigen Genehmigungsbedürftigkeit »passiver« Sterbehilfe i.V. m. § 1904 BGB (juristisch) so schwierig. Gegen pflichtwidrige Unterlassungen sieht das Familienrecht Aufsichtsmaßnahmen vor (vgl. z.B. §§ 1908 i, 1837 BGB).

320 *Der Patient soll also ein »gesperrtes« Mittel erhalten, und zwar durch Entscheidung des Betreuers! (Das Gericht kontrolliert ja den Betreuer, nicht den Arzt.) Das Gericht prüft (mit dem Sachverständigen) und kommt zu dem Ergebnis: für diesen Patienten ist es der bessere Weg. Also besteht Genehmigungsfähigkeit; die Genehmigung ist zu erteilen. ÄrztInnen und KH stellen insoweit u.a. auf die Begleitungszusage des behandelnden Arztes ab. Das kann die Genehmigungsbedürftigkeit nicht infrage stellen. Sie ist zukunftsorientiert, stellt auf zusätzliche, nicht wirklich vom Arzt beherrschte Umstände – also auf Umstände, die nicht in seiner Entscheidungsgewalt liegen – ab; Umstände, denen nicht in der akuten Behandlung begegnet werden kann, sondern nur als Verlaufsbegleitung. Oder, mit anderen Worten: Erwartete und/oder erhoffte zukünftige Entwicklungen, mit denen der Arzt einem Risiko begegnen will, setzen es voraus, beseitigen es als Problem in der Eingangsbetrachtung nicht.*

Wenn im Rahmen des Möglichen sichergestellt werden kann, daß die **nötige Begleitung erfolgen wird, ergibt sich (nur) die Genehmigungsfähigkeit**.

321 Ob eine gerichtliche Genehmigung erforderlich ist, ergibt sich aus einer Abschätzung der Folgen der Maßnahme, zu der der Betreuer zustimmen will. **»Standard«-Risiken**, wie sie z.B. bei jeder Vollnarkose eintreten, sollen noch nicht als Gefahren angesehen werden, die ein Genehmigungserfordernis auslösen, sondern erst darüber hinausgehende[129]. Oft wird dabei der Blick auf die (unerwünschten) Nebenfolgen der Maßnahmen gerichtet, nicht die erstrebten. Das Gesetz gibt diesen Blickwinkel nicht vor, geht im Gegenteil auch davon aus, daß gewollte schwere Folgen, wie z.B. bei einer Amputation, Genehmigungsanlaß sein können.

Die Auflösung der Bewertungsschwierigkeiten zu § 1904 BGB wird nicht über die Erarbeitung von Listen möglich sein. Das Problem bei Eingriffen wie Medikationen dürfte in der nur schwer quantifizierbaren konkreten Risikobestimmung liegen und der Scheu nicht ganz weniger Mediziner, die bestehenden Risiken quantifiziert gegenüber Laien offen zu legen. Das erstaunt eigentlich. Für eine wirksame Einwilligung d. BetreuerIn wäre stets eine Aufklärung erforderlich, die auf Risiken wie Alternativen eingeht. Wenn sich die BetreuerInnen darauf bewußt einlassen, sich nicht von ÄrztInnen und/oder EinrichtungsmitarbeiterInnen überspielen oder bevormunden (?) lassen, dürfte es eigentlich nicht so schwer sein, die Fälle zu finden, die »anders« sind, die einen Kontakt mit dem Gericht gebieten.

129 Grundsätzlich zur Genehmigungspflichtigkeit bei medikamentöser Behandlung nach dem BetrR Wolter-Henseler, BtPrax 1994, 183 ff.

Selbst wenn eine **gerichtliche Genehmigung** oder Ermächtigung vorliegt, bedeutet das nur, daß die **Betreuer nunmehr entsprechend handeln** bzw. entscheiden **können**, dagegen nicht, daß die von der Entscheidung unterrichteten Ärzte/Einrichtungen irgendwelche eigenen Kompetenzen erhalten. Sie haben immer nur eine abgeleitete, verantwortet vom Betreuer. 322

Zu erinnern ist auch daran, daß es für den Arzt **keinen Gutglaubensschutz** bzgl. des Vorliegens einer wirksamen Einwilligung gibt. Er allein trägt im Streitfall die Beweislast dafür, daß der Richtige korrekt und vollständig aufgeklärt worden ist und danach wirksam zugestimmt hat. Zu letzterem gehört ggf. auch das (zusätzliche) Vorliegen einer gerichtlichen Genehmigung.

Seit 1.1.1999 gelten §§ 1906 und 1904 BGB auch, wenn solche Maßnahmen sonst fremdbestimmt veranlaßt werden, z.B. aufgrund einer **Vorsorgevollmacht**, aus einer **Patientenverfügung** heraus oder einer sonstigen Erklärung. Die mutmaßliche (fortwirkende) Einwilligung wird dagegen kaum mehr tragen, weil nicht formgerecht tradiert. 323

Exkurs: **§ 1904 gilt nicht, auch nicht entsprechend, bei Minderjährigen**. Dort ist (allein) durch die Eltern (§ 1629 BGB) bzw. den sonst zuständigen gesetzlichen Vertreter zu entscheiden. Aus verfassungsrechtlichen Gründen ist ggf. **zusätzlich** die (Aufklärung und) Zustimmung auch des Minderjährigen erforderlich (im BGB **ist das nicht normiert**). 324

12.3 Bioethikkonvention

Der Europarat hat im November 1996 ein Übereinkommen zum Schutz der Menschenrechte und der Menschenwürde im Hinblick auf die Anwendung von Biologie und Medizin, das **Menschenrechtsübereinkommen zur Biomedizin – Bioethikkonvention** – die zwischenzeitlich von 24 europäischen Staaten ratifiziert worden ist und insoweit am 1.12.1999 völkerrechtlich in Kraft trat, verabschiedet. Die Bundesrepublik Deutschland hat die Konvention bisher nicht ratifiziert oder unterzeichnet. 325

Die in der Konvention enthaltenen Grundsätze entsprechen im Kern weitgehend den bereits in Deutschland anerkannten. Nach Art. 5 der Konvention dürfen Eingriffe an einer Person im Gesundheitsbereich nur vorgenommen werden, wenn der Betroffene nach entsprechender Aufklärung vorher seine freiwillige Einwilligung erteilt hat. Bei einwilligungsunfähigen (minderjährigen wie sonst einwilligungsunfähigen) Personen sind Maßnahmen grundsätzlich nur zu ihrem Nutzen und erst dann zulässig, wenn der gesetzliche Vertreter oder eine sonst gesetzlich vorgesehene Person oder ein gesetzlich bestimmtes Gremium der Maßnahme zugestimmt hat.

326 Zu dieser Konvention sind sehr grundsätzliche Auseinandersetzungen geführt worden, weil sie auch ausdrücklich Versuche an und mit Behinderten zuläßt, selbst wenn diese nicht in deren Interesse sind, sondern nur **Forschungszwecken** gelten. Abgestellt wird auf die etwaige Einwilligung gesetzlicher Vertreter; **Entscheidungen durch rechtsgeschäftliche Bevollmächtigte sieht die Konvention nicht vor**. Eine Vorsorgevollmacht kann also ebensowenig wie eine Patientenverfügung vor solchen Maßnahmen schützen. Denkbar wäre ein Auffangen durch Anordnungen in einer Betreuungsverfügung.

Bei all dem – berechtigten – Streit um den zu begrenzten Schutz, den die Konvention vor **Versuchen an oder mit Behinderten** bietet, scheint z.T. in Vergessenheit zu geraten, daß wir in Deutschland immer **noch** lange **nicht auf dem Level** arbeiten, der in dieser Diskussion vorausgesetzt wird. Die Praxis kämpft noch um die Umsetzung der Kriterien, die in der Konvention genannt sind, würde die anderen Teile der Konvention von daher als Hilfe verstehen.

12.4 Grenzbereiche von § 1904 BGB, Analogiefähigkeit (Sterbehilfe)

327 Der Streit zum **betreuungsrechtlichen Umgang mit Sterbehilfemaßnahmen** ist ungelöst.[130] Hintergrund war[131]:

Der BGH hatte in einem Strafrechtsfall (angeklagt und verurteilt war u.a. der Arzt) entschieden, daß straflos ein ***Abbruch lebensverlängernder Maßnahmen beim entscheidungsunfähigen****, schwer kranken, aber noch nicht moribunden Patienten in Betracht kommt, wenn dessen mutmaßlicher Wille (bei strenger Prüfung[132]) dies deckt. Ob und in welchem Umfang dabei § 1904 BGB zu beachten ist, ist i.e. sehr str.[133]. Der BGH hat angenommen, § 1904 BGB müsse »erst recht« gelten. Leitsätze:*

»Bei einem unheilbar erkrankten, nicht mehr entscheidungsfähigen Patienten kann der Abbruch einer ärztlichen Behandlung oder Maßnahmen ausnahmsweise auch dann zulässig sein, wenn die Voraussetzungen der von der Bundesärztekammer verabschiedeten Richtlinien für die Sterbehilfe nicht vorliegen, weil der Sterbevorgang noch nicht eingesetzt hat. Entscheidend ist der mutmaßliche Wille des Kranken.

An die Voraussetzungen für die Annahme eines mutmaßlichen Einverständnisses sind strenge Anforderungen zu stellen. Hierbei kommt es vor allem auf frühere mündliche oder schriftliche Äußerungen des Patienten, seine religiöse Überzeugung, seine sonstigen persönlichen Wertvorstellungen, seine altersbedingte Lebenserwartung oder das Erleiden von Schmerzen an.

130 Heft 5/98 der BtPrax befaßt sich schwerpunktartig mit diesem Thema, ermöglicht damit einen Überblick über den Streitstand.

131 Systematische Darstellung mit den weiteren Grundlagen bei Rehborn in MDR 1998, 1464 ff., der nicht zu Unrecht auch das oft ausgeklammerte Thema zu §§ 216, 13 StGB (Tötung auf Verlangen, begehbar durch Unterlassung?, Garantenstellungen) verweist. Wenn man sich dem offen stellt, wird noch deutlicher, daß das bisherige »Wegsehen« wie die vermeintlich »sauberen« medizin-ethischen Lösungen mehr Probleme aufwerfen als lösen.

132 Eine (juristische) Formulierung, die jedenfalls z.T. mehr nach Ausweichen klingt als nach konkret umsetzbarem Einzelkriterium.

133 Nachweise bei Laufs, NJW 1996, 1573; s. auch S.M. Meier in BtPrax 1996, 161 ff.

Lassen sich auch bei der gebotenen sorgfältigen Prüfung konkrete Umstände für die Feststellung des individuellen mutmaßlichen Willens nicht finden, so kann und muß auf die Kriterien zurückgegriffen werden, die allgemeinen Wertvorstellungen entsprechen. Dabei ist jedoch Zurückhaltung geboten; im Zweifel hat der Schutz menschlichen Lebens Vorrang vor persönlichen Überlegungen des Arztes, eines Angehörigen oder einer anderen beteiligten Person« (damit ist nicht der Patient gemeint).[134]

Fortgeführt worden ist diese Argumentation durch eine Entscheidung des OLG Frankfurt[135], das sich zur Genehmigungsbedürftigkeit wie -fähigkeit des **Abbruchs von lebensverlängernden Maßnahmen** geäußert hat (Beendigung der Ernährung durch eine PEG-Sonde). Auch diese Entscheidung hat zu einer heftigen öffentlichen Diskussionen geführt. »Betreuer ordnen Tötung von Betreuten an«, »gerichtlich angeordnetes Verhungern«; etc. **328**

Zielrichtung derartiger Verfahren ist nicht die (fremdbestimmte) »Tötung« durch Betreuer, sondern der Versuch, dem Willen der Betroffenen gerecht zu werden.

Nicht nur Ärzte haben die Entscheidungen z.T. ausdrücklich begrüßt, weil so vor einer Maßnahme ein Gesprächspartner gestellt wird, statt sie nach der Maßnahme mit dem Staatsanwalt als Ankläger zu konfrontieren. »Rechtsfrei« kann kein Arzt entscheiden. Die Bundesärztekammer hat die Entscheidung des OLG Frankfurt in ihre **Grundsätze zur ärztlichen Sterbebegleitung** aufgenommen[136]. Von anderen Gerichten[137] und zum Teil im Schrifttum ist sie heftig abgelehnt worden. »Die Entscheidung ist grundfalsch und stellt die gesetzliche Regelung, die das Wohl des Betroffenen, seine körperliche Unversehrtheit schützen soll, auf den Kopf«[138]. **329**

Inzwischen gibt es mehr ablehnende[139] Stimmen als befürwortende. Den Gegnern einer ablehnenden Haltung ist zuzugeben, daß der Text von § 1904 BGB wenig auf diese Problematik zugeschnitten ist. Andererseits ist das **Zuwarten auf den** an dieser Stelle sicher nicht sehr entscheidungsfreudigen **Gesetzgeber** eine zweifelhafte Angelegenheit. Wollte man den Gegnern folgen, wäre für jede Spritze in der Intensiv- **330**

134 BGH MDR 1995, 80. Eine engagierte Gegenstellungnahme bei Deichmann in MDR 1995, 983 ff.

135 NJW 1998, 2747 = BtPrax 1998, 186 = MDR 1998, 1483 mit ausführlicher Besprechung von Rehborn in MDR 1998, 1464 ff.

136 vom 11.9.1998; abgedruckt z.B. in BtPrax 1998, 227. Diese Grundsätze sind jenseits der Sterbehilfediskussion hilfreich, weil in ihnen die Grundsätze ärztlichen Handelns bei Einwilligungsunfähigen mit wenigen, gut nachvollziehbaren Sätzen zusammengefaßt worden sind. Das könnte manchen überholten Streit mit niedergelassenen oder Krankenhausärzten erledigen helfen.
Soweit dort unter 4. allerdings (indirekt) auf den Streit zu der hypothetischen Einwilligung Bezug genommen wird, verläßt auch dieses Papier wohl die Grundlagen der ständigen Rechtsprechung des BGH, ist insoweit eher standespolitisch orientiert.

137 z.B. LG Augsburg FamRZ 2000, 320; AG Garmisch-Partenkirchen FamRZ 2000, 319 f.

138 Seitz in ZRP 1998, 417; LG München BtPrax 1999, 111.

139 Paehler behauptet in BtPrax 2000, 21: »Inzwischen dürfte geklärt sein, dass eine analoge Anwendung des § 1904 BGB auf lebensbeendende Maßnahmen nicht möglich ist (...) «. Seine abschließende Bewertung, »der verantwortungsbewußte Umgang mit dem Tod spiele sich grundsätzlich in einem Bereich ab, der nicht justitiabel« sei (S. 22), hilft nur leider nicht weiter.
Soll der Arzt wirklich die vorletzte Spritze nur mit Einwilligung geben dürfen, aber dann selbst (allein) entscheiden (müssen), »wann der Stecker herausgezogen« wird? Das scheint mir wenig zueinander zu passen.

station eine wirksame Einwilligung erforderlich, aber keine mehr, wenn das Team der Station sich zurückzieht und entscheidet, es sei zu Ende und die Maßnahmen danach einstellt. Dieses Problem kann nicht wegdiskutiert werden. Die Entscheidungen finden täglich statt. Es geht sicher nicht darum, sie an die Gerichte zu binden, weil die das etwa besser könnten. Es geht aber schon darum, zu überdenken, ob diese Fragen wirklich solche bleiben sollen, die allein in dem sonst überwundenen Bereich der »Götter im weißem Kittel«[140] beantwortet bzw. gelöst werden.

331 Bei umfassender Betrachtung fällt unter diese Thematik im übrigen sehr viel mehr, als gemeinhin angenommen. Nicht nur die Diskussion über **die noch oder nicht mehr zu legende PEG-Sonde** ist damit ebenso gemeint wie das **Einstellen anderer Behandlungsmaßnahmen**. Beides kann nicht wirksam mit »den Angehörigen« besprochen werden. Die Praxis von Kliniken, insoweit deren Vorstellungen und Berichte über die angeblichen Wünsche des Betroffenen zu dokumentieren[141] und die weitere (Nicht-) Behandlung damit zu begründen, ist nach dem o.a. Ansatz so nicht mehr zu halten (wenn man die o.a. Ansätze ernst nimmt, ggf. sogar strafrechtlich relevant). Die erwähnten Grundsätze der Bundesärztekammer machen sehr deutlich, daß die Spannweite bei der Frage der (Nicht-) Behandlung geistig behinderter Neugeborener beginnt, sich auf Fragen späterer Schädigungen erstreckt und erst dann zu Altersfragen führt.

140 Die diese Position hier so offenbar gar nicht mehr wollen.

141 Es geht mir nicht darum, die Entscheidungsfreiheit der Betroffenen infrage zu stellen. Wenn aber § 1904 BGB für Ermächtigungen bei ärztlichen Maßnahmen mindestens eine schriftliche Niederlegung und ausdrückliche Thematisierung fordert, werden die formalen Anforderungen hier nicht niedriger sein können. Natürlich liegt darin eine gewisse Kreisargumentation. Nur: Der Sinn und Zweck der Formpflicht ist doch auch darin zu suchen, daß die Grundlage verläßlich sein soll. Ist dazu wirklich ein größerer Bedarf bei medizinischen Hilfsmaßnahmen als für die Lebensbeendigung gegeben?

13. Zwangsmaßnahmen

Das Gesetz enthält außer in wenigen unsystematischen Einzelbemerkungen wie § 70 g Abs. 5 FGG keine Regelung darüber, wie **BetreuerInnen sich notfalls gegen die Betreuten durchsetzen** können. Es geht davon aus, daß dies grundsätzlich Sache der BetreuerIn sei, die sich erforderlichenfalls der Hilfe der Betreuungsstelle und der dortigen Kräfte versichern könnte. Problematisch mag das z.B. bei dem Versuch eines Transports zur Unterbringung in einem LKH (bei Abhängigen oder bestimmten Arten psychischer Erkrankungen) werden, kann aber auch schon in Betracht kommen, wenn in Vermüllungsfällen Streit in der Wohnung entsteht. 332

13.1 Grundlagen für Zwang

Das Betreuungsrecht geht davon aus, daß die BetreuerIn Maßnahmen gegen den Willen der Betreuten umsetzen kann, was im Zuammenhang mit Aufenthaltsregelungen wie **Zwangsbehandlungen** offensichtlich wird. Diese Entscheidungsbefugnisse machen wenig Sinn, wenn sie nicht in gleicher Weise umgesetzt werden könnten, also auch durch unmittelbare Einwirkung. Nun ist nach unserem grundsätzlichen Verfassungsverständnis für derartige Zwangsmaßnahmen Voraussetzung, daß in einem Gesetz geregelt wird, wer wann und unter welchen Voraussetzungen die Betreute in diesem Sinn (natürlich zu ihrem Wohl, was immer das konkret bedeuten mag) Gewalt aussetzen, in diesem Sinne »vergewaltigen« darf. Der Gesetzgeber wußte, daß es an dieser Stelle Schwierigkeiten geben würde, hat sich damit beruhigt, in dem alten Recht sei es auch ohne solche Regelungen nicht zu Schwierigkeiten gekommen. Ich will mit dieser erledigten Diskussion nicht neu beginnen[142]. Es wird aber wichtig bleiben, bewußt damit umzugehen, daß das neue Gesetz eben keine dem modernen Verfassungsverständnis entsprechenden Regelungen aufgenommen hat. Man behilft sich deshalb mit allgemeinen Grundsätzen, die für Laien wenig faßbar, insbesondere nirgendwo nachvollziehbar nachzulesen sind[143]. Letztlich geht man davon aus, daß das, was entschieden werden kann, auch umgesetzt werden kann, dabei allerdings bei Zwang besonders darauf zu achten ist, ob nicht doch mildere Mittel möglich sind und daß dann, wenn direkte Übergriffe nötig werden, im Zweifel eine gerichtliche Entscheidung als Ermächtigung beschafft werden muß. Nicht nur der Polizei genügt z.B. ein derartiger Beschluß regelmäßig, um dann zu »helfen«. 333

142 Grundsätzlich seinerzeit in Pardey, Betreuung Volljähriger: Hilfe oder Eingriff, Sarstedt 1989.

143 Jürgens u.a., Das neue Betreuungsrecht, Rn 238 ff; Seitz in BtE 1992/3 S. 108 f; Kalomiris in BtE 1996/97 bei § 68 b Abs. 3 FGG.

Für BetreuerInnen wird hier die gerichtliche Mitwirkungs- und Beratungspflicht bedeutsam. Sie sollten sich nicht zu spät an ihr Gericht wenden und von dort im Einzelfall eindeutige Stellungnahmen bzw. Entscheidungen erbitten.

13.2 Vollzugshilfe

334 Die gerade erwähnte Polizei wird in der Regel nur an zweiter Stelle, dann aber deutlich erkennbarer hoheitlicher Ansprechpartner sein. In den meisten Bezirken wird die eigentlich nur für den Unterbringungs- und Vorführungsbereich ausdrücklich geregelte **Vollzugshilfe durch die Betreuungsbehörde** dahin verstanden, daß sie auch für andere Fälle nötiger Vollzugshilfe, wie bei Zugriffen auf Wohnungen, zuständige Behörde sei.

13.3 Zugriffe auf Wohnungen

335 Folge des ungeklärten grundsätzlichen Streites (s. Rn 333) ist, daß auch vertreten wird, daß BetreuerInnen nie zwangsweise in eine **Wohnung eindringen** dürften. Das kann konsequenterweise so nicht richtig sein. Man wird deshalb unmittelbar auf Art. 13 Abs. 2 GG zurückgreifen müssen. Das hilft zwar nur wenig weiter, weil Art. 13 GG gerade wieder ein – hier fehlendes – Gesetz fordert. § 33 FGG hilft nicht weiter, da auch diese Vorschrift eine richterliche Entscheidung fordert, die ihrerseits einer Ermächtigunggrundlage bedarf.

Ableitbar ist danach nur, daß die entsprechenden Ermächtigungen jedenfalls nur durch **richterlichen Beschluß** erfolgen können und dieser an enge Voraussetzungen gebunden ist. Auf was sich dabei das jeweils zuständige Gericht vor dem Hintergrund seiner Instanzgerichte einläßt, wird der Verhandlung im Einzelfall überlassen sein[144].

336 Vollzugshilfe wird dann wieder durch die Betreuungsbehörde geleistet, die deshalb sogar allein dafür zuständig sein soll, die Kosten für einen etwa zugezogenen Schlüsseldienst zu tragen[145].

144 Verfassungsrechtlich schon ein eigenartiges Phänomen.

145 Einige Gerichte haben es bei Auslagenerstattungsanträgen abgelehnt, diese Kosten festzusetzen und auf die Zuständigkeit der Betreuungsbehörde verwiesen.

13.4 Zwangsmaßnahmen in Einrichtungen

Einrichtungen haben gegenüber Betreuten **keine eigenen Eingrenzungskompetenzen**, immer nur abgeleitete (das ist nur im PsychKG-Bereich z.T. anders). **Entscheidungsträgerin ist und bleibt die BetreuerIn**. Das ist besonders wichtig z.B. zu Fragen des Postverkehrs, der Besucherbegrenzung etc. Das Gericht ist kein »Supervertreter«, hat nach der gesetzlichen Konzeption nur Kontrollaufgaben und dies in der Regel nur gegenüber den BetreuerInnen. 337

Selbst wenn eine gerichtliche Genehmigung vorliegt, bedeutet das nur, daß die BetreuerIn nunmehr entsprechend handeln/entscheiden kann, dagegen **nicht**, daß die von der Entscheidung unterrichteten Ärzte/Einrichtungen irgendwelche Kompetenzen erhalten.

Soweit gerichtliche Genehmigungen erforderlich sind und vorliegen, stellt sich nicht 338
ganz selten die Frage, wie diese umzusetzen sind:

- Wenn etwa für eine Bewohnerin einer Einrichtung eine Medikationsgenehmigung erteilt ist, die Bewohnerin sich aber weigert, das Medikament zu nehmen; wenn eine schützende Maßnahme genehmigt ist, sich der Betroffene aber sträubt?
- Was ist dafür erforderlich, daß das Medikament mit körperlichem Zwang verabreicht werden kann, der alte Mann von der Ausgangstür in sein Zimmer zurückgedrängt werden kann?

Das Hausrecht der Einrichtung trägt sicher nicht. Eigene Kompetenzen hat sie nicht. Ermächtigungen im Zusammenhang mit dem Heimvertrag (Vereinbarungen) tragen nicht, schon weil in §§ 1904, 1906 BGB Gegenteiliges steht. Es hilft also nur die (zweifelhafte; s.o.) Zwangsmaßnahmenbefugnis der BetreuerIn. Die ist in der Regel nicht da, kann i.ü. nicht mehr Rechtsmacht weitergeben, als ihr selbst zusteht. Da sie zum **Einsatz von Zwangsmitteln einer gerichtlichen Ermächtigung bedarf**, wird diese auch erforderlich sein, wenn sie sie weitergibt. Die am Ende des Buches abgedruckten Unterbringungsgenehmigungsbeschlüsse enthalten deshalb (alternativ) eine Ermächtigungsklausel, die bei Fällen zu § 1904 BGB etc. entsprechend herangezogen werden kann.

14. Art. 3 Abs. 3 S. 2 GG (Behindertenbenachteiligungsverbot) im Alltag

339 Die immer noch wenig überzeugend sichergestellte **Sicherung der Grundrechte** von Behinderten bzw. von Einrichtungsbewohnern (s. Rn. 332 ff.) wurde 1997/8 bei einem Nachbarstreit akut.

Das OLG Köln meinte Anfang 1998[146]*, Lebensäußerungen (stark) behinderter Menschen könnten »auch für aufgeschlossene Menschen auf Dauer unzumutbar«, nach der Lautstärke und Dauer wie aus ihrer spezifischen klanglichen Ausgestaltung für Menschen, die nicht mit ihrer ständigen Betreuung befaßt wären, ungemein belastend sein. Die Nachbarn könnten deshalb verlangen, daß im Sommer (von April bis Oktober) mittags wie abends für Ruhe gesorgt werde, damit diese Nachbarn ihre eigenen Außenanlagen ebenfalls so, wie sie es sich vorstellen, und damit auch zu Ruhezwecken nutzen können.*

Dazu hieß es in vielen Zeitungen, hier stellvertretend der *Braunschweiger Zeitung* vom 10.1.1998, unter Hinweis auf das »skandalöse Urteil zum **Redeverbot für Behinderte**«:

Nach einem Urteil des OLG Köln vom Donnerstag dürfen sich sieben geistig Behinderte aus dem Kreis Düren nur noch zu bestimmten Uhrzeiten in ihrem Garten unterhalten. Ein Nachbar hatte wegen Lärmbelästigung geklagt. Nach Auffassung des 7. Senats bedeutet das im Grundgesetz verankerte Diskriminierungsverbot nicht, daß ein Nachbar jeden ruhestörenden Lärm hinnehmen müsse.

Die Verbände halten das Urteil für einen Skandal. Der Behindertenbeauftragte des Bundestages, Otto Regenspur, empfahl dem im Verfahren unterlegenen Landschaftsverband Rheinland (...) den Gang zum Bundesverfassungsgericht. (...) Klagen gegen behinderte Mitbürger oder Kinderlärm seien Zeichen einer »unmenschlichen Gesellschaft«.

340 **Art 3 GG** lautet:

(1) Alle Menschen sind vor dem Gesetz gleich.

(2) Männer und Frauen sind gleichberechtigt. Der Staat fördert die tatsächliche Durchsetzung der Gleichberechtigung von Frauen und Männern und wirkt auf die Beseitigung bestehender Nachteile hin.

(3) Niemand darf wegen seines Geschlechtes, seiner Abstammung, seiner Rasse, seiner Sprache, seiner Heimat und Herkunft, seines Glaubens, seiner religiösen und politischen Anschauungen benachteiligt oder bevorzugt werden. Niemand darf wegen seiner Behinderung benachteiligt werden.

341 Seit dem 15.11.1994 steht dieses **Verbot der Benachteiligung Behinderter** ausdrücklich in unserer Verfassung. Die *Bundesvereinigung Lebenshilfe* formulierte seinerzeit stellvertretend für viele aus der Behindertenarbeit:

146 RdLH 1998, 36; die dagegen eingelegte Verfassungsbeschwerde ist zurückgewiesen worden, RdLH 1998, 132. Daraus kann man i.ü. lernen, daß etwaige Rechte der Betreuten unmittelbar (durch die eigene Vertreterin) geltend zu machen sind, Einrichtungen kein Wahrnehmungsrecht haben. Sie mögen sich noch so als »Anwalt der Bewohner« fühlen; sie sind es insoweit nicht.

»Nun gibt es eine klare Direktive für die Gesetzgebung, für die Verwaltung und für die Rechtsprechung in Form eines klaren Benachteiligungsverbotes zugunsten behinderter Menschen (...) Die Bundesregierung hat in ihrem 3. Bericht über die Lage der Behinderten und die Entwicklung der Rehabilitation vom 24.3.1994 betont, daß es nach ihrer Einschätzung in Deutschland keine rechtlichen Benachteiligungen Behinderter gibt (...) Dennoch bestehe Handlungsbedarf. Einen traurigen Bekanntheitsgrad hat das »Flensburger Reiserechtsurteil« erlangt, mit dem ein Reiseveranstalter zur Schadensersatzzahlung (...) aufgrund eines »Reisemangels« verurteilt worden war, weil eine Familie gemeinsam mit einer Gruppe behinderter Urlauber im gleichen Speisesaal des Hotels die Mahlzeiten einnehmen mußte. Rechtsexperten mutmaßen, eine solche Entscheidung sei aufgrund der neuen Bestimmung des Art. 3 Abs. 3 S. 2 GG, nicht (mehr) möglich.«

Ich halte das zum Teil für einen Trugschluß. Auch die generelle Verweisung auf das BVerfG mußte zu weiteren Frustrationen führen. Das BVerfG hat zu dem erzwungenen Sonderschulbesuch eines an integrativer Unterrichtung interessierten Behinderten ausgeführt:

»Eine Überweisung eines behinderten Schülers an eine Sonderschule gegen seinen und seiner Eltern **342**
Willen stellt nicht schon für sich eine verbotene Benachteiligung i.S. von Art. 3 Abs. 3 2 GG dar. Eine solche Benachteiligung ist jedoch gegeben, wenn die Überweisung erfolgt, obwohl eine Unterrichtung an der allgemeinen Schule mit sonderpädagogischer Förderung möglich ist, der dafür benötigte personelle und tatsächliche Aufwand mit vorhandenen Personal- und Sachmitteln bestritten werden kann und auch organisatorische Schwierigkeiten und schutzwürdige Belange Dritter der integrativen Beschulung nicht entgegenstehen.«

Bei den hier zu behandelnden **Auseinandersetzungen Privater** kommt ja ein wei- **343**
teres Problem verfassungsrechtlicher Art hinzu. Wenn jemand sich benachteiligt, unangemessen behandelt fühlt, wird sie/er oder d. VertreterIn empört auf ihre/seine Grundrechte hinweisen, die verfassungsrechtlich garantierte Menschenwürde, die Meinungsfreiheit, die Handlungsfreiheit, die Gleichberechtigung, das Eigentum in Anspruch nehmen wollen. Der Hinweis, auch die GegnerIn könne solche Rechte haben, erntet dann leicht Unverständnis.

Ohne daß der Streit um die **Wirkungsweise der Grundrechte im Privatrecht** hier vertieft werden kann, ist jedenfalls darauf hinzuweisen, daß sie vom klassischen Verständnis staatsorientiert sind, vor dem Staat schützen sollen und von ihm etwas einfordern und nicht von meiner/m NachbarnIn, die sie durch die eigenen i.ü. leicht »aushebeln« könnte. Ein genereller **Anspruch auf »Integration«** läßt sich daraus jedenfalls nicht in der Form ableiten, daß die sonst (hier: im Nachbarbereich) geltenden Regelungen immer dann nicht greifen, wenn Behinderte betroffen sind. Die Argumentation allein mit den Grundrechten wird insoweit oft ein zu grundsätzliches, undifferenziertes Mittel sein.

Für BetreuerInnen folgt daraus, daß es wirklich wichtig ist, die Rechte der Betreuten **344**
engagiert zu vertreten. Man sollte aber (rechts-) politische Forderungen von der alltäglichen Umsetzbarkeit unterscheiden können und nicht die Betreuten zum Kampfmittel degradieren[147].

147 Wenn sie bereit und in der Lage sind, den Streit selbst mitzutragen, spricht selbstverständlich nichts gegen gemeinsame Streitbarkeit. Ich rate nur von einer Instrumentalisierung ab.

15. Vermögenssorge

345 Das Betreuungsrecht hat die personenbezogenen Angelegenheiten in den Vordergrund gerückt, zu Recht betont, daß der Mensch und die Hilfe zu einem menschenwürdigen Leben im Kern der Bemühungen stehen soll. Das hat andererseits nichts daran geändert, daß die Masse der Alltagsgeschäfte, der Hauptinhalt der Akten der BetreuerInnen wie der Gerichte sich auf **vermögensbezogene Aktionen** richtet. Das kann **auch** eine **Schuldenregulierung** sein. **Vermögen** in diesem Sinn meint **nicht nur Aktivwerte**, sondern alle finanziell bedeutsamen Vorgänge oder Positionen.

346 Jeder Betreuerin wird bei der Verpflichtung ein Merkblatt ausgehändigt, in dem die wichtigsten **Vertretungshindernisse** sowie **vormundschaftsgerichtlichen Genehmigungen** aufgelistet sind. Das Merkblatt betont die gesetzlichen Vertretungsausschlüsse im Zusammenhang mit §§ 1908 i, 1795, 181 BGB. Trotz bestehender Vertretungsmacht (Deckung durch den Aufgabenkreis) ist Kraft Gesetzes (auch wenn alle einverstanden sind) die BetreuerIn nicht berechtigt, sich selbst gegenüber zu vertreten oder gegenüber ihren Kindern etc.

Es wird daneben auf die personenbezogenen Genehmigungen nach §§ 1906, 1904, 1907 und die vermögensorientierten nach §§ 1908i i.V.m. § 1821, z.T. § 1822 sowie 1812 BGB hingewiesen. Das enthält eine Gewichtungsabstufung, keine nach der Häufigkeit des Vorkommens. So sind alle größeren Geldbewegungen, schon die Annahme von geschuldeten Geldbeträgen (z.B. aus Versicherungen) und insbesondere praktisch **alle auf Grundstücke bezogene Geschäfte** genehmigungsbedürftig. Das Gericht wird dabei jeweils nicht nur wissen wollen, warum gerade dieses Geschäft jetzt so ausgeführt werden soll, sondern auch, warum die behaupteten Werte zutreffen.

Das bedeutet z.B., daß man nicht nur eine KäuferIn für ein verwohntes, lange nicht mehr renoviertes Haus suchen, sondern auch noch belegen muß, daß man mit dem erzielten Preis alles erwirtschaftet hat, was erzielbar war.

347 Für die Vermögenssorge wird und muß viel Zeit aufgewendet werden; es erfolgt nach wie vor (außer gegenüber nahen Verwandten) eine penible Rückkontrolle, die die BetreuerInnen nicht davon freistellt, sich nach Ende ihrer Betreuung der RechtsnachfolgerIn erneut umfassend zu verantworten. Um aber ein immer wieder vorkommendes Vorurteil auszuräumen: Wenn der Aufgabenkreis pauschal »Vermögenssorge« umfaßt, wird zum Teil unberechtigterweise behauptet, daß eine **Belegpflicht für Taschengeldausgaben** entsteht. **Das ist falsch.** Taschengeld kann als solches ausge-

bucht werden – was Streit nicht ausschließt, zumal wenn es z.B. offensichtlich umgeleitet worden ist[148].

Die Bestellung zur BetreuerIn mit dem Aufgabenkreis »Vermögenssorge« bringt zunächst die Pflicht mit sich, den **Bestand zu erfassen** und dabei zu prüfen, ob in der Vergangenheit Vorgänge abgewickelt worden sind, deren Wirksamkeit zweifelhaft erscheint und die ggf. rückabzuwickeln sind. Der Widerstand der Vertragspartner gegen solche Ansinnen kann sich einmal aus einem Streit über die Geschäftsfähigkeit ergeben, zum anderen aus vermeintlichem Gutglaubensschutz oder bereicherungsrechtlichen Fragen. Andererseits hat sich insoweit inzwischen wohl doch weitgehend herumgesprochen, daß der (gute) Glaube an die Geschäftsfähigkeit nicht geschützt ist und bereicherungsrechtliche Einwände Geschäftsunfähigen nicht entgegengehalten werden können. **348**

Bei **(zweifelhafter) Geschäfts(un)fähigkeit** mag ein eigener notarieller Vertrag des Betreuten wirksam sein, selbst wenn die bestellte BetreuerIn ihn nur mit einer vormundschaftsgerichtlichen Genehmigung hätte abschließen können. Im Streit über die Vertragspflichten entscheidet – mit Wirkung nur zwischen den Parteien – später allein das dann angerufene Gericht; ohne (vorherigen) Einwilligungsvorbehalt gibt es insoweit keine Steuerungsmöglichkeit. Ein anderes Thema ist es, wieweit es außergerichtlich gelingen kann, mit Hinweis auf vorliegende Gutachten einen derartigen Prozeß zu vermeiden, das gewünschte Ergebnis per Akzeptanz zu erreichen. **349**

15.1 Grundfragen

Nach der Bestandsaufnahme erwartet das Gericht den **Vermögenseingangsbericht** in Form des belegten Vermögensverzeichnisses. **350**

Der Aufgabenkreis »Vermögenssorge« meint die Maßnahmen bezogen auf alle Konten (Giro, Spar, Darlehen, Bauspar etc.), alle sonstigen Vermögensangelegenheiten, d.h. auch alle Verträge (Bestandsprüfung, Prüfung von Veränderungsbedarf wie Kündigungen), Schuldenregulierungen bis hin zu Insolvenzverfahren[149], etwa notwendige Vermögensumschichtungen, Grundstücksangelegenheiten und Erbangelegenheiten.

Wenn einzelne Konten oder Sparbücher durch die Betreute selbst verwaltet werden sollen, wäre z.B. denkbar, ein von der BetreuerIn einzurichtendes »nur im Gutha- **351**

148 Es gibt immer wieder Personen, die meinen, sie benötigten das Geld dringender als der betreute Heimbewohner und ziehen es jeweils alsbald an sich, verlangen in der Zuspitzung gar die eigene Bestellung (in einem Fall kürzlich wieder mit dem erklärten Ziel, selbst über das Taschengeld verfügen zu wollen).

149 Es ist streitig; ob die Vertretung im Insolvenzverfahren wirklich schon allein durch die »Vermögenssorge« erfaßt wird.

bensbereich zu führendes Girokonto« von der Vermögenssorge (sonst von einem Einwilligungsvorbehalt) auszunehmen.

352 Bei erheblich verschuldeten Betreuten tritt im Zusammenhang mit etwaigen Schuldenregulierungsvereinbarungen, Stillhalteabkommen und angekündigtem Teilerlaß immer wieder die Frage nach dem **Anspruch auf Titulierung** auf. Die BetreuerInnen meinen dabei gelegentlich, der Anspruch an sich genüge doch, ggf. nach einer entsprechenden Bestätigung durch sie (Schuldanerkenntnis in Vertretung des Betreuten). Unabhängig von dem Problem der etwaigen Genehmigungsbedürftigkeit[150] solcher Anerkenntnisse dürfte darin eine Verkennung des Rechtes auf eine Titulierung liegen, die nur dann nicht besteht, wenn nicht nur anerkannt, sondern zugleich auch (voll!) erfüllt wird (einschließlich etwaiger berechtigter Nebenforderungen)[151].

353 Es scheinen sich auch immer wieder Diskussionen mit Geldinstituten zu der Frage des Zugriffsrechtes von BetreuerInnen auf **Sparbücher** zu ergeben, die **auf den Namen von Dritten** angelegt worden sind, sowie zu Sparbüchern, die auf den Todesfall für Dritte bestimmt, z.T. insoweit auch bei den Kreditinstituten hinterlegt sind. In mehreren Fällen haben sich die Institute geweigert, Auskunft auch nur über den Inhalt zu geben. Das dürfte so nicht ohne weiteres haltbar sein, zum einen wegen der vertraglichen Struktur: Die Bank hat zunächst **nur** Beziehungen zum Versprechensempfänger, das sind die Betreuten. Zum anderen wegen der Kündigungsmöglichkeiten: Selbst wenn eine Unwiderruflichkeit (mit der Bank) vereinbart sein sollte, behält der Kunde, mithin die Betreute, vertreten durch die BetreuerIn, ihre Kündigungsmöglichkeit[152]. Man wird deshalb nicht einmal die über § 242 BGB heranziehbaren Grundsätze über den Wegfall der Geschäftsgrundlage bemühen müssen. Auch auf § 528 BGB muß deshalb nicht mehr abgestellt werden. Die Existenz dieser Möglichkeiten sprechen deutlich gegen die grundsätzlichen Abwehrversuche.

15.2 Vermögensanlage und Vermögensumschichtungen

354 Bei der **Anlage und Verwaltung des Vermögens** ist d. BetreuerIn verpflichtet, sich weitgehend an dieselben Regelungen zu halten, **wie sie für (fremde) gesetzliche Vertreter Minderjähriger** (§ 1908 i BGB i.V.m. §§ 1805 ff BGB) gelten. Der Betreuungsgesetzgeber hat es nicht für erforderlich gehalten, hier eigene Wege zu gehen, ist wie mit der Bezeichnung des Gerichts (Vormundschaftsgericht) bei Altem haften geblieben.

150 § 1822 Nr. 8 oder 12 BGB (je über § 1908 i BGB), ggf. auch § 1907 Abs. 3 BGB (wenn länger dauernde Abzahlpflicht).

151 vgl. 93 ZPO; Zöller-Herget, ZPO, § 93 Rn. 6 bei »Geldschulden«.

152 Palandt-Heinrichs, BGB, § 331 Rn 3 i.V.m. § 330 Rn. 5 m.w.Nachw. Das ist nirgendwo ernsthaft in der Lit. bestritten. Auch sind gegenteilige obergerichtliche Entscheidungen nicht ersichtlich.

Das bedeutet, daß BetreuerInnen Anlagen primär **sicher und vermögenserhaltend** vorzunehmen haben. Die einschlägigen Bestimmungen des BGB sind ca. 100 Jahre alt und stammen aus einer Zeit, als es am sichersten galt, lieber nichts als etwas falsch zu bewegen. Sicherheit geht danach vor Rendite, selbst wenn die sichere Anlage nur knapp mehr bringt als den Inflationsausgleich und durch die begleitenden BetreuerInnenbezüge sich im Ergebnis ein ständiger Wertschwund ergibt.

Vorhandene Werte müssen nicht nach Maßgabe der §§ 1805 ff. BGB **umgeschichtet** werden, es sei denn, ihre unveränderte Fortführung widerspräche den wirtschaftlichen Interessen der Betreuten, so z.B. 20.000.- DM auf einem Sparbuch mit gesetzlicher Kündigungsfrist und Minimalzinsen. Außerdem haben die Gerichte seit Inkrafttreten des Betreuungsrechtes für Betreute ein stärkeres **Mitspracherecht**[153] entwickelt, als es dem Verständnis der angewendeten Vorschriften aus dem Minderjährigenrecht entspricht. Die dazu bestehenden Darstellungen können also nur mit Vorsicht hierher übertragen werden. 355

Rechtstechnisch haben die Gerichte den Weg durch eine eigentlich problematische **Vermischung** der Vorschriften aus **Innen- und Außenverhältnis** geebnet. 356

So führt z.B. das BayObLG [154] in einer Entscheidung aus, ein Gericht könne nach Anhörung der Betreuten zu Recht eine Genehmigung (zu einem sehr vorteilhaften Grundstücksverkauf) versagen, wenn die (86jährige) Betreute (die das Grundstück weder nutzt noch benötigt) in der gerichtlichen Anhörung erklärt, sie wolle das (von den Eltern ererbte) Grundstück behalten und ihr aus der Umsetzung auch kein über die Nichtnutzung hinausgehender Nachteil erwachse.

15.3 Versperrte mündelsichere Anlage und Genehmigungspflichten für Verfügungen

Die BetreuerIn hat Geld grundsätzlich **verzinst anzulegen** und darf dabei in der Regel nur die Wege gehen, die § 1807 BGB vorgibt, widrigenfalls sie die Abweichung begründen und eine Genehmigung beantragen muß. Nur Geldmittel, die jeweils benötigt werden, dürfen bar oder auf einem Girokonto[155] bereit gehalten werden. 357

Anlagen haben grundsätzlich versperrt zu erfolgen. Darüber hat es **nach Inkrafttreten des Betreuungsrechts** viel Streit gegeben, zumal mit der Anordnung der Betreuung ja gerade nicht geklärt ist, ob oder daß die Betreute nicht mehr selbst darüber verfügen kann. Die Aufgeregtheit hat sich gelegt, in der Praxis scheint man **zur Ta-**

153 Das kann *nicht allein* aus § 1901 BGB abgeleitet werden, wie es Laien oft versuchen. § 1901 BGB bezieht sich zunächst nur auf das Innenverhältnis.

154 BayObLG vom 13.8.1997, Rpfleger 1998, 22 f.

155 Das Konto muß auf den Namen des Betreuten lauten. Weder Bargeld noch sonst bereit gehaltenes Geld darf mit fremden Geld vermischt werden.

gesordnung übergegangen zu sein[156], in dem man überwiegend so verfährt wie früher, d.h. daß kaum eine Betreute noch an die eigenen Anlagen kommt, wenn erst einmal eine Betreuung für Vermögenssorge eingerichtet ist. Viele Banken machen dabei mit, offenbar weil sie befürchten, doppelt zahlen zu müssen, falls sie nicht befreiend an die Betreute selbst auszahlen, diese doch geschäftsunfähig war. Einige Geldinstitute besinnen sich aber dann auf die Grundsätze des Betreuungsrechts (keine Entmündigung), wenn sie (versehentlich) ausgezahlt haben, die BetreuerIn das beanstandet oder z.B. ein süchtiger Betreuter in der Geschäftsstelle jeweils so hartnäckig stört, daß Frieden geschaffen werden muß (er geht, wenn er das Geld erhält).

358 Nicht nur BetreuerInnen, die keiner Kontroll- und Genehmigungsbefreiung unterliegen (§ 1908 i Abs. 2 S. 2 BGB), haben also nach wie vor Probleme mit den unterschiedlichen Bewertungen der Gerichte zu den Verfügungen über **Girokonten**[157] **sowie zu Sperrungsfragen**[158]. Während z.T. vertreten wird, eine Sperrung komme erst im Bereich von Einwilligungsvorbehalten in Betracht, gibt es andererseits sogar Versuche, Girokonten versperrt laufen zu lassen. Die BetreuerInnen werden sich insoweit jeweils mit ihrem »Hausgericht« verständigen müssen, sollten sich dabei nicht widerstandslos auf alles einlassen, andererseits die Sperrungen nicht stets als persönlichen Mißtrauensbeweis verstehen. Die Genehmigungspflichten gehen i.d.R. ohnehin weiter.

15.4 Mischkonstellationen (BetreuerIn zugleich als Bevollmächtigte?)

359 Als eine der wesentlichen Errungenschaften des Betreuungsrechtes wird gerne wiederholt, daß d. Betreute mit der **Anordnung der Betreuung** ihre/seine bestehenden Kompetenzen nicht verliere, **rechtlich weiter handlungsfähig** bleibe. Verdeckt wird mit dieser Betonung, daß nur das unangegriffen bleibt, was wirklich besteht. Der Schluß auf die uneingeschränkte Handlungsbefugnis der Betreuten[159] ist jedenfalls verfehlt. Vielmehr spricht die Anordnung der Betreuung eigentlich eher für das Gegenteil, solange die Anordnungsvoraussetzungen ernst genommen werden.

156 Rechtlich ist das so wenig haltbar. Der Versuch, Laien die dabei bedeutsamen Unterschiede zu vermitteln, ist aber in der Regel selten von Erfolg gekrönt. Sie wollen Klarheit. Entweder sie verantworten etwas oder nicht. Auch alle Folgekontrollen und Genehmigungen werden bei der eigentlich gebotenen Differenzierung schnell zum Selbstzweck und können leicht unterlaufen werden.

157 Übersicht über den Streitstand bei Suschkow in JurBüro 1997, 508 ff.

158 dazu Bienwald in BtPrax 1998, 15 ff in Anm. zu LG Mönchengladbach, das davon ausgeht, Sperrvermerke seien erst im Bereich von Anordnungen nach § 1903 BGB möglich.

159 Solange kein Einwilligungsvorbehalt angeordnet ist.

Der voreilige Schluß führt in der Praxis leicht zu Irritationen über bestehende Handlungbefugnisse, auch zu Versuchen, unbequeme Vorgänge durch eingeholte Unterschriften der Betreuten zu »vereinfachen«. Das mag im Zusammenhang mit der Heimaufnahme relevant werden (»sie hat doch noch selbst unterschrieben«), wie bei den »freiwilligen Aufenthalten« in beschützenden und geschlossenen Bereichen.

Als **Beispiel** zu den Folgeproblemen bei einem oberflächlichen Umgang mit eigenen Möglichkeiten (hier bezgl. der **Geschäftsfähigkeit**) folgender Fall: 360

Eine Betreuerin wollte eine Wohnung der Betreuten vermieten. Es kam zu der Vorlage eines Mietvertrages mit der Bitte um gerichtliche Genehmigung; im Vertrag war eine Vermietung für 650.- DM mtl. vorgesehen. Das Gericht fragte nach, wie der Mietpreis zustande gekommen sei, wie er ermittelt wurde. Als nächste Nachricht ging ein Brief ein, wonach sich dieser Vertrag erledigt habe. Die Betreuerin habe jetzt mit ihrem Sohn einen Mietvertrag über diese Wohnung der Betreuten geschlossen (mtl. 500.- DM). Die Betreute habe das ausdrücklich genehmigt. Sie hatte mit zitteriger Unterschrift einen mit einem PC ausgedruckten Text unterzeichnet. (PC-Schrift, wie alle anderen Eingaben der Betreuerin.) Die vormundschaftsgerichtliche Genehmigung wurde erbeten und wurde ohne weitere inhaltliche Prüfung erteilt (weil ja die Betreute zugestimmt habe). Nach dem folgenden Betreuerwechsel fragte der neue Betreuer, ob er sich für die Betreute wirklich mit den 500.- DM monatlich begnügen müsse bzw. dürfe.

Die **Genehmigungserteilung** dürfte (so) falsch gewesen sein, im übrigen die bestehenden **Wirksamkeitsprobleme nicht erledigt** haben. Wenn die Betreute wirksam handeln konnte, sie wirksam ermächtigt hat, die Betreuerin damit gar nicht als solche, sondern als rechtsgeschäftliche Bevollmächtigte gehandelt hat, ist der Vertrag wirksam, die Genehmigung gegenstandslos (inhaltlich i.ü. immer noch falsch). Es wäre dann aber eine ernsthafte Prüfung erforderlich, ob die Betreuung (zu diesem Aufgabenkreis) nicht aufzuheben wäre.

Wenn die Betreute nicht wirksam handeln konnte, war die Betreuerin gesetzlich an einer Vertretung gegenüber dem Sohn gehindert. Die fehlende Vertretungsbefugnis wird durch die Genehmigung nicht geheilt.

Am Rande: Die erteilte **Genehmigung verlagert die Verantwortlichkeit bzw. Haftung nicht**.

Wenn eine Betreuerin als solche handelt, hat sie nur die Befugnisse, die ihr das Betreuungsrecht gibt. Sie ist **vertretungsbefugt im Rahmen des Aufgabenkreises**, wenn keine Vertretungshindernisse bestehen und zusätzlich die etwa für das konkrete Geschäft erforderlichen Genehmigungen wirksam erteilt worden sind[160]. 361

»Wirksam« erteilt heißt auch, daß nur das genehmigt ist, was dem Gericht vorlag, bei einem etwaigen (teilweisen) **Schwarzgeschäft** also nicht das tatsächlich Gewollte, das damit z.B. trotz § 313 S. 2 BGB mangels wirksamer Genehmigung nicht bin- 362

160 OLG Frankfurt MDR 1998, 367 f.

dend werden kann.[161] (Dasselbe gilt für andere – nur teilweise offengelegte – Vorgänge.)

Der Streit darüber, **ob eine Betreuerin** daneben überhaupt wirksam **rechtsgeschäftlich bevollmächtigt werden kann**[162], betrifft einen anderen Gesichtspunkt, setzt aber jedenfalls eine wirksame Vollmacht sowie desweiteren voraus, daß sie auch in dieser Weise nach außen aufgetreten ist (sog. Offenkundigkeitsprinzip; vgl § 164 BGB).

15.5 Die Betreute als ErbIn

363 Die BetreuerIn für Vermögenssorge ist auch dafür zuständig, sich um einen etwa angefallenen **Nachlaß** oder angefallene Nachlaßteile zu kümmern.

Erbschaften gelten schon dann als angenommen, wenn man nicht binnen der **Ausschlagungsfrist** (6 Wochen) gegenüber dem Nachlaßgericht mit Genehmigung des Vormundschaftsgerichts formgerecht die Ausschlagung erklärt. Ob das geboten ist, ist bei dem Nachlaßgericht allein in der Regel nicht zu klären, muß von der BetreuerIn selbst ermittelt werden. Wer nicht reagiert, bewirkt die Annahme: Wenn sich daraus z.B. eine unvertretbare Überschuldung ergeben sollte, kann dieses Versäumnis zu einem fatalen Regreß führen.

364 Wird die Erbschaft angenommen, muß der Erbe, hier vertreten durch die BetreuerIn, sich um alle Rechte und Pflichten kümmern, darf nicht darauf warten, daß Informationen herangetragen werden. Er tritt in die Rechtsstellung des Erblassers ein und muß sich am Stand des Übernommenen festhalten lassen.

365 Wird die Betreute gemeinsam mit anderen ErbIn, ist auch der etwaige **Erbteilungsvertrag** genehmigungsbedürftig. Das Vormundschaftsgericht wird hier wie bei anderen wirtschaftlichen Bewertungen erwarten, daß im einzelnen dargelegt und nötigenfalls sachverständig nachgewiesen wird, daß die Interessen der Betreuten dabei wirtschaftlich zureichend gewahrt sind.

366 Diese hier exemplarisch genannten Aufgaben sollen vermitteln, daß die **Vermögensverwaltung** weniger mit personenbezogenen Handlungen zu tun haben wird und einen nicht unerheblichen Teil bürokratischen Aufwandes verlangt, der andererseits unvermeidbar ist, wenn man sich auf diese Art der Tätigkeit einlassen will.

161 Fall aus der Praxis des AG: Ein gesetzlicher Vertreter hatte bei einem Grundstückgeschäft Schwarzgeld erhalten. Der beurkundete Text war genehmigt worden. Für den Vertragspartner war später Rückzahlung des gesamten Geldes gegen Rückgabe des wenig wertvollen Grundstücks gefordert worden. Der neue Vertreter berief sich (vergeblich) auf die Eintragung und Genehmigung (Der alte hatte das Schwarzgeld für sich selbst verbraucht).

162 vgl. OLG Frankfurt MDR 1998, 367, 368 letzter Abs.

16. Schweigepflichten

»Sehr geehrte Damen und Herren, 367

wir möchten Sie bitten, für Herrn Meier dringend eine Betreuung einzurichten. Er lebt mit Herrn Maier zusammen und wir befürchten aufgrund von Informationen, über die wir verfügen, die wir Ihnen aber aus Datenschutzgründen nicht mitteilen können, daß er von ihm in erheblichem Umfang und zu seinem persönlichen Schaden ausgenutzt wird, ohne sich dagegen wehren zu können.«

Die auf jene Anregung eingesetzte Betreuerin (Aufgabenkreis: Gesundheitsfürsorge, Vertretung gegenüber Kostenträgern und Wohnungsangelegenheiten) sah sich bei ihren Versuchen, Informationen über das bisherige persönliche Schicksal ihres Betreuten zu erhalten, bem Gesundheitsamt, der Hausärztin wie beim Sozialdienst einer Einrichtung, in der der Betreute arbeitete, dem Widerstand »**Datenschutz**« ausgesetzt. Die früheren Gutachten, die Medikation wie die aufgetretenen Verhaltensprobleme gingen sie nichts an, sagte man ihr, jedenfalls könne man ihr aus Gründen des Datenschutzes keine Auskunft geben. Sie sei keine **berechtigte Empfangsstelle**.

Diese Schwierigkeiten sind u.a. dadurch vorgegeben, daß die Beteiligten in unter- 368
schiedliche **Systeme mit widerstreitenden Interessen** eingebunden sind. So ist die BetreuerIn der ständigen Aufsicht des Gerichts unterworfen (§§ 1908 i Abs. 1, 1837 Abs. 2 BGB), vermag keine gerichtsresistenten Informationen vorzuhalten. Im übrigen ist das Gericht wohl in der Lage, notfalls selbst als Vertreter des Betreuten zu agieren, also unmittelbaren Zugang zu Informationen zu erreichen (§§ 1908 i, 1846 BGB). Die BetreuerIn ist weiter gehalten, alle Tätigkeiten nachzuweisen, wenn sie eine entsprechende Vergütung aus der Staatskasse beansprucht.

Gegenüber Dritten hilft der bloße Hinweis auf § 1902 BGB, die **Außenentschei-** 369
dungsbefugnis der BetreuerInnen, allein nicht weiter, zumal immer wieder – zu Recht – betont wird, daß die Betreuerbestellung keinen Eingriff in die bestehenbleibenden Rechte der Betreuten darstelle.[163] »Patentlösungen« stoßen deshalb schnell auf Einwände. So versteht es sich zwar, daß die Betreuerin als gesetzliche Vertreterin Aufklärung von der Ärztin verlangen kann – jedenfalls, wenn die Betreute einwilligungsunfähig ist. Die Abgrenzung der Einwilligungsfähigkeit ist aber nach wie vor eines der schwierigsten Themen im Einzelfall[164].

163 Daß das in der konkreten Umsetzung jedenfalls im Gesundheitsbereich im Ergebnis meist anders ist, weil Anordnungsvoraussetzung die fehlende Eigenentscheidungsbefugnis sein wird (BayObLG BtPrax 1995, S. 64 f. und S. 218 f.), ist bei den an die juristischen Laienkreise gelangten Informationen bisher zu wenig berücksichtigt worden; möglicherweise deshalb zu Recht, weil die Anordnungspraxis sich diese (nicht nur durch das BayObLG geforderten Differenzierung) zu wenig angeschlossen hat.

164 Selbst wenn also die Differenzierung, wie vorstehend benannt, bei der Anordnung berücksichtigt worden ist, enthält das ja keine Festschreibung; es entbindet nicht von der Prüfung, ob die Situation insoweit unverändert ist.

Das **Einsichtsrecht der Betreuerin in Krankenunterlagen** wird nicht nur so weit wie das (möglicherweise beschränkte) der Betreuten[165] gehen; richtigerweise ist sie diesen Begrenzungen nicht unterworfen, weil sie nicht gefährdet ist. Sie darf mehr wissen als die Betreute. Daraus ergibt sich aber die Frage: Was passiert bei der Ablösung dieser Betreuerin mit den Unterlagen, was bei der Beendigung der Betreuung? Die schlichte Aushändigung an die Betreute kann dann keine Lösung sein.[166]

16.1 Grundlagen des Datenschutzes

370 Das Bundesverfassungsgericht hat im **Volkszählungsurteil** betont:[167]

Unter den Bedingungen der modernen Datenverarbeitung wird der Schutz des einzelnen gegen unbegrenzte Erhebung, Speicherung, Verwendung und Weitergabe seiner persönlichen Daten von dem allg. Persönlichkeitsrecht des Art. 2 Abs. 1 i.V.m. Art 1 Abs. 1 GG umfaßt. Das Grundrecht gewährleistet insoweit die Befugnis des einzelnen, grundsätzlich selbst über die Preisgabe und Verwendung seiner persönlichen Daten zu bestimmen.

Angesetzt ist damit bei technisierten Vorgängen. Das BVerfG wie andere Gerichte haben jedoch immer wieder betont, daß der Schutz auch im nicht technisierten Bereich gilt.[168] Durch diese Vorgabe wird unabhängig von den z.T. fehlenden spezialgesetzlichen Ausformungen deutlich, warum **Datenschutz in Betreuungsangelegenheiten besondere Probleme** aufwerfen muß. Datenschutzbestrebungen gehen grundsätzlich davon aus, daß Individuen vor dem Mißbrauch ihrer Daten dadurch geschützt werden können, daß ihre Zustimmung erfragt wird, die dann auch Nutzungsvoraussetzung ist. Dieser Ansatz bereitet selbst im unmittelbaren Kontaktfeld BetreuerIn-Betreute/r Probleme, weil Betreute häufig Schwierigkeiten mit einem (angemessenen) Selbstschutz haben, die BetreuerInnen gerade deshalb bestellt werden sollen bzw. sind und dann die Interessen der Betreuten wahrnehmen sollen sowie im Rechtsverkehr in ihrem Aufgabenkreis weitgehend (aber eben gerade nicht verdrängend) an deren Stelle treten, sie vertreten (§ 1902 BGB).

371 Der **Schutz der Privatsphäre** wie die **Eigenentscheidungsmöglichkeit** über die persönlichen Daten ist selbstverständlicher Teil der privaten Rechtssphäre jedes Menschen. Das BDSG und die LandesdatenschutzGe haben einen anderen Ansatz. Sie knüpfen nicht an dem Schutzzweck an, sondern an dem **Verarbeitungsvorgang**.

165 vgl. z.B. BayVerfG BtPrax 1994, 168 ff unter Hinweis auf einerseits BGHZ 106, 146 und die abweichende Bewertung durch das BVerwG, BVerwGE 82, 45.

166 Lösung könnte z.B. sein, daß die Betreuerin die Informationen, die sie als solche (überschießend) erhalten hat, gesondert kennzeichnet und nicht zu der Sammlung der der Betreuten zuzurechnenden Unterlagen nimmt (s.u.). Bei der Ablösung durch einen Folgebetreuer ist außer der Übergabe von Unterlagen wohl ohnehin auch immer eine weitergehende Auskunfterteilung, eine »Übergabebesprechung« geboten.

167 BVerfGE 65, 1.

168 Nachweise z.B. bei Gola in NJW 1993, 3109, 3110.

Erfaßt werden die Verarbeitung etc. von personenbezogenen Daten durch öffentliche und nicht-öffentliche Stellen, bei letzteren aber nur, soweit sie die Daten in oder aus Dateien geschäftsmäßig oder für berufliche oder gewerbliche Zwecke verarbeiten oder nutzen (§ 1 II Nr. 3 BDSG). Die Masse ehrenamtlicher BetreuerInnen (mehr als 400.000) wird mithin nicht angesprochen.

Die Landesdatenschutzgesetze richten sich an öffentliche Stellen. Insoweit unterliegen die **Betreuungsbehörden** sowohl in dieser Funktion wie als Betreuer unproblematisch dem Geltungsbereich. Auch der inhaltliche Ansatz der Landesdatenschutzgesetze geht weiter. Erfaßt werden grundsätzlich sowohl automatisierte wie nicht automatisierte Dateien und Akten.

Nach noch geltendem Recht erfolgt aus den Datenschutzgesetzen in den erfaßten Bereich nur eine **Anlaßkontrolle, keine** dauernde oder regelmäßige **Überwachung**.

16.2 Spezielle Regelungen

Auffallend ist, daß es **für BetreuerInnen keine besondere Regelung** gibt, sie damit 372
»nur« den allg. familienrechtlichen Bindungen unterliegen, aber nicht einmal einer strafrechtlich sanktionierten Schweigepflicht[169] (wie erwähnt [Rn. 371] nur ganz eingeschränkt dem BDSG oder den LandesdatenschutzGen). Es ist ein z.T. abenteuerlich anmutender Vorgang, daß u.a. die Gerichte mit hoheitlichem Nachdruck Informationen sammeln und dann ohne weiteres z.B. ehrenamtlichen privaten BetreuerInnen zugänglich machen; BetreuerInnen, die nicht einmal ansatzweise zur Vertraulichkeit verpflichtet werden oder durch irgendeine Regelung außerhalb von sehr allgemeinen Prinzipien zum Schweigen angehalten sind.[170]

Es gibt für die anderen Beteiligten z. B. folgende speziellen Regelungen: 373

- Für die Gerichte: das Recht zum Fragen (§ 12 FGG) und, vielfach verkannt, ggf. nach § 1846 BGB. Die Pflichten nach § 69a, § 69 k-m FGG (Mitteilungen) und § 34 FGG; die Gewährung von Akteneinsicht, vielfach überlagert von Art. 103 Abs. 1 GG (rechtl. Gehör).
- Für die Betreuungsbehörden: §§ 7, 8 BtBG (Mitteilungen an das Gericht und Unterstützung des Gerichts).
- Für andere Behörden: (weit angesetzt) § 7 Abs. 3 BtBG; i.ü.: Sonderregelung im PsychKG für den SpDienst auch im Verhältnis zur Betreuungsstelle pp.

169 Soweit sie einem der in § 203 StGB genannten Berufe zuzuordnen sind, mag diese Bestimmung greifen; aber nicht, weil sie als BetreuerInnen eingesetzt sind, sondern wegen des Berufes.

170 Das Thema des Datenschutzes im Zusammenhang mit »Auslagerungen« ist im Zuge zunehmender Privatisierung insgesamt als Problem zu sehen; vgl. Gola in NJW 1996, 3312.

374 **Sozialdaten**, die einmal in den gerichtlichen Bereich (der ordentlichen Justiz) gelangt sind, werden in den dortigen Vorgängen nicht mehr den Regelungen des SGB unterliegen[171]. Sie sind dann über Art. 103 Abs. 1 GG, § 34 FGG nach Maßgabe der allg. Kriterien relativ leicht zugänglich. Auch die Datenschutzgesetze treten hinter diese Sonderregelung zurück. Einen Schutz wird man nur dann erreichen können, wenn es endlich gelingt, die Akten inhaltlich differenzierter zu betrachten, sie verschlossener zu halten als bisher[172].

So haben Angehörige als solche kein Recht, alles zu hinterfragen und Akten einzusehen. Sie können sich auch nicht undifferenziert darauf berufen, sie wollten die Rechte der Betreuten wahrnehmen. Dazu sind sie nicht berufen. Das FGG nennt die Bereiche ausdrücklich, in denen auch einige der Angehörigen gefragt sind, nötigenfalls z.B. Beschwerde einlegen können (z.B. § 69 g Abs. 1 FGG)[173]. Gerade diese sehr speziellen Regelungen bestätigen aber, daß es kein grundsätzliches Angehörigenprivileg gibt[174].

375 Der **Amtsermittlungsgrundsatz** erlaubt wie das **Amtshilfeprinzip** allenfalls das Fragen, rechtfertigt aber keine Antwort. Die im Betreuungsrecht wieder vertretene gegenteilige Ansicht ist bloßer Beleg der dortigen Hilflosigkeit.

OLG Oldenburg[175]:

»Datenschutzgesichtspunkte verbieten im Betreuungsverfahren nicht, Daten anderer Behörden (hier der Schulbehörde) im Wege der Amtshilfe einzuholen.

Aus den Gründen: *Das Gericht hat auch nicht gegen das DatenschutzG verstoßen, indem es die Schulbehörde angeschrieben hat (...) (§ 12 FGG) (...) Im Rahmen der gebotenen Sachaufklärung kann es andere Behörden beteiligen, die gehalten sind, im Wege der Amtshilfe Auskünfte zu erteilen. Sie sind durch den Datenschutz nicht prinzipiell gehindert, Daten weiterzugeben, deren das VormG im Interesse der Betr. dringend bedarf, um über die Erforderlichkeit einer Betreuung entscheiden zu können. (...) «*

Anders zu Recht das **OLG Köln**[176]:

»Die in der Entscheidung BVerfGE 27,344 dargelegten Grundsätze über die Gewährung von Einsicht in die Akten eines Ehescheidungsverfahrens gelten auch für gerichtliche Aktenanforderungen.

Aus den Gründen: *Die Unabhängigkeit der Gerichte ist kein zureichender Grund, ihnen ohne Beachtung des Verhältnismäßigkeitsgrundsatzes Einsicht in Scheidungsakten zu gewähren. Art. 35 Abs. 1 GG bietet hierfür keine Rechtsgrundlage. Nach dieser Vorschrift leisten sich alle Behörden des Bundes und*

171 Ich halte den entgegenstehenden Hinweis von Schimke in BtPrax 1993, 74, 77 für irrig.
172 s. bei Rn. 182.
173 vgl. auch BGH BtPrax 19997, 28 f., OLG Düsseldorf BtPrax 1995, 69 f.
174 Wichtig wird das in der Regel nur in den Fällen, in denen Streit entsteht, in denen insbes. wegen des Streites ein »neutraler« Betreuer eingesetzt wird. In der Situation dient es keinem nachvollziehbaren Zweck, die ausgegrenzten Angehörigen ständig wieder umfassend zu beteiligen und damit weiter zu beteiligen, als es gesetzlich vorgesehen ist.
Wenn das Problem sich erledigt hat, mögen sie wieder »einsteigen«. Ständiges Gezänk und die Diskussion über jedes abgeheftete Stück Papier verschleißen unnötig Ressourcen.
175 FamRZ 1996, 757.
176 FamRZ 1995, 751.

der Länder gegenseitige Rechts- und Amtshilfe. Das entbindet die um Amtshilfe ersuchte Behörde nicht von der Pflicht zu prüfen, ob die von ihr erbetene Maßnahme rechtmäßig ist.(sc.: Ihr eine Rechtsgrundlage zur Offenbarung gegeben ist)«

16.3 Schweigepflichten auch im Team und der Supervision

Informationen, die eine Schweigepflichtige erhalten hat, sind zunächst nur ihr an- **376**
vertraut, nicht ihrem Haus, ihrer Gruppe o.a. Die Tatsache, daß zwei Zuständigkeitsbereiche sich organisatorisch unter »einem Dach« befinden, rechtfertigt **keinen Datentausch**[177]. Das Sozialamt mag an Dingen aus der Betreuungsbehörde, diese an Informationen aus dem Jugendamt und umgekehrt interessiert sein. Sie unterliegen jeweils den eigenen Pflichten, haben darauf zu sehen, zu welchem Zweck sie die bei ihnen vorrätig gehaltenen Daten erlangt haben und dürfen grundsätzlich nur in diesem Bereich damit umgehen. Auch das ist eine z.B. im Kinder- und Jugendhilferecht schon vor Jahrzehnten geklärte Grundkonstellation, soll aber nun angeblich im Betreuungsrecht wieder neu oder gar ungültig sein.

Kein/e Mitarbeiter/in einer Stelle hat die (generelle) Befugnis, ihre Erkenntnisse **377**
ohne weiteres (anders natürlich bei Vertretungsbefugnis usw.) auch nur bei einer **Teambesprechung** oder gar in der **Supervision** wiederzugeben, schon gar nicht, sie »im Haus« zu streuen. Schweigepflichtig ist nicht der Landkreis oder die Stadt, vielmehr jede unmittelbar mit dem Vorgang befaßte Stelle.

Für die **Supervision** besteht insoweit **kein Verbot, das eigene Problem einzubringen**. Die Daten der **Betroffenen** dürfen aber **nicht** so benannt werden, daß sie **individualisierbar** sind, die anderen TeilnehmerInnen der Runde dürfen nicht in der Lage sein, die Informationen konkret zuzuordnen, selbst wenn sie die Betroffene kennen.

Ich weiß natürlich – auch aus eigener Supervision im Zuge beruflicher wie ehrenamtlicher Tätigkeit –, daß dagegen ständig verstoßen wird. »Das haben wir immer schon so gemacht« legitimiert aber ebensowenig wie »das geht gar nicht anders«. Hier wie an vielen anderen Stellen geht es letztlich wieder darum, wie offen ich mit den Betroffenen umgehe. Wenn ich **Vertraulichkeit verspreche**, müssen sie sich darauf auch dann noch **verlassen** dürfen, wenn sie einem anderen Mitglied aus der Supervisonsgruppe begegnen. Wenn ich das nicht einhalten kann oder will, sollte ich dazu stehen. Wem dient die Täuschung? Wirklich dem Interesse der Betreuten?

177 Anschaulich dazu auch die Beispiele bei Gola in NJW 1996, 3312, 3316 (für den Bankbereich).

16.4 Handlungsgrundsätze

378 Bei Ermittlungen im Zusammenhang mit Betreuungsanregungen ist der Kreis der Befragten möglichst klein zu halten, auch darauf zu achten, bei wem am ehesten damit gerechnet werden kann, daß die **Vertraulichkeit** gewahrt bleibt.

Betreuungsbehörden haben keine Ermächtigung zur Einholung von Führungszeugnissen usw. für potentielle BetreuerInnen. Sie sind auch nicht berechtigt, solche Daten aus den etwa vorliegenden Gerichtsakten für spätere Fälle in eine »**Betreuerkartei**« aufzunehmen bzw. dort vorrätig zu halten. Systematische **Kontrollaufgaben sind der Betreuungsbehörde nur im Zusammenhang mit BerufsbetreuerInnen** zugewiesen.

379 Potentielle BetreuerInnen (außerhalb ohnehin betroffener Familienangehöriger) dürfen nur mit **anonymisierten Vorgängen** konfrontiert werden, nicht mit Aktenauszügen oder gar der ganzen Akte.

Informationen über die Betreuung an Dritte (auch Behörden) obliegen grundsätzlich dem Gericht (§§ 69 k ff. FGG), nicht d. BetreuerIn. Das schließt nicht aus, daß es im Einzelfall geboten sein kann, sich zu legitimieren. Es gibt insoweit allerdings keinen Anspruch Dritter auf Überlassung eines vollständigen Beschlusses oder des Ausweises. D. BetreuerIn kann im Rahmen ihres Aufgabenkreises die bekannten und benötigten Daten der Betreuten weitergeben bzw. benutzen (**Kontrollfrage**: würde ich, wenn es mich beträfe, aus diesem Anlaß die Information an diese Stelle weitergeben?). Angehörige als solche haben keinen allgemeinen Auskunftsanspruch (es macht i.d.R. allerdings wenig Sinn, sie ganz »abzublocken«).

380 Ein Abgleich von **Daten aus verschiedenen Behördenaufgaben** (z.B. JA, Betreuungsbehörde) ist grds. **ebenso unzulässig wie ein Abgleich von Parallelvorgängen**. Die zu einem Familienmitglied erhobenen Daten stehen nicht in dem Verfahren für den anderen zur Verfügung. Es gibt insoweit keinen familialen Gemeinschaftsbereich. Die Datenschutzzonen betreffen die einzelnen Individuen.

381 Es ist **unzulässig, zu mehreren Betreuungsvorgängen** in einem Schreiben Stellung zu beziehen. Die BetreuerIn hat auch bei sich die Vorgänge mehrerer Betreuter strikt getrennt zu halten.

Bisher ungeklärt ist der zulässige Umgang mit **Handakten von BetreuerInnen**. Anders als bei z.B. RechtsanwältInnen[178] gibt es keine spezifischen Regeln, obwohl nach der Art der materiellen Verpflichtung wie unter Berücksichtigung der eigenen Rechte der BetreuerInnen sicher nicht verlangt werden kann, daß z.B. mit dem Abschluß der Tätigkeit bzw. mit der Abgabe einer Betreuung alles aus der Hand gegeben wird. Das wäre nicht nur bei selbständigen Berufsbetreuern unmöglich und würde

178 Dazu Rüpke, Anwaltsrecht und Datenschutzrecht, in NJW 1993, 3097, 3098.

sie Folgekonflikten aussetzen. Sie werden darauf zu achten haben, beide Bereiche zureichend getrennt zu halten, so daß z.B. bei der Beendigung des Amtes die eigene Handakte behalten werden kann, um den eigenen Pflichten zu genügen, eigene Rechte wahrzunehmen und dennoch die Herausgabe bzw. Vernichtung der personenbezogenen Informationen über d. Betreuten möglich bleibt.[179]

Die BetreuerIn ist InteressenwahrerIn der Betreuten und im Außenverhältnis nur im Aufgabenkreis legitimiert. Darüber hinausgehende Auskunftsansprüche bestehen nicht. Informationsweitergabe aus anderen Bereichen ist unzulässig. 382

Wer »Vermögenssorge« betreibt, hat mit dem Heim nicht über Gesundheit zu reden, auch wenn er/sie aus den Akten weiß, was insoweit problematisch ist. Wenn es nötig ist: Nachricht an das Gericht mit der Anregung auszuweiten.

Die BetreuerIn befindet sich in einer **mehrfachen Loyalitätspflicht**. Sie ist berufen, die Interessen d. Betreuten zu wahren. Sie kann insoweit keine »gerichtsfesten« Informationen vorhalten. Bei der Geltendmachung eigener Rechte (Vergütung) wird sie ohne inhaltliche Begrenzung auf die vorliegenden Informationen zugreifen können.

Im Außenverhältnis ist darauf zu achten, daß die (Berufs-) BetreuerInnen nicht durch eine überzogene Selbstdarstellung (»Berufsbetreuer« mit Verbandshinweis o.ä.) evtl. irreführende Hinweise auf die Situation der Betreuten geben. Nach den derzeitigen Gepflogenheiten tritt die **Vertretungssituation** viel zu sehr in den Hintergrund. Betroffene/r bleibt die Betreute, ist nicht die BetreuerIn.

179 Soweit die persönlichen Unterlagen den Betreuten gehören, sind sie natürlich herauszugeben. Darum geht es aber i.d.R. in dem hier fraglichen Bereich nicht.

17. Aufwendungsersatz und Vergütung

383 Die Führung von Vormundschaften, Pflegschaften und Betreuungen erfolgt grundsätzlich **unentgeltlich**. Ehrenamtliche erhalten (auch als Anerkennungsbetrag) eine jährliche Pauschalentschädigung von z.Zt. 600.- DM. Statt dessen können sie auch etwaige höhere Aufwendungen konkret geltend machen.

Aufwendungsersatz und Vergütungen werden nach §§ 1835 ff i.V.m. § 1908 i BGB sowie dem **Berufsvormündervergütungsgesetz** gezahlt. Aufwendungen sind stets zu ersetzen, entweder aus dem Vermögen des Betreuten oder aus der Staatskasse. Die BetreuerIn soll nicht aus eigenen Mitteln zusetzen müssen (§ 1835 BGB). Die BetreuerIn hat deshalb Anspruch auf Ersatz der Aufwendungen aus dem Vermögen des Betreuten (§ 1835 Abs. 1 i.V.m. § 1908 i BGB); ist die Betreute mittellos, so hat sie Anspruch auf Ersatz aus der Justizkasse.

384 Zu den abrechenbaren Aufwendungen gehören Vermögensopfer, die die BetreuerIn zur Ausführung der Betreuung macht oder die als Folge der Ausführung entstehen, soweit der Betreuer sie den Umständen nach für erforderlich halten konnte. Hierzu zählen insbesondere Kosten wie Briefporto, Fotokopierkosten, Telefon- und Telefaxgebühren wie Fahrtkosten zum Besuch des Betreuten oder um auf andere Weise seine Angelegenheiten zu regeln.

385 Der Gesetzgeber geht davon aus, daß die **Aufwandspauschale**, die jeder BetreuerIn zusteht, wenn sie nicht anders abrechnet (abrechnen kann), ebensowie der Aufwendungsersatz nach Einzelabrechnung (§ 1835 BGB) bzw. die Vergütung (§ 1836 BGB) **durch die betreute Person zu zahlen** ist. Nur in dem Falle, in dem die betreute Person mittellos sein sollte, ist eine Zahlung der Aufwandspauschale aus der Staatskasse (also aus dem Justizhaushalt des jeweiligen Bundeslandes) vorgesehen. Die Zahlung erfolgt **nur nach Geltendmachung** durch die BetreuerIn, wobei diese an eine bestimmte Form nicht gebunden ist; aber es sind Ausschlußfristen zu beachten.

386 Betreuungen werden, wie betont, grundsätzlich unentgeltlich geführt. Hat die Betreute aber Vermögen, kann das Gericht eine Vergütung bewilligen (§ 1836 Abs. 1 BGB). Die Abgrenzung, ob Mittellosigkeit vorliegt, wird in Anlehnung an die BSHG-Regelungen bestimmt.

BerufsbetreuerInnen erhalten unabhängig vom vorhandenen Vermögen eine Vergütung.

17.1 Vergütungsregelungen für BetreuerInnen

Die **Grundlagen der Berechnung** wie die **Stundensätze** sind umgestaltet worden. Bund und Länder haben gemerkt, wie teuer dieser Bereich geworden ist. So sind allein in Nds. die jährlichen Ausgaben für §§ 1835 ff. BGB von 1 Mio. DM in 1992 DM. auf 19 Mio. DM in 1995 angestiegen. Diese Buchungen erfolgen zu Lasten der Justizhaushalte. Damit wird aus Sicht der Justizkassen **soziale Arbeit**, die (finanziell) eigentlich einem ganz anderen Bereich zuzuordnen ist, aus einem »fremden Topf« bezahlt, fällt mithin als Kostenfaktor immer wieder besonders auf. 387

Seit dem 1.1.1999 sind §§ 1835 ff. BGB grundsätzlich geändert und das BerufsvormündervergütungsG eingeführt worden, das kraft Verweisung auch für Berufsbetreuer gilt.

Das **BerufsvormündervergütungsG** geht von einem Basissatz von 35.- DM aus (zzgl. USt.[180]), der auf 45.- oder 60.- DM angehoben werden kann, wenn entsprechende durch Ausbildung nachzuweisende Qualifikationen vorliegen (§ 1 BVormG). 388

Für die Bezahlung wird der **Bestellungsvorgang wichtig**. Während bis zum 31.12.1998 erst bei der Abrechnung die Frage aufzuwerfen war, ob jemand BerufsbetreuerIn ist und welche Tätigkeiten zu vergüten sind, muß bzw. kann das jetzt schon in dem anordnenden Beschluß bestimmt werden (§§ 1836 ff. BGB). 389

Die Vergütungspflicht für Tätigkeiten d. BetreuerIn beginnt[181] mit Zugang/Bekanntgabe des Beschlusses über die Bestellung[182]. Das heißt aber nicht, daß es unmöglich ist, z.B. für die Zuziehung zu **Vorgesprächen** Fahrtkostenaufwand etc. zu erhalten. Man darf das nur nicht über §§ 1835 ff. BGB versuchen, sondern muß sich insoweit z.B. auf das ZSEG stützen. 390

Für Bestellungen durch Beschlüsse ab 1.1.1999 ist tatbestandliche Vergütungsvoraussetzung (bei Mittellosigkeit d. Betreuten), daß die Bestellung als BerufsbetreuerIn erfolgt (§ 1836 Abs. 1 S. 2, 3 BGB; nicht erforderlich bei VereinsbetreuerInnen). 391

Wer sich in der Aufbauphase befindet, sollte deutlich erklären, daß er im nötigen Umfang bereit steht, um die Voraussetzungen des »in absehbarer Zeit« zu erfüllen (§ 1836 Abs. 1 S. 3. a.E. BGB). Das dürfte jedenfalls dann gegeben sein, wenn es nur noch von der Bearbeitungsgeschwindigkeit des Gerichtes und der sonst Betei-

180 Der Streit um die Erstattung der Ust. auf die Auslagen ist dagegen noch nicht zu Ende. Die Hoffnung, das werde sich durch BVerfG FamRZ 2000, 345 ff. (betraf das alte bis 1998 geltende Recht) erledigen, hat sich so nicht erfüllt; vgl. OLG Dresden u.a. BtPrax 2000, 35, 37, 39. Mir scheint eine Differenzierung richtig, die berücksichtigt, daß z.T. ein Vorsteuerabzug möglich sein wird. Wenn die BetreuerIn das nicht nutzt, kann sich insoweit keine Erstattungspflicht ergeben.

181 SchlHOLG MDR 1998, 972.

182 Nicht dagegen erst mit der Verpflichtung. Wer telefonisch o.ä. vorab informiert worden ist und aufforderungsgemäß aktiv wird, sollte diese Unterrichtung zureichend in den eigenen Unterlagen dokumentieren.

ligten abhängt, daß die 10er-Schwelle (oder die Zeitgrenze) in den nächsten Wochen überschritten wird. Auch in dieser Phase muß die Bestellung als BerufsbetreuerIn in den Beschluß, nötigenfalls im Beschwerdewege. Sonst gibt es kein Geld. **Rückwirkende Nachbesserungen** sind insoweit **nicht möglich**.

392 Schwieriger wird der Streit um die **Einstufung einzelner Berufsbereiche** als betreuungsfördernd i.S.v. § 1 BVormVG werden. Ich sehe dabei außerhalb des klassischen Kanons der betroffenen Berufe (z.B.: SozialarbeiterInnen, Verwaltungsleute, JuristInnen, Sozialpädagogen, AltenpflegerInnen, Betriebswirte, Bankberufe, Heilerziehungshelfer) wenig Konturen[183].

393 Sehr unterschiedliche Ansätze scheint es zu der Frage der **Prüfungskompetenz** für das festsetzende Gericht zu geben[184]. Z.T. will man offenbar trotz der Formulierung in § 1 Abs. 2 BVormVG (»wird vermutet«) insoweit prüfen dürfen, ob die Grundlage der Vermutung Eingang in den bestellenden Beschluß gefunden hat oder z.B. das bestellende Gericht von der entsprechenden Qualifikation nichts gewußt hat, insoweit dann angeblich auch keine Festschreibung vornehmen konnte.

Man sollte jedenfalls darauf achten, daß bei Bestellungen die eigene Qualifikation, die man zur Grundlage der späteren Abrechnung machen will, **mit der Bereiterklärung aktenkundig wird**, in der Akte vor oder mit dem Beschluß festgeschrieben wird[185].

394 Nach noch geltendem Recht wird die Staffel von 35.- über 45.- bis 60.- DM (zzgl. USt) nicht generell, sondern ggf. abzgl. der **Sonderregelungen** für die in Art. 3 des Einigungsvertrages genannten Gebiete (Abzug des Vomhundertsatzes) gezahlt.

395 Der früher dadurch zu den einzelnen Betreuten bestehende **Bestandsschutz**, der sich daraus ergab, daß bestellte BetreuerInnen nur bei mangelnder Eignung ohne ihre Zustimmung entlassen werden konnten, ist nunmehr recht elementar dadurch **gefährdet**, daß §§ 1897 Abs. 6, 1908 b Abs. 1 S. 2 BGB die BerufsbetreuerIn als solche benannt und als stets nur vorläufig bestellt beschreibt (bis sich eine geeignete Ehrenamtliche findet). Man mag sich damit beruhigen wollen, daß die Zahl der herandrängenden Ehrenamtlichen überschaubar erscheint. Darin dürfte nicht das Problem liegen. Schwieriger erscheint mir die Situation in zerstrittenen oder nur schwierigen Familien, bei denen zunächst der Ruf nach »der Neutralen« laut wird – bis ein Familienmitglied sich anbietet, es nun doch selbst machen zu wollen (nach der ersten

183 Entscheidungsbeispiel bei OLG Dresden in FamRZ 2000, 316: Die Ausbildung zur staatlich anerkannten Erzieherin ist eine gesetzlich geregelte Berufsausbildung, die im Zusammenhang mit einer vorangegangenen Ausbildung zur Unterstufenlehrerin einer Lehre i.S. des § 1 Abs. 1 S. 2 Nr. 1 BVormVG gleichsteht.

184 Bienwald BtPrax 1998, 210 f.

185 Es ist z.T. erwogen worden, ob es sinnvoll erscheint, die Qualifikationsstufe in den Beschluß aufzunehmen. M.E. ist das aber nicht erforderlich, das Gesetz (die Vermutung) insoweit bindend. Für Berufe, die nicht zum Kern der klassischen Betreuungstätigkeit gehören, wird es jedoch weiter zu erwägen sein.

Rechnung wegen der Sorge um das Erbe?). Diese Entlassungsanträge werden potentiell mehr Erfolg haben können als nach altem Recht.

Man sollte als BetreuerIn stets auf die neue **Ausschlußregelung** für die Geltendmachung finanzieller Forderungen denken: sie endet mit Ablauf von 15 Monaten nach der Entstehung, nicht etwa erst nach der Abrechnung. 396

Einzelne Vergütungsprobleme:

Schon nach altem Recht ist immer wieder betont worden, daß die Vergütung nur für die BetreuerInnenaufgaben[186], **nicht dagegen für Teilnahmen an Feiern und Jubiläen** etc.[187] gezahlt wird. Insoweit handelt es sich bei der Neuregelung ab 1999 mehr um eine Klarstellung als eine inhaltliche Änderung. Andererseits liegt die Intention auf der Hand, so daß der Begründungsbedarf und damit Verwaltungsaufwand eher noch höher wird. 397

Für wenig vertretbar halte ich es (nach altem wie neuem Recht), wenn das LG Potsdam ausführt, der Betreuer könne keine Vergütung für die Zeit verlangen, die er aufwende, um mit dem Betroffenen zusammen ein ***Heim zu besichtigen****, in das dieser aufgenommen werden solle*[188]*. Das LG meint in diesem Zusammenhang, daß aus § 1901 BGB (den Wünschen der Betreuten sei zu entsprechen) nicht abgeleitet werden könne, daß der vorgesehene Heimaufenthalt von seiner Zustimmung abhängig gemacht werde. »Dies kann jedoch nicht soweit führen, daß der Betroffene zu entscheiden hat, ob ihm ein Heimplatz gefällt und er diesen in Anspruch nimmt.«*[189] *Ich halte das in sich für befremdlich.* 398

Daran wird aber jedenfalls deutlich, wie wichtig es ist, **Abrechnungen »richtig« zu begründen**. Es wäre hier z.B. erfolgversprechender gewesen, auf § 1901 Abs. 3 BGB statt auf Abs. 2 abzustellen und die Begründung entsprechend zu konkretisieren. Nicht jedes Heim ist ohne weiteres geeignet. Ob der Betreute in das Heim paßt, kann nur vor Ort mit ihm und im Kontakt zu den anderen Bewohnern und MitarbeiterInnen geklärt werden[190]. 399

Mit dem neuen Recht wird der Bruch zwischen dem **Anspruch auf möglichst enge Begrenzung der Aufgabenkreise** aus dem Interesse an einer Integrität (Selbständigkeit) des Betreuten und einer **Ausweitung auch im Hinblick auf Vermeidung von Abrechnungsstreit** verstärkt, wie eine weitere Passage der o.a. Entscheidung bestätigt[191]. Dort heißt es auch:

186 Leitsätze des BayObLG BtPrax 1998, 237:
Zeitaufwand des Betreuers für die Begleitung des Betroffenen zu Einkäufen ist grundsätzlich nicht vergütungsfähig.
Zeitaufwand des Betreuers für die Begleitung des Betroffenen zum Arzt ist dann vergütungsfähig, wenn der Betreuer davon ausgehen durfte, sonst seine Aufgaben für die Gesundheit des Betroffenen nicht ordnungsgemäß erfüllen zu können.

187 LG Koblenz BtPrax 1998, 195.

188 BtPrax 1998, 242.

189 LG Potsdam a.a.O.

190 Kritisch zu der Entscheidung des LG Potsdam auch Jürgens in BtPrax 1998, 212.

191 LG Potsdam BtPrax 1998, 242.

400 *»Des weiteren ist eine Vergütung für (...) die Organisation der Personalausweisbeantragung, Paßbilderherstellung, für die Bearbeitung Postausgang – Meldeangelegenheiten – und für das Gespräch mit dem Betroffenen wegen der Abholung des Personalausweises zu Recht nicht bewilligt worden. Der (...) Betreuerin (...) obliegt im Rahmen des Wirkungskreises Vertretung vor Behörden und Gerichten nicht die Wahrnehmung von Personenstandsangelegenheiten.«*

(... Weil kein Umzug erfolgt sei und die Behörde nicht ihrerseits Forderungen auf Regelung erhoben habe...)[192]

401 **Nicht** über die betreuungsrechtlichen Regelungen **zu vergüten** ist die **Übernahme von pflegerischen Leistungen**[193]; selbst dann nicht, wenn die Betreute dem ausdrücklich zugestimmt hat. Hier zeigt sich dieselbe Systematik wie bei der Genehmigungsfrage. Solange die BetreuerIn als solche handelt, ist sie ihrem Regelungskreis verhaftet, kann z.B. keine wirksame Einigung mit sich selbst über tatsächliche Leistungen herbeiführen (§§ 1908 i, 1795 BGB). Die schlichte Erbringung als solche mag zu einem Bereicherungsanspruch führen (nicht unzweifelhaft), der aber jedenfalls nicht nach §§ 1835 ff. BGB ausgeglichen wird. Wenn sie es auf der Grundlage einer Einigung mit d. Betreuten tut, ist das nur relevant, wenn diese sich selbst wirksam einigen konnte und das auch wollte (so erklärt hat) und die BetreuerIn nicht als solche, sondern als »Dritte« aufgetreten ist. Wenn sie das allerdings in dieser Form tut, dürfte sie sich in unmittelbare Kollision mit §§ 1908 i, 1796 BGB begeben, das Amtsgericht wird ihre (Teil-) **Entlassung prüfen** müssen.

Diese Problematik wird sich noch verschärfen, zumal es Ziel der Reform war, mit der Betonung der **rechtlichen** Betreuung derartige »**überschießenden« Tätigkeiten einzugrenzen**, sie jedenfalls vergütungslos zu stellen[194]. Die BetreuerInnen werden sich also eher stärker darauf einstellen müssen, die einzelnen Tätigkeiten noch klarer zu den vorhandenen Aufgabenkreisen zuzuordnen und auch im Hinblick auf eine Beschwerdefestigkeit solcher Begründungen[195] darauf achten müssen, daß dies auch vorbeugend zureichend dokumentiert wird. Dabei sollte man z.B. auch daran denken, daß die Frage der Geltendmachung von Unterhaltsansprüchen (wie z.T. auch von Soziahilfeansprüchen) nicht ohne weiteres der »Vermögenssorge« zuzuordnen ist[196].

192 Ich halte diese Begründung für falsch. Nach BayObLG Rpfleger 1998, 515 genügt aber »Aufenthaltsregelung« wohl jedenfalls nicht für die Abwicklung von Personalausweisangelegenheiten.

193 LG Koblenz MDR 1998, 112.

194 Zusammenfassende Darstellung der Fälle, in denen die Rechtsprechung eine Vergütungsfähigkeit unter Hinweis auf den Auftrag »gesetzliche Vertretung«, nicht Pflege, verneint hat, bei Jürgens in BtPrax 1998, 129 ff.

195 Es ist gefährlich, sich an dieser Stelle auf den Amtsermittlungsgrundsatz zu verlassen. Auf der »sicheren Seite« sind die Beteiligten nur, wenn sie die notwendigen Details selbst klar benennen.

196 Nach § 1629 BGB in der Fassung, die bis zum 1.7.1998 galt, gehörte die Unterhaltsfrage zur Personensorge. Dem haben sich auch im Betreuungsbereich manche Gerichte angeschlossen.

Das LG Köln[197] *hat z.B. die Schadensersatzklage gegen einen Betreuer, dessen Aufgabenkreis (nur) die Vermögenssorge umfaßte, abgewiesen und ausgeführt, er habe sich damit nicht um Sozialhilfeansprüche kümmern müssen. Die Beantragung von Sozialhilfe unterfalle dem Aufgabenkreis Vermögenssorge nicht*[198].

Man mag das als Randprobleme verstehen, sollte aber nicht übersehen, daß sich mit der zunehmenden **Verschärfung von Abrechnungsstreitigkeiten** in Zuordnung zu den konkreten Aufgabenkreisen diese Frage ein ganz neues Gewicht erhalten kann. Deshalb wird es nicht fernliegen, eine entsprechende Ergänzung des Aufgabenkreises zu beantragen,

z.B. auf: Vertretung gegenüber Kostenträgern, oder konkreter: Geltendmachung von Sozialhilfeansprüchen, Renten u.ä. Bei beidem lauert natürlich als Falle, daß ein so gefaßter Aufgabenkreis zwar die Antragstellung, evtl. noch das Entgegennehmen der Gelder umfaßt, nicht aber mehr das Verwalten bzw. Ausgeben. Das mag dann wieder unter die Vermögenssorge fallen, wenn man sie denn hat.

Der Streit darüber, welche **Verwaltungstätigkeiten** der BetreuerIn vergütungslos **402**
bleiben, weil sie ihre, nicht die Angelegenheiten der Betreuten betreffen, ist jedenfalls für die Erstellung des **Vermögensverzeichnisses** durch das BayObLG[199] erledigt worden. Es hat **Vergütungspflicht** angenommen und darauf verwiesen, das Vermögensverzeichnis sei im Interesse des Betreuten zu erstellen, Grundlage der Vermögensverwaltung und Aufsicht wie späterer Herausgabeverlangen durch den Betreuten. Deshalb sei es vergütungspflichtig.

Man wird diese Argumentation (Sicherung der Rechte/Rechtspositionen d. Betreuten) auch in anderen Bereichen für Vergütungsauseinandersetzungen nutzen können. Der Aufwand für die Erstellung des Vergütungsantrages nebst dazugehöriger Dokumentation ist dagegen nicht zu vergüten[200]. Insoweit nimmt die BetreuerIn eigene Interessen wahr, nicht die der Betreuten[201].

In dieselbe Richtung zielt eine Entscheidung zu Versicherungsfragen:[202] **403**

Das LSG Rheinland-Pfalz hat betont, ***Sonntagsspaziergänge*** *ehrenamtlicher Betreuer mit ihren Betreuten unterfielen nicht dem Schutz der gesetzlichen Unfallversicherung, weil nicht im inneren Zusammenhang mit den (dort zugewiesenen) Aufgabenkreisen Vermögenssorge, Aufenthaltsregelung und Gesundheitsfürsorge stehend. Ein Zusammenhang könne insoweit auch nicht über § 1897 Abs. 1 BGB (persönliche Betreuung) oder § 1901 BGB (Orientierung an den Wünschen des Betreuten) hergeleitet werden.*

197 FamRZ 1998, 919.
198 engagierte Gegenstellungnahme von Bienwald in FamRZ 1998, 1567.
199 MDR 1998, 1294.
200 Schleswig-Holsteinisches OLG BtPrax 1998, 238.
201 Daraus wird aber zugleich deutlich, daß die noch immer nicht ausgerottete Ansicht, man könne den zugewiesenen Stundensatz mit der Gesamtarbeitsstundenzahl multiplizieren und damit die Auskömmlichkeit belegen, evident falsch ist. Selbst unabhängig von Fortbildung etc. (nicht vergütungspflichtig; auch Aufwendungen dafür nicht ansetzbar: AG Betzdorf BtPrax 1998, 243) ist auch in der konkreten einzelnen Betreuung nur ein Teil der anfallenden Stunden abrechnungsfähig. Der Stundensatz muß (von Verfassungs wegen) auch diese Nebenstunden und -kosten mit tragen.
202 Zum Unfallversicherungsschutz des Betreuers LSG Rheinland-Pfalz, BtPrax 1998, 187; anders in denselbem Fall das BSG; s. Fußn. 204.

Versichert seien alle Tätigkeiten, zu denen die Ehrenamtlichen die übernommenen Amtspflichten drängten oder zumindest in vernünftigen Grenzen veranlaßten. Der Spaziergang gehöre nicht dazu, sei »private Freundlichkeit (Pflege der persönlichen Beziehung)«.

Man wird darüber streiten können, ob das ohne weiteres damit vereinbar ist, daß nach ganz herrschender Meinung auch die **monatlichen Besuche vergütungspflichtig** sind, da sie zu den Betreueraufgaben gehören. Der entsprechende Streit bezieht sich ja nur auf die Frage, ob ein oder zwei Besuche angemessen sind[203]. Wenn man dem LSG folgt, dürfte man dabei die Station oder Wohngruppe nicht verlassen, da man sich in diesem Augenblick auf den Bereich privater Beziehungen einließe (was auch wieder vergütungsrelevant wäre). Das BSG hat dem Kläger gegen das LSG Recht gegeben und gemeint, für das zwischen 1992 und 1998 geltende Betreuungsrecht sei das noch anders zu sehen, weil darin noch die persönliche Betreuung ohne Einschränkung auf die rechtliche Vertretung betont worden sei[204]. Es scheint allerdings dazu zu neigen, auch für die Zukunft **vertrauensbildende Maßnahmen als Teil der BetreuerInnenaufgaben** verstehen zu wollen[205]. Das müßte konsequenter Weise auch im Vergütungsbereich gelten. Die Festsetzungspraxis geht derzeit aber einen anderen Weg.

404 Ist die **Vergütung aus dem Nachlaß** zu bezahlen, so ist die AnsprechpartnerIn die ErbIn, denn d. BetreuerIn darf über das Konto nicht mehr verfügen. Die Zahlung der Vergütung ist keine unaufschiebbare Maßnahme. Das Nachlaßgericht hat mit der Betreuervergütung nichts zu tun. Entscheiden muß das Vormundschaftsgericht. Die Vergütungsansprüche sind dann Nachlaßverbindlichkeiten, genau so wie unbezahlte Rechnungen, Mietrückstände oder die Kosten der Bestattung[206].

Ist die ErbIn unbekannt, so kann die BetreuerIn auch selbst beim Nachlaßgericht eine **Nachlaßpflegschaft** nach § 1960 BGB beantragen. Gefährdet die bekannte ErbIn die Vergütungsforderung der BetreuerIn, so kann diese eine **Nachlaßverwaltung** beantragen, für deren Abwicklung ähnliches gilt wie für die Nachlaßpflegschaft.

405 Es ist möglich, daß die BetreuerIn zur NachlaßpflegerIn bestellt wird. Die Tätigkeit der NachlaßpflegerIn wird ebenfalls vergütet, wobei hierüber das Nachlaßgericht entscheidet (§ 1962 BGB).

17.2 Vergütung für VerfahrenspflegerInnen

406 **VerfahrenspflegerInnen** werden jetzt immer nur nach Stundensätzen bezahlt (§ 67 Abs 3 FGG), und dies zunächst aus der Staatskasse. Wie bisher wohl nur z.T. aufge-

203 vgl. z.B. LG Mainz BtPrax 1997, 245 m.w.Nachw (ein bis zwei Besuche monatlich).
204 BSG v. 23.3.1999, BtPrax 2000, 30.
205 BSG a.a.O. S. 32 unter Hinweis auf die gesetzgeberische Begründung zu § 1901 BGB n.F.
206 s. auch BayObLGZ 89, 173.

fallen ist, wird auch für sie bei der Anordnung entschieden werden müssen, ob sie als beruflich Tätige herangezogen werden oder nicht. Bei dem Schweigen der Anordnung sind sie als ehrenamtliche tätig, mithin unentgeltlich, erhalten nur Auslagenersatz. Das ist bestritten worden, weil § 67 Abs. 3 FGG auf §§ 1908 e bis i BGB verweist, damit § 1836 Abs. 1 BGB ausgeschlossen ist. Die dort enthaltene Weiterverweisung auf § 1836 Abs. 2 BGB und die Tatsache, daß offen ist, welchem Bereich die VerfahrenspflegerIn zuzuordnen ist (steht sie einer VereinsbetreuerIn gleich oder einer BehördenbetreuerIn) mit der Folge, daß nur bei vermögenden Betreuten zu vergüten ist, wird darauf verweisen, daß die Feststellung doch geboten, zumindest Streit vermeidend sinnvoll ist.

Durch die Verweisung allein auf Stundensätze ist dieses Tätigkeitsfeld für viele **407**
RechtsanwältInnen unattraktiv geworden. Wenn in Zukunft wieder verstärkter engagierte VerfahrenspflegerInnen eingesetzt werden sollen, werden sie aus den sonstigen beruflichen Feldern, insbes. aus dem Umfeld oder dem Bereich sozialer Arbeit gewonnen werden müssen.

18. Haftungsfragen und BetreuerInnenversicherung

408 Die Übernahme von Betreuung ist oft mit der Sorge vor eigener Verantwortlichkeit, vor strafrechtlicher Verfolgung wegen etwaiger Fehler, vor **zivilrechtlicher Haftung** verbunden. In der Praxis zeigt sich dabei immer wieder, daß auch an dieser Stelle das, was einem eigentlich wichtig scheint, in den Hintergrund tritt, der Streit um die Finanzen übrig bleibt.

Es gibt auch Auseinandersetzungen um **personenbezogene Schäden**, wie zu der Frage, wie eng **Suicidgefährdete** vom wem **überwacht** werden müssen, werden dürfen, um Verantwortlichkeit auszuschließen. Es gibt die Verletzungen anderer mit Werkzeugen in der Werkstatt, mit dem Küchenmesser in der Küche einer Behinderteneinrichtung. Dabei handelt es sich allerdings eher um seltene Vorgänge, die zudem in der Abwicklung schon davon ausgehen können, das **Erprobungsfreiräume gewährt und hingenommen werden** müssen.

409 Betreuer sind für vieles verantwortlich, aber nicht für alles. Für vieles heißt: sie sind auch dann verantwortlich, wenn z.B. das Gericht etwas konkret geprüft und genehmigt hat. **Die Genehmigung entlastet die BetreuerIn nicht**. Ihre Haftung hat jedenfalls Vorrang; die Staats- wie Bedienstetenhaftung, wenn sie denn überhaupt in Betracht kommt, ist insoweit immer nachrangig (auch wenn das sogenannte Spruchrichterprivileg des § 839 Abs. 2 BGB nicht greift). Man geht dabei so weit, von der BetreuerIn eine kritische Kontrolle, ggf. die Einlegung von Rechtsmitteln oder die Nichtumsetzung falscher Entscheidungen zu erwarten. Ob das alles so ohne weiteres nachvollziehbar ist, sei dahingestellt. Man sollte sich dem Risiko nur nicht verschließen[207].

18.1 Haftung gegenüber dem Betreuten

410 Die BetreuerIn **haftet** zunächst d. Betreuten über §§ 1908 i, 1833 BGB **für jedes Verschulden**, für jede schuldhafte Verletzung der BetreuerInnenpflichten. In der Regel entsteht dabei selten wirklich Streit mit dem Betreuten, allenfalls mit einer FolgebetreuerIn oder insbesondere mit den Erben. Das erklärt zugleich, daß selten Ansprüche aus der Verletzung von Integritätsinteressen relevant werden, dagegen leicht jede

207 Die Beiziehung anwaltlicher Hilfe sollte unter Kostenaspekten aber sorgfältig überdacht werden. Auch wenn das zum Erfolg führen sollte, ist in FGG-Verfahren nur in Ausnahmefällen mit einer Erstattung zu rechnen (§ 13 a FGG; vgl. LG Koblenz BtPrax 1998, 156).

Verletzung (oder vermeintliche Verletzung) von Vermögensinteressen[208]. Auch hier bleibt die Verantwortlichkeit für etwaige Abwicklungsverzögerungen bei der BetreuerIn.

So hat bei einer beantragten Anlagegenehmigung, die erst mit 3monatiger Verzögerung erteilt wurde, der Erbe – durch zwei Instanzen erfolgreich – Regreß wegen der verlorenen Zinsen geltend gemacht. Man hat der BetreuerIn vorgeworfen, sie hätte sich nicht mit der Antragstellung begnügen dürfen, hätte ***nachfragen und drängen müssen****. Dann wäre es zu einer schnelleren Umsetzung gekommen.*

Die bestellte BetreuerIn muß sich darüber im Klaren sein, daß sie (bei der üblichen Anodnung der sofortigen Wirksamkeit) in der Pflicht ist, **sobald sie den Beschluß zur Kenntnis** erhält, als BerufsbetreuerIn auch dafür zu sorgen hat, daß das (Kenntniserlangung) alsbald geschieht. Die gerichtliche Verpflichtung ist, anders als im Minderjährigenrecht, ebenso unmaßgeblich wie die Erlangung der sonst etwa vorhandenen Unterlagen. 411

Wenn sie bestellt ist und Hilfspersonen zugezogen werden, haftet die BetreuerIn zwar bei Fachpersonal in der Regel nur für die sorgfältige Auswahl, nicht auch für die fachgerechte Abwicklung[209]. Das ändert aber nichts an einerseits einer bestehenbleibenden Pflicht zur Begleitung bzw. Überwachung und nichts an der Pflicht, dabei erkannten Problemen sofort und nachdrücklich nachzugehen[210]. Schwieriger ist die Verantwortlichkeit bei zugezogenen **Urlaubsvertretungen**, Untervollmachten und dergleichen. Insoweit wird die BetreuerIn in der Pflicht bleiben, auch für deren Verschulden einstehen, andererseits damit rechnen müssen, daß die übliche eigene Versicherung insoweit nicht ausreicht. Deshalb wird oft empfohlen, für eigenen Urlaub und längere Abwesenheiten lieber einen **Vertretungsbetreuer** (§ 1899 Abs. 4 BGB) zu beantragen. Er wird in manchen Bezirken auch als **Ergänzungsbetreuer** bezeichnet. 412

18.2 Haftung gegenüber Dritten

Die BetreuerIn haftet Dritten gegenüber als **VertreterIn ohne Vertretungsmacht** (§ 179 BGB), wenn sie Rechtsgeschäfte schließt, die nicht in ihren Aufgabenkreis fallen. 413

208 z.T. bis in eigenartige Abwege, so den Streit darüber, ob Ausgaben für den Betreuten noch angezeigt waren, obwohl er/sie »doch nichts mehr davon hatte«.

209 Die BetreuerIn darf sich z.B. darauf verlassen, daß der zugezogenen Facharzt lege artis handelt.

210 Beispiel: Im Krankenhaus war ein Schlaganfall aufgetreten und dort nicht bemerkt worden. Die Bettnachbarin erzählte dem Besuch, daß die Betroffene vorher geredet, heute morgen zur Begrüßung aber nur noch ein verwaschenes Gurgeln von sich gegeben habe. Der darüber informierte Betreuer hat sofort einzuschreiten, ggf. sogar Regreßfragen zu prüfen. Wenn er das nicht tut, es sich mit der Einrichtung »nicht verderben will«, riskiert er seinerseits im Regreßwege dafür einstandpflichtig gemacht zu werden.

Sie kann selbst als berechtigte VertreterIn selbst haften, wenn sie eigenes Vertrauen in Anspruch nimmt oder sonstige nebenvertragliche Pflichten verletzt[211].

Auf diesem Hintergrund empfiehlt es sich **nicht, nur auf den Status als BetreuerIn zu verweisen**. Damit würde die BetreuerIn jedenfalls alle Risiken eines Mißverständnisses zum Handlungsumfang für sich selbst festschreiben.

414 Auch der Hinweis auf die bisherige unproblematische Zusammenarbeit in anderen Fällen und die Einforderung entsprechenden Vertrauens kann zur Falle werden, weil sich daraus eine eigene Verantwortlichkeit ergeben kann[212]. Fatal ist das z.B. für Heim- oder Unterbringungskosten, die schnell zu nicht unproblematischen Höhen auflaufen können[213].

18.3 Aufsichtspflichten?

415 Ist die BetreuerIn aufsichtspflichtig, kommt eine Haftung für Schäden in Betracht, die die Betreute Dritten verursacht hat. Voraussetzung hierfür ist die **Verletzung der Aufsichtspflicht** (§ 832 BGB). Die greift allerdings im Betreuungsbereich viel seltener, als oft behauptet wird[214]. Die BetreuerIn betrifft das nur, wenn sie gerade für diesen Bereich zuständig ist, der Aufgabenkreis auch die Verhinderung der entsprechenden Gefahren umfaßt. Die heute wieder stark betonte Seite, »nur« als gesetzlicher Vertreter zuständig zu sein, kann sich in diesem Bereich also hilfreich auswirken.

416 Grundsätzlich neigt die Rechtsprechung der letzten Jahre dazu, Sicherheitsrisiken für Erprobungsfreiräume insbesondere bei Personen, die die Folgen eigenen Handelns nicht überschauen können, wieder weniger zu tolerieren.

211 Zivilrechtlich kann ein Vertreter aus sogenannter positiver Vertragsverletzung (oder gleichgestelltem Verschulden bei Vertragsschluß) dann selbst verantwortlich sein, wenn eigenes Vertrauen in Anspruch genommen worden ist. Es handelt sich um eine von der Rechtsprechung entwickelte Rechtsgrundlage, sie ist so nirgends normiert.

212 s. Fußn. 211.

213 Beispiel eines Regreßversuchs gegen einen Betreuer über ca. 35.000.- DM offen gebliebener Heimkosten in BGH RdLH 1995, 30. Die Vorinstanzen hatten verurteilt, weil der Betreuer dem Heim erklärt hatte, die Rechnungen sollten ihm zugesandt werden, er werde sich um Klärung kümmern.

214 Aufsatz zur »Entdramatisierung« dieses Themas von Bauer u.a. in BtPrax 1998, 123 ff., 168 ff.

Das wird z.B. in einer BGH- Entscheidung[215] deutlich, in der es um den Schadensersatz für eine abgebrannte Scheune ging und Minderjähre betraf; das juristische Prinzip ist hier strukturell dasselbe[216]. Eine ähnliche Frage hatte das OLG Hamm zu beantworten, nachdem eine Behinderte in der Küche einer Einrichtung einen anderen Bewohner mit einem Messer schwer am Auge verletzt hatte[217].

Bei Erwachsenen wird zu Recht betont, daß es nicht sinnvoll sein kann, eine grundlose nahtlose **Überwachung** zu inszenieren.

»Bei der Beaufsichtigung einer erwachsenen geistig Behinderten in einer betreuten Werkstatt ist deren Würde zu wahren. Hat sie sich längere Zet unauffällig verhalten, ist es nicht pflichtwidrig, sie im Küchenbereich unter Aufsicht mit einem Kartoffelmesser arbeiten zu lassen. Eine jedes Risiko ausschließende Überwachung ist nicht möglich.«[218]

Dagegen steht die Verurteilung einer Stiftung zu Schadensersatz, der unterlaufen war, daß ein bei ihr wohnender (erwachsener) Behinderter auf dem unbeaufsichtigten Weg von der Wohngruppe zur Werkstatt sich unterwegs von den anderen abgesondert hatte und ein Wochenendhaus in Brand steckte[219]. Die Klage war durch zwei Instanzen erfolgreich. Beide Gerichte sind von einer ***Beaufsichtigungspflicht*** *ausgegangen, weil bei dem Bewohner ausgeprägte Störungen des Sozialverhaltens mit emotionalen Störungen bekannt gewesen sein. Die Einrichtung habe mit der Aufnahme vertraglich die Verantwortung von der bestellten BetreuerIn übernommen und sei gehalten gewesen, Vorsicht walten zu lassen und Beschränkungen anzuordnen, soweit es greifbare Anhaltspunkte für eine wesentliche Drittgefährdung gab, auch wenn sich die Dinge noch nicht erkennbar konkretisiert hatten.* 417

Das eigenartige ist, daß sowohl das OLG Koblenz wie das OLG Hamm keine Bedenken hatten, von einer abgeleiteten Aufsichtspflicht zu sprechen, einer Pflicht, die sie »durch Vertrag« übernommen hatten. Die Frage ist nur, von wem? 418

Üblicherweise wird die abgeleitete Pflicht nach § 832 Abs. 2 BGB nur angenommen, wenn es auch einen **primär Verantwortlichen** gibt. Das könnte hier jeweils nur die **BetreuerIn** sein, der i.ü. bei Ausflügen, Urlauben etc. konsequenter Weise derselbe Vorwurf entgegen gehalten werden müßte. Die Pflicht bei der BetreuerIn fest zu machen, fällt aber schwer, da es nach den Bestimmungen des Betreuungsrechtes gerade an einer gesetzlichen Grundlage für eine Aufsichtspflicht fehlt. Die Bestellung zur gesetzlichen VertreterIn enthält selbst dann **keine Aufsichtsaspekte**, wenn sie recht umfasssend ist. Oder weiter gefragt: auf welcher Grundlage hätte die BetreuerIn ihren Betreuten festhalten sollen, der fortgehen will, wie sie befürchtet, um ein Haus anzuzünden, solange ihr keine Sicherungsgenehmigung (mit welchem Inhalt) erteilt

215 s. z.B. BGH, RdLH 1996, 126 mit Anm. S. 126 f. (betraf behindertes Kind). Im Ansatz z.T. anders für einen geistig behinderten Erwachsenen, der als Fußgänger einen Unfall zwischen zwei PKW ausgelöst hatte AG Bielefeld, RdLH 1996, 78 f.

216 Vgl. OLG Koblenz NJW RR 1997, 345 ff; Verurteilung auf Grund § 832 BGB, weil ein zum Zündeln neigender geistig behinderter Erwachsener ohne Aufsicht auf den trainierten Weg zur Behindertenwerkstatt geschickt worden sei (er hatte auf einem Umweg ein Haus abgefackelt). Das OLG hält hier eine Wegeüberwachung für erforderlich. Das muß nicht zwangsläufig die BetreuerIn selbst durchführen, sie kann es an eine Einrichtung delegieren (wie in diesem Fall). Verurteilt worden war die Einrichtung aus übernommener Aufsichtspflicht. Die »Übernahme« setzt ja aber eine originäre voraus.

217 OLG Hamm NJW-RR 1994, 863 f.

218 OLG Hamm a.a.O.

219 OLG Koblenz NJW-RR 1997, 345 f.

worden ist[220]? Und: die Sicherungsgenehmigung enthält das Recht zur Sicherung, nicht die Pflicht und wohl erst recht nicht allein im Interesse eines Drittvermögensschutzes.

419 Es zeigt sich mithin, daß hier **noch vieles im Fluß** ist, allerdings auch niemand dafür garantieren kann, daß die o.a. Rechtsprechungslinie zur Verantwortung nicht fortgesetzt wird. Insoweit ist es wichtig, sich klar zu machen, daß jedenfalls **keine Haftungserleichterungen** wie z.B. zugunsten der Eltern (vgl. § 1664 BGB) gelten, auch nicht analog.

420 Auch im **Unterbringungsbereich** kann bedeutungsvoll werden, wie weit oder eng Aufsichtspflichten gesehen werden. Eine Haftung gegenüber Patienten wird i.d.R. nur bei unberechtigter Unterbringung praktisch werden, eine Haftung gegenüber Dritten mag auch bei zu Unrecht abgelehnter Unterbringung in Betracht kommen (z.B.: Fehleinschätzung angedrohter Übergriffe[221]).

Bei stationären **Suicidpatienten** ist der Haftungsmaßstab nicht abstrakt nach allgemeinen Sicherheitsrisiken, sondern vor dem Hintergrund der konkreten Behandlungssituation zu bestimmen. Die Tatsache, daß Suicide (gerade auch in KH) unvermeidbar sind, rechtfertigt es nicht, die Sorgfaltsanforderungen zu lockern. Ggf. ist eine konkrete und zeitlich wie räumlich wirksam sichernde Begleitung zu gewährleisten.

421 Mehrere Fälle aus dem Jugendrecht haben die Diskussion zu der Frage belebt, welche **Garantenpflichten** für eine (gesetzlich zur Tätigkeit verpflichtete) SozialarbeiterIn entstehen können. Das hat z.B. Konsequenzen dafür, daß bei einem etwaigen körperlichen Schaden des Schutzbefohlenen nicht nur eine unterlassene Hilfeleistung in Betracht kommt, sondern ein fahrlässiges Erfolgsdelikt (fahrlässige Körperverletzung/ Tötung).

So war in einem Fall ein Kind gestorben und die zuständige Sozialarbeiterin des JA wegen fahrlässiger Tötung angeklagt worden. Das AG fand, sie habe nach den Umständen aus dem KJHG eine Garantenpflicht (§ 13 StGB) gehabt und hat sie deshalb wegen fahrl. Tötung verurteilt. Das LG hat sie auf die Berufung freigesprochen und gemeint, das KJHG begründe noch keine Garantenpflichten. Das hat das OLG auf die Revision der Staatsanwaltschaft nicht hingenommen und die Sache zurückverwiesen. Die im KJHG normierte Schutzpflicht gehe über reine Hilfeangebote hinaus und begründe auch die Pflicht, ggf. rechtzeitig auf Schutzmaßnahmen (§ 1666 BGB) hinzuwirken[222].

Diese Argumentation dürfte über den Bereich des KJHG Bedeutung haben, jedenfalls aber für alle Maßnahmen bei Kindern und Jugendlichen bedacht werden müs-

220 Im Kern mit dieser Argumentation ist die Klage einer Krankenkasse gegen eine Einrichtung zurückgewiesen worden. Die Kasse hatte moniert, die Bewohnerin sei zu Unrecht nachts nicht im Bett gesichert worden, habe daran gehindert werden müssen, allein zur Toilette zu gehen.

221 Eine ganz eigene Dynamik entwickelt dabei die gegenwärtige Diskussion über die Berechtigung, potentielle Straftäter nach Landesrecht unterzubringen (vgl. Nedopil NJW 2000, 837). Wenn man insoweit den obigen Ansatz weiterdenkt, wäre eine Haftung noch näherliegend.

222 OLG Oldenburg NStZ 1997, 238 mit zustimmender Anm. von Cramer a.a.O.

sen. Der Wunsch dieses Personenkreises, Freiheit zu genießen, nötigenfalls auf Kosten der körperlichen Unversehrtheit, hat für die Hilfspflichtigen nicht den gleichen Stellenwert wie von Erwachsenen. Nur bei Erwachsenen hat der **Freiheitsanspruch** von Verfassungs wegen eher Vorrang, verdrängt **Hilfepflichten**, solange der Erwachsene noch **selbstverantwortlich** entscheiden kann.

Wichtig bei letzterem ist das »solange (...) selbstverantwortlich«! Wenn das ernsthaft infrage steht, kann es zu einer **Hilfspflicht auch gegen den formal erklärten Willen** der Betroffenen kommen.

So ist ein Notdienstarzt vom OLG Koblenz (zivilrechtlich) zur Verantwortung gezo- **422**
gen worden, weil er nicht erkannt hatte, daß bei der Frau, zu der er gerufen wurde, Suicidgefahr bestand. Er hätte nach Ansicht des OLG für eine dauernde Beobachtung Sorge tragen, sie nötigenfalls in eine Klinik einweisen lassen müssen. Sie war nach seinem Besuch und Medikamentengabe (trotzdem) aus einem Fenster gesprungen, sechs Meter tief abgestürzt und hatte erhebliche Verletzungen erlitten.[223]

18.4 Versicherungen

Das Vormundschaftsgericht kann der BetreuerIn den Abschluß einer **Haftpflicht-** **423**
versicherung auferlegen (§ 1837 BGB). Das ist für ehrenamtliche in der Regel kein Problem, weil die (meines Wissens nach alle) Bundesländer für **ehrenamtliche** BetreuerInnen (nicht für BerufsbetreuerInnen) eine **Sammelversicherung** abgeschlossen haben. Im Rahmen dieser Sammelversicherung besteht ein (summenmäßig begrenzter) Deckungsschutz in der Vermögensschadenshaftpflichtversicherung und der allgemeinen Haftpflichtversicherung.

Inanspruchnahmen aus Haftpflicht sind unverzüglich (ggf. über das Vormundschaftsgericht oder) an die Versicherung zu melden. Über die Einzelheiten wie die Ansprechpartner werden die BetreuerInnen bei der Verpflichtung informiert.

BerufsbetreuerInnen müssen sich dagegen selbst versichern. Es gibt viele Gerichte, **424**
die nicht versicherte BetreuerInnen gar nicht als BerufsbetreuerInnen akzeptieren, den Versicherungsnachweis zum Bestandteil der Eigungsprüfung machen. (Zum Risiko einer Deckungslücke bei zugezogenen Vertretern s. Rn. 412.)

Bei Vereins- oder Behördenbetreuungen haftet nach außen i.d.R. der Verein bzw. die Behörde für die MitarbeiterInnen. Ein Regreßversuch wird allerdings nicht ausschließbar sein.

223 BGH MDR 1998, 407.

19. Betreuungsvereine

425 Den Betreuungsvereinen obliegt die

- Mitarbeitereinstellung, deren Beaufsichtigung,
- Weiterbildung und Versicherung,
- Gewinnung ehrenamtlicher Mitarbeiter,
- planmäßige Information über Vorsorgevollmachten und Betreuungsverfügungen,
- Erfahrungsaustausch/Supervision (§ 1908 f BGB).

Das ursprüngliche Anliegen, die Anerkennung der **Vereine überörtlich zu bescheiden**, ist selten umgesetzt worden. Die Finanzierung ist durch Landesrecht sicherzustellen (s. auch Rn. 428). Die Länder sind dabei unterschiedliche Wege gegangen.

426 Bundesweit gab es 1995 868 Betreuungsvereine (1992: 361).

Die Aufwendungen für Betreuungsvereine sind bundesweit von 9 Mio. DM (1992) auf 23,9 Mio. DM (1995) angestiegen.

Die Zuschüsse in den Bundesländern differieren (1995) zwischen 70,- DM pro 1.000 Einwohner (Bayern; Betreutendichte: 8,24) und 900,- DM (Rheinland-Pfalz; Betreutendichte: 8,5 pro 1.000 Einwohner).

427 Solange der Verein selbst als Betreuer bestellt ist, erhält er nur Aufwendungsersatz, wenn dieser aus dem Vermögen des Betreuten bezahlbar ist; im übrigen nie einen Aufwendungsersatz und nie eine Vergütung. Nur wenn eine VereinsbetreuerIn bestellt ist, erhält der Verein (nicht die BetreuerIn) gemäß § 1908 e BGB Aufwendungsersatz (ohne Versicherungskosten) und Vergütung. In keinem Fall erhält der Verein Ersatz der anteiligen allgemeinen Verwaltungskosten.

428 Die **Kostenerstattung** verweist auf ein eigenartiges und **störanfälliges** Viereck. Die MitarbeiterIn ist in der Verantwortung gegenüber der Betreuten (§§ 1902, 1901 BGB) und wird durch das Vormundschaftsgericht beaufsichtigt (§§ 1908 i, 1837 BGB), untersteht als VereinsmitarbeiterIn der Pflicht gegenüber ihrem Arbeitgeber, der insoweit (begrenzte) Weisungsbefugnisse hat, sie bezahlt, seinerseits für die konkret im Einzelfall erbrachten Dienste Entgelte über § 1908 e BGB erhält. Er bleibt für seine Gesamtfinanzierung auf eine **Mischkalkulation** verwiesen.

Verein Arbeitgeber	**Gericht** (Aufsicht)
MitarbeiterIn (Pflichten aus dem Arbeitsverhältnis, der gerichtlichen Bestellung wie Aufsicht und gegenüber der Betreuten)	**Betreute/r**

Die Aufgabe, **ehrenamtliche MitarbeiterInnen zu gewinnen**, ist nicht zu unterschätzende Teilaufgabe der Vereine. Weder die finanzielle Ausstattung, noch die Fallzahlen erlauben eine ausschließliche hauptberufliche Arbeit (ob sie wünschenswert wäre, sei dahingestellt). Die Fallzahlen haben sich schnell wieder so entwickelt, daß kaum ein Unterschied zu der beklagten Massenverwaltung nach altem Zustand (vor 1992) erkennbar ist. Die Hoffnung, pro Professioneller/m nicht mehr als 30-40 Klienten betreuen zu müssen, hat sich jedenfalls erledigt. Die Verwaltungs- wie die Koordinierungsarbeit, die nicht mit eigenen Klienten verbunden ist, ist von den Vereinen daneben zu leisten. 429

20. Abschluß der Betreuung / Verwahrungsrechte

430 Bei **Beendigung der Betreuung** durch den Tod der Betreuten gehört die Totenfürsorge bekanntlich nicht zu den Aufgaben der BetreuerIn, wird allerdings oft als abschließende Not- und/oder Eilmaßnahme mit erledigt.

Im Streit der (sonstigen) Angehörigen mit den Erben ist für die **Totenfürsorge** wichtig, daß sie nicht dem Erben als solchen zusteht[224], sondern den nächsten Angehörigen[225]. Die BetreuerIn ist in solchen Auseinandersetzungen gut beraten, sich auf formale erbrechtliche Abwicklungen zurückzuziehen und die Angehörigen untereinander streiten zu lassen.

431 Bei dem Zugriffsrecht auf Unterlagen haben sich die **Auseinandersetzungen um Herausgabepflichten** insbesondere nach Beendigung der Betreuungen vermehrt. Offenbar ist es nicht einfach, einem Erben wie gelegentlich auch einem Gericht[226] zu vermitteln, daß nicht alle Unterlagen der BetreuerIn solche der Betreuten sind und damit nicht alle herauszugeben sind. Andererseits ist z. B. die Vorstellung einer BetreuerIn, die Kontoauszüge gehörten zu ihren Unterlagen, da sie nur so den Verlauf der Betreuung und die erteilte Abrechnung belegen könne, sicher unzutreffend. Das Konto kann nur eines der Betreuten gewesen sein (sonst läge eine unzulässige Vermischung von Geldern vor). Mithin gehören auch die **Kontounterlagen der Betreuten** und sind deshalb nach Beendigung herauszugeben.

Die Ursachen für den Streit liegen nicht nur an dieser Stelle auch an der nach wie vor oft unzureichenden Trennung der Unterlagen bei den BetreuerInnen, die die eigenen **Handakten nicht zureichend von den Unterlagen, die der Betreuten gehören, trennen**. Sinnvoll (wohl sogar zwingend rechtlich geboten) ist es, eine Doppelmappe zu führen, in der einerseits Schriftverkehr usw. der Betreuten, andererseits der der BetreuerIn erfaßt wird und die Belegsammlungen gesondert (geordnet) beizuheften[227].

224 Übersicht bei Grziwotz in MDR 1998, 1452.

225 AG Grevenbroich MDR 1998, 418 m.w.Nachw.

226 Mir haben (auch unberechtigte) Beschwerden über Betreuer vorgelegen. Die Beteiligten wollten, daß das Betreuungsgericht dem »uneinsichtigen« Berufsbetreuer endlich klar machte, daß er alles herauszugeben hatte (etc.).

227 Wer Beispiele oder analog anwendbare Hinweise sucht, kann z.B. die Anordnungen der Dienstordnung für Notare heranziehen, in der gut verständliche und analog umsetzbare Regelungen für die Führung von Konten mit fremdem Geld (dort »Anderkonten« genannt) zu finden sind. Der Notar hat allerdings die Belege selbst zu verwahren, weil es sich um seine Konten, nur mit fremdem Geld, handelt.

Die die Betreuten betreffenden Unterlagen sind von den **Handakten der BetreuerInnen** getrennt zu halten. Die Unterlagen der Betreuten sind herauszugeben, die eigenen Unterlagen der BetreuerIn nicht. 432

Anhang

I. Aktenauszüge[1]

Fall 1: (Altersdemenz; Sicherungsmaßnahmen im Altenheim)

Glück Auf, Altenpflegeheim 2.3.1999 **1.1**

An das
Amtsgericht Holzminden

Antrag auf Bestellung einer Betreuerin

Für Herrn Anton Müller[2] wird die Einrichtung einer Betreuung beantragt.

Herr Müller lebt seit dem 2.1.1995 in unserem Haus. Er ist jetzt so schwach, daß er nicht mehr in der Lage ist, sich ohne Hilfe fortzubewegen. Er akzeptiert das nicht und versucht immer wieder allein aufzustehen, wodurch es bereits zu mehreren Stürzen gekommen ist, bisher ohne wesentliche körperliche Folgen. Es ist dringend erforderlich, ihn in seinem Rollstuhl und im Bett zu sichern. Wir bitten um baldige Bescheidung[3].

Herr Müller ist auch nicht in der Lage, seine Interessen in anderen Entscheidungsbereichen zu vertreten. Er kann sich zu der Einrichtung einer Betreuung nicht mehr äußern.

Der Sohn Max Müller besitzt Bankvollmacht und Postvollmacht und kümmert sich um die Belange des Vaters. Er dürfte geeignet sein, eine Betreuung zu übernehmen.

1 Es handelt sich um Beispiele, die an abgewandelte und anonymisierte Originalvorgänge angelehnt sind; **die genannten Personen und Institutionen existieren so nicht**. Die Berichte, Gutachten, Entscheidungen etc. sind weitgehend an die Originale angelehnt. Die Problematik der beschriebenen Fälle ist alltagstypisch. Atypisch ist, daß es sich in drei Fällen um Männer handelt. Insbesondere im Altersbereich sind deutlich mehr Frauen als Männer betroffen.

2 Es wäre wichtig, vollständige Personalien anzugeben. Sonst gibt es sicher Rückfragen.

3 Das Erfordernis von Sicherungsmaßnahmen ist oft Anlaß für Antragstellungen. Wie hier dürfte das i.d.R. zu spät sein.

1.2 Auszug aus dem Protokoll über die richterliche Anhörung 11.3.1999

Der Betroffene äußerte sich wie folgt:

Es geht mir nicht so gut. Sonst ist hier alles in Ordnung.

Ach, Sie sind nicht der Doktor. Ich dachte, er käme und sagte mir, was mir fehlt. Ich bin so schwach. Mein Geist ist aber ganz klar. Da bin ich auch nicht kurzsichtig. Da kann ich noch alles.

Ich bin gefallen. Hatte mich nachts im Bett gedreht. Sonst brauche ich zum Aufstehen keine Hilfe, nur meinen Stock.

Oh Gott, was ist mit Ihren Händen? Haben Sie keine mehr? (Der Betroffene beruhigt sich wieder, als der Anhörende ihn anfaßt.)

(Wo haben Sie vor dem AH gelebt?[4]) Früher habe ich in … wie heißt das noch gleich … (schaut zur Stationsschwester) …

(Kinder?) Ja drei, glaube ich. Die sind so groß. (Zeigt mit den Händen etwa 1 m über dem Boden.)

(Namen?) Gisela und Manfred. Manfred hat auch schon selbst Kinder. Der wohnt in …

(Max?) Nein, das ist nicht … Das ist doch …

(Wer hilft bei Briefen u.ä.?) Max … Das soll auch so bleiben.

(Bettsicherung?) Nein, das will ich nicht.

Vermerk des Anhörenden: Augenscheinlich sehr hilfe- und schutzbedürftig.

Das Personal, Schwester Monika, berichtet, der Sohn halte regelmäßig Kontakt und sei zuverlässig erreichbar; er habe die Telefonnummer: … Der Betroffene habe in den letzten zwei Jahren deutlich abgebaut, liege seit etwa 1 ½ Jahren überwiegend[5].

1.3 Vermerk: 12.3. 1999

Die Frage der Betreuereignung wurde mit der Betreuungsstelle, Frau Maier, erörtert. Die Betreuungsstelle regt an, den Sohn (es folgen volle Personalien) zu bestellen.

4 Es ist nicht geboten, die Fragen jeweils anzugeben. Sie machen das Bild aber i.d.R. plastischer, zumal sich dann auch die Kontextgerechtigkeit erkennen läßt.

5 s. auch Fußn. 3

Dr. med. Schneider 1.4

An das Amtsgericht Holzminden

Anton Müller, geb. 20.8.1903

Der von mir betreute Patient leidet an einer Hirnleistungsschwäche mit örtlicher, zeitlicher und personeller Desorientierung. Er ist nicht in der Lage, eigenständige Entscheidungen zu treffen und die Bedeutung und Potenz von Handlungen abzuschätzen. Aus ärztlicher Sicht ist es zum Wohle des Patienten dringend erforderlich, eine Betreuung einzurichten[6].

Da er wiederholt gestürzt ist, sollte er gesichert werden, wenn er allein ist[7].

Beschluß 1.5

In dem Betreuungsverfahren für Herrn Anton Müller, geb. 20.8.1903, AH Glück Auf, Holzminden

wird Herr Max Müller, Kurze Straße 2, Hannover, zum Betreuer bestellt.

Der Aufgabenkreis der Betreuung umfaßt:

Sorge für die Gesundheit d. Betroffenen einschließlich der Zustimmung zu ärztlichen Maßnahmen,

Aufenthaltsregelung,

Vermögenssorge

Entgegennehmen und Öffnen der an den Betreuten gerichteten Post.

Das Gericht wird spätestens bis zum **20.3.2004** über eine Aufhebung oder Verlängerung der Betreuung beschließen.

Der Betreute kann zum Eigenschutz im unausweichlich nötigen Umfang mechanisch gesichert werden, soweit andere Schutzmaßnahmen nicht zurei-

6 Das ist nach altem wie neuem Recht eine typische ärztliche Stellungnahme eines Hausarztes; auch die von Fachärzten sehen nicht ganz selten so aus. § 68 b FGG dürfte das kaum entsprechen. Andererseits sind die Umstände eindeutig. Viele Gerichte begnügen sich deshalb bei so eindeutigen Fällen weiter mit solchen Äußerungen, lassen Gutachten erst erstellen, wenn Streit entstehen sollte (im Rahmen des Abhilfeverfahrens).

7 Die Handhabung stützt sich auch auf die sich aus § 70 e Abs. 1 FGG ergebende Einschränkung. Für § 1906 Abs. 4 BGB genügt ein ärztliches Zeugnis. Es ist wenig vermittelbar, daß die Sicherung/Freiheitsbegrenzung weniger erfordert als die Grundanordnung.

chen. Die genehmigten Maßnahmen sind **jeweils** zu beenden, wenn aus dem Verhalten d. Betreuten und/oder der Beaufsichtigungsmöglichkeit sichergestellt ist, daß keine konkrete Gefahr besteht.

Diese Genehmigung gilt zunächst längstens bis zum **20.3.2000**.

Zum Ablauf ist ggf. eine gerichtliche Überprüfung und neue Entscheidung herbeizuführen. Eine Fortsetzung der Maßnahmen ohne Verlängerungsbeschluß wäre unzulässig.

Die Entscheidung ist sofort wirksam.

Gründe

Es ist erforderlich, eine/n Betreuer/in zu bestellen, weil d. Betroffene aufgrund einer Krankheit bzw. Behinderung die o.a. Angelegenheiten nicht selbst besorgen kann. Das folgt aus dem Ergebnis der gerichtlichen Ermittlungen, insbes. aus dem ärztl. Zeugnis/Gutachten, den Berichten der Sozialdienste und dem unmittelbaren Eindruck des Gerichts.

Von der Bestellung eines Verfahrenspflegers wird abgesehen, weil die Wahrnehmung der Rechte d. Betreuten durch die Angehörigen/Vertrauenspersonen sichergestellt erscheint.

Die Anordnung der sof. Wirksamkeit beruht auf § 69 a III FGG.

Rechtsmittelbelehrung: sof. Beschwerde[8]

2) Beschluß an

Betreute/n

Betreuer

Betreuungsstelle

Heim/Einrichtung

8 Die RichterIn verfügt dazu nicht die Einzelheiten. In dem Text, der nach draußen geht, steht dann (hoffentlich) ein für Laien lesbarer Text. Falls der Beschluß, der draußen ankommt, irgend welche Fehler enthält, kann es sinnvoll sein, erst einmal abzufragen, ob ein bloßer Ausfertigungsirrtum vorliegt. Es gilt das, was beschlossen ist, die Ausfertigung soll das nur nach draußen vermitteln. Die fehlende Begründung für die Sicherungsmaßnahmen ist wie die falsche oder mißverständliche Rechtsmittelbelehrung ebenfalls kein Unwirksamkeitsgrund. Die 2. Instanz wird sich zu Recht daran stören und entsprechend reagieren. Dennoch gilt das Angeordnete bis zu einer gegenteiligen Entscheidung.

Verpflichtungsprotokoll 1.6

Amtsgericht Holzminden

Gegenwärtig: Kamm, Rechtspfleger/in

Es erscheint: Herr Max Müller (ausgewiesen durch BPA Nr. xxxxxxxxxxx)

zur Verpflichtung als Betreuer/in für Herrn Anton Müller. Der Aufgabenkreis ist in dem Beschluß vom ... bestimmt.

Eine Genehmigung gem. §§ 1908 i, 1784 BGB ist nicht erforderlich.

D. Erschienene wurde über die Pflichten eines/r Betreuers/Betreuerin unterrichtet und zu treuer und gewissenhafter Führung des Amtes verpflichtet. Der Betreuerausweis wurde ausgehändigt.

Er erklärt: Ich weiß daß ich den Ausweis bei Beendigung des Amtes zurückzugeben haben. Mit mir wurden die Verhältnisse d. Betreuten durchgesprochen. Ich bin über die Sammelversicherung unterrichtet worden. Ein Merkblatt für Betreuer habe ich erhalten. Auf §§ 1835 ff. BGB wurde ich hingewiesen.

Die ausgehändigten Vordrucke für das Verzeichnis des Vermögens werde ich ausgefüllt innerhalb eines Monats zurückgeben.

v.g.u. geschlossen:

Müller *Kamm*

Vermögensverzeichnis 1.7

Verzeichnis des Vermögens

(unter Vermögen ist alles zu verstehen, was Geldwert hat)[9]

Vermögensgegenstände

Wert:

Grundstücke und grundstücksgleiche Rechte 0,00 DM

9 Das Vermögensverzeichnis (VVZ) wird in der Regel auf dem amtlichen Vordruck erstellt, an den der nachstehende Text angelehnt ist. Der Vordruck muß aber nicht verwendet werden, wenn im übrigen vollständige Angaben gemacht werden und die Vollständigkeit und Richtigkeit der Angaben versichert wird.

Erwerbsgeschäft		0,00 DM
Zu verwaltendes Geld		
Bargeld		0,00 DM
Girokonto		-2.000,00 DM
sonstige Guthaben	Post	23.000,00 DM
	DB	4.300,00 DM

Wertpapiere

Ausstehende Forderungen

Haus- und Küchengeräte

Kunstgegenstände

Gegenstände des persönlichen Gebrauchs

Werkzeuge und Maschinen

Fahrzeuge aller Art

Tiere

Vorräte

Beteiligungen

Schulden

Eingetragenen Belastungen

Sonstige Verbindlichkeiten

Einkommen

Arbeitseinkommen	
Renten	1.712,00 DM mtl.
Pensionen	
Sonstiges Einkommen	Zinsen p.a.

Die vorstehende Aufstellung des Vermögens habe ich nach bestem Wissen gefertigt und versichere die Richtigkeit und Vollständigkeit meiner Angaben.

Müller

(Nachgeheftet sind Kopien der Auszüge und Sparbücher)

Verfügung d. Rechtspflegerin: **1.8**

1) Keine Kosten (§ 91 ff KostO)[10]

2) Keine Rechnungslegungspflicht (Sohn !)[11]

3) wiedervorlegen: 1 Jahr (Bericht)[12]

Kamm

Bericht in der Betreuungssache[13] **1.9.**

(Zeitraum: …)

Der Betreute … befindet sich weiterhin am APH Glück Auf in Holzminden.

Der Aufenthalt ist nicht mit Freiheitsentziehung verbunden.

Der Gesundheitszustand ist unverändert.

Die letzte Begegnung mit der betreuten Person fand am 10.2.2000 statt.

Ich konnte mich vergewissern, daß er mich teilweise versteht. Er äußerte keine Wünsche.

10 Es handelt sich um eine interne Notiz; Kosten werden erst bei Überschreitung der Schutzgrenzen aus der KostO erhoben.

11 vgl. § 1908 i Abs. 2 S. 2 BGB.

12 Die internen Wiedervorlageanordnungen haben für die anderen Beteiligten keine Bedeutung. Wenn ihnen z.B. eine Frist von 2 Wochen gesetzt wird, ist damit grundsätzlich gemeint, zwei Wochen nach Zugang. Die Wiedervorlagefrist wird dann in der Regel 3 Wochen betragen und erst, wenn dann immer noch keine Reaktion erfolgt ist, erinnert. Hier ist beabsichtigt, in (ca.) einem Jahr den nächsten Bericht anzufordern. Wenn in der Zwischenzeit neue Unterlagen eingehen, erhält die Sachbearbeiterin die Akten damit natürlich gleich nach Eingang.

13 Auch für diesen Bericht gibt es einen Vordruck, der zu dem nachfolgend genannten recht stereotypen Text führen kann. Wenn das Gericht keine abweichende Information erhält, wird es sich damit begnügen. Deshalb ist es so wichtig, daß Besonderheiten oder Probleme auch von anderen Beteiligten eingebracht werden. Damit zu warten, bis das Kind in den berühmten Brunnen gefallen ist, ist nicht sachdienlich.

Es sind keine Rehabilitationsmaßnahmen geplant.

Die Vermögensübersicht ist beigefügt.

Ich halte die Betreuung weiterhin für erforderlich, weil altersbedingt keine Besserung zu erwarten ist.

Müller

(Abbruch des Auszuges; in der Sache wäre eine Folgeverfügung der Rechtspflegerin wegen des Berichts (neue Frist) und Vorlage an den Richter zu erwarten, der eine Rückfrage zu der auslaufenden Genehmigung nach § 1906 Abs. 4 BGB veranlassen dürfte. Hat sich das Sicherungsproblem erledigt? Oder wird ein Verlängerungsantrag gestellt?)

Fall 2: (Grenzfall geistige Behinderung/Krankheit; Vermögensverwaltung, Beschwerde)

Gesundheitsamt Stade 3.3.1997 **2.1**

An das
Amtsgericht Stade

Eduard Best, geb. 21.10.1942

Herr Best ist dem Dienst seit 10 Jahren bekannt. Er lebt in der früheren Wohnung seiner Eltern, die im letzten Jahr verstorben sind.

Seine wirtschaftlichen Verhältnisse dürften gesichert sein. Er ist jedoch außerstande, sein Leben zu organisieren, lehnt dabei Hilfe ab. Ihm vermittelte Reinigungskräfte hat er jeweils als zu teuer des Hauses verwiesen. Körperpflege nimmt er selbst nicht vor, lehnt auch dabei Hilfen ab. Seine Wäsche scheint er lange nicht mehr gewechselt zu haben.

Er scheint nicht krankenversichert zu sein, geht keiner Beschäftigung nach und erhält unseres Wissens keine Bezüge aus öffentlichen Kassen.

Lebende Angehörige sind nicht bekannt.

Wir regen an, eine umfassende Betreuung einzurichten und einen Berufsbetreuer zu bestellen[14].

Das Gericht hat Herrn Best angeschrieben und über die o.a. Anregung sowie darüber informiert, daß ein Arzt um ein Gutachten gebeten worden ist. Das Kommen des Arztes ist zugleich angekündigt worden. **2.2**

14 Eine so offene Anregung wird in der Regel erst in ca. 3 Monaten oder später die abschließende Antwort erfahren (Beschluß). In dieser Zeit werden die anderen Unterlagen zusammengesucht, die ÄrztInnen und die Betreuungsstelle beteiligt, die oft je allein 2 Monate und mehr benötigen, um zu reagieren (u.a. Personalausstattungsprobleme).
Es dürfte sinnvoll sein, vor Ort grundsätzlich abzusprechen, wie das Verfahren beschleunigt werden kann, wenn es nötig ist.

2.3 Dr. Manfred Schatz

Eduard Best, 21.10.1942

Der Obengenannte wurde am 10.4.1997[15] in seiner Wohnung aufgesucht. Mit anwesend war Frau Möller vom Gesundheitsamt, der er aufgemacht hatte. Auf den vorherigen alleinigen Zugangsversuch des Gutachters wurde nicht reagiert. Die Wohnung war beleuchtet, die Gardine bewegte sich.

… (folgt Bericht über die Wohnsituation) …

Herr Best hat die Realschule mit Abschluß besucht, danach offenbar eine weiterführende ohne Abschluß. Das Militär habe ihn nicht genommen. Warum, konnte er nicht angeben. Er habe sich bei verschiedenen Firmen beworben. Es habe aber nie geklappt.

Er habe keinen Arzt, sei auch nie ernsthaft krank oder in einer Klinik gewesen.

Früher habe er gelegentlich Spaziergänge gemacht, seit 1995 nicht mehr.

Er lese viel. Auf Rückfrage konnte er kein Buch benennen, brachte dann ein 1962 erschienenes einfaches Geographieunterrichtsbuch.

Die Küche enthält zahlreiche gebrauchte Kochutensilien mit verschimmelten Anhaftungen. In dem Kühlschrank sind verschimmelte Lebensmittel durch den großen Eisblock teilweise eingeschlossen.

Herr Best meint, ein neuer Kühlschrank sei zu teuer.

… (Bericht über Untersuchungsansätze) …

Erklärt werden könnte dies durch eine Psychose aus dem schizophrenen Formenkreis.

…

(Der Gutachter hält die Einrichtung einer Betreuung für Vermögen, Gesundheit, Wohnungsangelegenheiten für erforderlich.)

15 Es ist nicht nur in ländlichen Bezirken nicht immer ganz leicht, Fachärzte zu Hausbesuchen zu bewegen. In zwei mir bekannten Bezirken gab es z.B. jahrelang keine derartige ÄrztIn, die überhaupt Hausbesuche machte. Das Gesundheitsamt hatte sich – erfolgreich – geweigert, an Betreuungsverfahren durch Gutachtenserstattungen mitzuwirken.

Die **Kosten** für das Gutachten in Höhe von 543.- DM[16] werden durch das Gericht angewiesen. 2.4

In der Akte befinden sich außerdem **2 Vermerke** über einen Anruf des Gesundheitsamtes und eine telefonische Beschwerde des Nachbarn. Die Situation werde immer unerträglicher. Herr Best horte den Müll, weigere sich, Müll abfahren zu lassen.

Der **Bericht**[17] der Betreuungsstelle 2.5
bestätigt die schriftlichen Angaben des Gesundheitsamtes.

Herr Best sei bereit gewesen, zu sprechen, habe bestätigt, daß er allein kaum zurecht komme, wolle aber keine Hilfe. Er müsse sparen.

Die Wohnung rieche sehr streng. Herr Best wirke unzureichend ernährt. Er verweigert Angaben zu der Art seiner Ernährung. Der Kühlschrank sei noch gut; wohl 30 Jahre alt, noch vom Vater gekauft.

Die Betreuungsstelle hält eine umfassende Betreuung für erforderlich und benennt den gerichtsbekannten Berufsbetreuer Ernst Rasch.

15.5.1997 2.6

Das richterliche **Anhörungsprotokoll** weist aus, daß Herr Best Hilfe ablehnt. Das werde viel zu teuer. Er habe mehr als 100.000.- DM und weniger als 500.000.- DM. Genauere Angaben verweigert er.

Der Kühlschrank sei noch in Ordnung. Der Fernseher werde schon seit 25 Jahren nicht mehr benutzt.

Er zeigt dem Richter die Wohnung. Dabei auf einem Schreibtisch abgelegte, dick eingestaubte ca. 30 Glühbirnen (vergilbte Kartons) angesprochen, erklärt er, die seien auf Vorrat gekauft und würden noch benötigt.

16 Das Zeitproblem wie diese Kosten sind auch Gründe dafür, daß eine ganze Reihe von Gerichten nur bei problematischen Bewertungen darauf zurückgreifen. Die Kosten müßte ggf. die Betreute erstatten (wenn über den Schutzgrenzen).

17 Die Stellungnahmen der Betreuungsbehörden weisen eine fast gleich große Spannweite auf wie die ärztlichen Äußerungen. Von Dreizeilern mit Anordnungsempfehlung bis zu mehrseitigen Gutachten kommt alles vor. Die Dreizeiler sind in der Regel wenig hilfreich. Anders als bei den medizinischen Ursachen kommt es insoweit je auf die Prognose, die Grundlagen für das Weitere an.

Am Ende ist vermerkt, daß ein Betreuungsbeschluß angekündigt worden ist mit der Bestellung eines Berufsbetreuers (Herr Best hat keine Wünsche zu Mann oder Frau genannt).

2.7 In dem Betreuungsbeschluß vom 17.5.1997

ist eine Betreuung angeordnet,

Ernst Rasch zum Betreuer bestellt worden mit den Aufgabenkreise:

Gesundheitsfürsorge

Aufenthaltsbestimmung

Vermögenssorge.

Die Begründung ist formulargemäß (s. Fall 1).

2.8 Verpflichtungsprotokoll 22.5.1997 (s. Fall 1, hier keine Besonderheiten)

2.9 Das **Vermögensverzeichnis** listet Guthaben im Gesamtwert von 490.320.- DM auf (Girokonto, 2 Sparbücher über je ca. 30.000.- DM und zwei Wertpapierdepots; eins ausgestellt auf den Betreuten, eins auf seine verstorbene Mutter. Er war Einzelkind.)

Herr Best sei einkommenslos, nicht krankenversichert, lebe davon, daß er sich gelegentlich kleinere Beträge vom Konto hole.

Die Wohnung werde über Dauerauftrag bezahlt, eingerichtet noch von den Eltern.

Die letzte vollständige Steuererklärung sei wohl 1988 durch den Vater abgegeben worden. Danach sei dem Steuerberater jeweils nur noch das Renteneinkommen benannt worden, nicht die Kapitalerträge.

Herr Best nutze 2 Räume der 5-Zimmerwohnung, weigere sich aber umzuziehen.

2.10 Die **Rechtspflegerin** ordnet Rechnungslegung[18] an, bestimmt den Erstzeitraum und fordert den Betreuer auf, das Vermögen »mündelsicher« umzuschichten[19].

Es folgt weiterer Schriftverkehr zwischen Betreuer und Rechtspflegerin, bis Verträge über die häuslichen Pflegeleistungen vorliegen sowie Berichte über die sonstigen

18 Die Pflicht dazu ergibt sich bereits aus dem Gesetz. In einigen Gerichten wird das aber noch jeweils konkretisiert.

19 vgl. § 1908 Abs. 1 i.V.m. §§ 1805 ff. BGB und oben Rn. 354 ff.

Maßnahmen (Essen auf Rädern; Putzhilfe) und dafür Dauerabhebungsermächtigungen erteilt sind und im übrigen das Geld neu – versperrt – angelegt ist.

Ernst Rasch 16.10.97 **2.11**

An das
Amtsgericht

Vergütungsabrechnung für den Zeitraum 17.5.1997 bis 30.9.1997

Gemäß beiliegender Einzelaufstellung ergeben sich folgende Beträge, die aufgewendet wurden und notwendig waren:

		USt.[20]
Aufwendungsersatz	212,33 DM	25,48 DM
Vergütung	3.681,25 DM	552,19 DM
	Sa.: *4.471,25 DM.*	

Der Betreute ist nicht mittellos; ich bitte um Festsetzung zur Entnahme aus seinem Vermögen.

Beigefügt ist eine Auflistung, in der tag- und minutengenau die jeweiligen Tätigkeiten und Auslagenentstehungen mit Gegenstand (Inhalt) aufgelistet sind (10 DIN A4 Seiten)[21].

Die Rechtspflegerin ordnet am 20.10. an, daß die Durchschrift des Vergütungsantrages an den Betreuten zur etwaigen Stellungnahme binnen 2 Wochen gesandt wird. **2.12**

20 Die Erstattung der Umsatzsteuer auf die Vergütung ist inzwischen gesetzlich angeordnet. Der Streit hat sich auf die Erstattung für die Auslagen verschoben. Auch insoweit müßte die Diskussion aber eigentlich durch den Beschluß des BVerfG vom 15.12.1999 (1 BvR 1904/95 u.a.) jetzt in dem Sinne erledigt sein, daß die Steuer zu erstatten ist, soweit sie unvermeidbar zusätzlich entsteht, also z.B. kein Vorsteuerabzug möglich ist.

21 Das ist zur Prüfung erforderlich. Die Rechtspfleger sind gehalten, jeden einzelnen Posten zu prüfen und werden z.B. rückfragen, warum am 20.6. ein Gespräch mit xyz nötig war, welchen Zusammenhang es mit dem angeordneten Aufgabenkreisen hatte etc.

Aus der Erledigungsnotiz in den Akten ist zu ersehen, daß diese Anordnung am 30.10. ausgeführt und das Schriftstück zur Post gegeben worden ist[22].

2.13 5.11.1997

Nach dieser ersten Abrechnung des Betreuers wird durch RA Dr. Hastig für Herrn Best

Beschwerde

gegen die Betreuungsanordnung eingelegt.

Zur Begründung wird ausgeführt:

Die Betreuung ist nicht erforderlich. Herr Best benötigt keine Gesundheitshilfe, kann sich allein versorgen. Die Betreuung zehre sein Vermögen auf.

2.14 Der zuständige Richter holt ein weiteres ärztliches Gutachten, eine neue Stellungnahme der Betreuungsstelle und des Gesundheitsamtes ein[23].

Der Betreuer berichtet in dieser Zeit, es sei gelungen, die Wohnung nach 32 Jahren erstmals wieder zu renovieren, worauf der Vermieter bestanden habe. Der Kühlschrank sei erneuert, die z.T. seit 20 Jahren überfälligen Lebensmittelvorräte entsorgt.

Herr Best lasse aber z.Zt. noch keine Körperpflege zu, was auch die Geruchsbelastung seiner Umgebung nicht unproblematischer mache.[24]

22 Diese Differenz ist nicht ungewöhnlich. Es gibt Gerichte (und große Unternehmen etc.), in denen die internen Durchläufe noch länger dauern. Die bestimmte Äußerungsfrist beginnt mit Zugang, das heißt, wenn der Empfänger die Post im Regelwege erhalten und damit Antwortmöglichkeit hat. (Wenn er im Urlaub ist und sie erst 3 Wochen später sieht, wäre sie in der Tat abgelaufen.)

23 Nur in den Fällen der sofortigen Beschwerde wird der Vorgang unmittelbar an das Beschwerdegericht gegeben. In den anderen Fällen muß das Gericht, das die angegriffene Entscheidung erlassen hat i.d.R. erst noch selbst prüfen, ob es nicht Anlaß zu einer neuen bzw. anderen Beurteilung sieht. Wenn das so sein sollte, kann es die eigene Entscheidung ggf. ändern.

24 Die Beschwerde hat keine aufschiebende Wirkung. Der Betreuer ist im Amt und verpflichtet, sich zu kümmern. Erst wenn eine neue Entscheidung ergehen sollte, die Abweichendes anordnet, wäre er aus der Pflicht.

In der erneuten Anhörung (12.2.1998) betont der Betreute seine Ablehnung. Der Rechtsanwalt führt aus, eine Betreuung sei überflüssig. Offene Rechtsprobleme könne der Betreute mit ihm lösen. Alles andere könne er allein. **2.15**

Das Gericht fertigt einen Beschluß (15.2.1998), wonach der Beschwerde nicht abgeholfen werde, die Betreuung sei weiterhin erforderlich und legt die Sache dem Landgericht zur Entscheidung vor. **2.16**

Das gibt die Akten nach 2 Monaten mit dem Hinweis (der in Durchschrift an den Rechtsanwalt gegangen ist) zurück, die »Beschwerde« sei als Aufhebungsantrag zu verstehen[25]. Der sei beschieden und dagegen sei keine Beschwerde eingelegt worden, weshalb die Kammer keinen Anlaß zur eigenen Entscheidung sehe.

Der Rechtsanwalt rechnet gegenüber Herrn Best für seine Tätigkeit ab (6.100.- DM); der Betreuer bittet um Freigabe eines entsprechenden Betrages zum Ausgleich[26]. **2.17**

25 Auch Rechtsbehelfe sind auslegungsfähig.

26 Das Gericht hatte als Gegenstandswert des Beschwerdeverfahrens (Aufhebungsantrages) den vollen Wert nach dem Vermögen bestimmt. Auf dieser Grundlage war die Anwaltsrechnung noch eher niedrig.

Fall 3: (Geistige Behinderung, BetreuerInnenwechsel, Schutzmaßnahmen in einer Wohngruppe)

3.1 Landesversicherungsanstalt Bremen 10.5.1978

An das Amtsgericht Lüneburg

Waisenrentenangelegenheit für Karl Laprenz, Geb. 20.9.1954

Sehr geehrte Damen und Herren!

Nach unseren Unterlagen ist die o.a. Waise nicht in der Lage, die eigenen Angelegenheiten wahrzunehmen. Sie lebt seit 1973 in der Stiftung Zum Roten Stein in Dannenberg, Heim für Behinderte.

Es wird angeregt, eine Gebrechlichkeitspflegschaft zu bestellen mit dem Wirkungskreis »Durchführung des Rentenverfahrens«.

Die Mutter, Frau … , wohnt in …

3.2 Beigefügtes Ärztl. Attest (Kopie) für den Betroffenen.[27]

K. Laprenz ist geistig und körperlich schwer behindert. Er ist außerstande, sich selbst zu unterhalten.

Eine Besserung des Zustandes ist nicht zu erwarten.

3.3 Schreiben des Amtsgerichts an den Betroffenen mit der Information über den Antrag und Gelegenheit zur Stellungnahme binnen 8 Tagen[28].

Und: Anfrage an die Mutter des Betroffenen, ob sie bereit sei, die Pflegschaft zu übernehmen.

27 Nach altem Recht sind solche beigefügten Bescheinigungen oft akzeptiert worden; nach neuem Recht soll das nicht genügen (mit dem Gericht vor Ort klären).

28 So etwas kommt auch heute noch vor; absurd wirkt es spätestens dann, wenn die Betroffene nicht lesen kann.

Sowie: Anfrage an das Jugendamt, ob ein Pflegschaft erforderlich sei, für welchen Wirkungskreis und wer die Aufgabe übernehmen könne.

Eingang bei Gericht; Schreiben ohne Absender und Datum: **3.4**

Ich bin bereit, die Pflegschaft als Mutter zu übernehmen.

(Unterschrift)

Bericht des Jugendamtes **3.5**

Karl befindet sich seit März 1972 in der Einrichtung. Er ist nicht in der Lage, seine Belange wahrzunehmen.

Es besteht bereits eine Pflegschaft.

Durch Beschluß des dortigen Amtsgerichts vom 5.2.1977 wurde für 350 Bewohner der Einrichtung eine Pflegschaft für die Zustimmung zu ärztlichen Maßnahmen eingerichtet und das Jugendamt bestellt.

Die neuen Aufgaben können von uns nicht zusätzlich übernommen werden. Wir regen an, die Mutter, Frau (…), zu bestellen.

Beschluß **3.6**

in der Gebrechlichkeitspflegschaftssache

Karl Laprenz

wird der Wirkungskreis wie folgt neu gefaßt:

Vermögenssorge und Aufenthaltsbestimmung sowie Entscheidungen bei ärztlichen Maßnahmen.

Das Jugendamt wird entlassen und als neue Pflegerin die Mutter, Frau … bestellt.

(Eine Begründung ist nicht erfolgt.)

3.7 Verpflichtungsprotokoll

des Amtsgerichts Hameln, das um Verpflichtung im Wege der Rechtshilfe ersucht worden war. Der Mutter sollte die Anreise nach Lüneburg erspart werden.

3.8 Es folgen »Berichte« in dreijährigem Abstand, die daraus bestehen, daß mitgeteilt wird, es hätten keine besonderen Vorkommnisse stattgefunden (danach wurde im Anfrageformular gefragt), der Betroffene lebe weiter in dem Heim und erhalte die Halbwaisenrente.

3.9 **25.10.1993**

Schreiben des Amtsgerichts an die Mutter

Mit Inkrafttreten des Betreuungsgesetzes gilt auch für die bestehenden Pflegschaften das neue Recht der Betreuung. Dadurch hat sich u.a. das Aktenzeichen des Vorgangs geändert. Wegen der weiteren Einzelheiten wird auf anliegendes Merkblatt verwiesen.

Ein neuer Ausweis ist in der Anlage beigefügt. Bitte reichen Sie in den nächsten Tagen die alte Bestallungsurkunde zurück.

3.10 Schreiben der Mutter an die Einrichtung, die es an das Gericht weitergegeben hat:

Hiermit möchte ich Sie bitten, das Formular auszufüllen. Ich habe keine Unterlagen über meinen Sohn und kann keine Angaben machen; habe auch keine alte Urkunde.

3.11 Schreiben des Gerichts an die Mutter, sie müsse bitte den (neuen) Berichtsvordruck selbst ausfüllen. Das könne nicht von dem Gericht übernommen werden.

2.1.1994 **3.12**

Schreiben der Mutter an das Gericht

Ich möchte Ihnen zur Kenntnis geben, daß ich Vormund und Mutter, keine Betreuerin bin. Mein Sohn lebt seit 1972 in dem Heim und über die finanziellen Dinge erhalte ich von dort keine Auskünfte. Wenden Sie sich bitte selbst an das Heim.

Bitte schreiben sich *mich nicht mehr an.*

Es folgt Schriftverkehr zwischen dem Gericht, der Betreuungsstelle und dem Heim, **3.13**
wer nunmehr Betreuer werden solle. Die Mutter erscheine ungeeignet (meinen Gericht und Betreuungsstelle; das Heim formuliert, sie sei überfordert, verstehe nicht, was von ihr verlangt werde[29]). Das Heim berichtet (wie auch später in den Folgejahren nach ihrer Ablösung), die Mutter halte gelegentlich persönlichen Kontakt, schikke manchmal Päckchen.

Durch gerichtlichen Beschluß vom 10.8.1994 wird die Mutter entlassen und die Betreuungsstelle bestellt. Die Mutter reagiert nicht (beklagt sich später bei der Einrichtung).

Am 12.1.1995 findet (erstmalig) ein persönlicher Kontakt des Gerichts zu dem Be- **3.14**
treuten statt; er soll zu einer Umstellung und etwaigen Verlängerung gehört werden.

Der Betreute antwortet auf einfache Fragen einsilbig, schweigt bei komplexeren. Z.B.: (Wie geht es?) »gut«, (Haben Sie[30] Arbeit?) »ja«, (was machen Sie?) – keine Antwort –.

Die MitarbeiterIn der Wohngruppe berichtet, der Betreute gehe nur auf Aufforderung aus dem Haus und sei in der Gruppe phasenweise nicht einfach. Er arbeite nur pha-

29 Das dürfte in der Sache dasselbe sein.

30 Ich bin wiederholt darauf angesprochen worden, bei **manchen** Betroffenen entstehe durch das »Sie« eine problematische Distanz, sie reagierten besser auf »Du« und den Vornamen.
Ich habe mich bisher (fast) immer geweigert, darauf einzugehen, meine nicht, daß es Sinn des Kontakts mit dem Gericht ist, solche Pseudonähe zu erproben. In der Anhörung soll ja auch geklärt werden, wie die Betroffene auf andere/Fremde reagiert, damit umgehen kann. Das Gericht ist nicht »Besuch«. Auch an dieser Stelle kann ggf. ein Gespräch über die Rollen und Erwartungen helfen; zwischen den EinrichtungsmitarbeiterInnen und dem Gericht, *ohne* die Betreute.

senweise mit. Die Wohngruppe sei ihm offenbar wichtig. Er neige dazu, Kontaktwünsche auch aufzudrängen, werde schnell recht grob zu den MitbewohnerInnen, wenn er keine positive Rückmeldung erhalte.

Kommunikation sei sprachlich nur begrenzt, sonst aus der Situation und mit Gesten möglich. Der Betreute wisse deutlich, was er wolle und versuche, das auch durchzusetzen.

3.15 In dem ärztlichen **Gutachten** ist ausgeführt, bei dem Betreuten bestehe eine geistige Behinderung höheren Grades unklarer Ursache mit Verhaltensauffälligkeiten ... (wird ausgeführt) ... Der Betreute verfüge nicht über Kulturtechniken im engeren Sinne. Er orientiere sich am Tagesablauf, sei im lebenspraktischen Bereich weitgehend selbständig. Außerhalb der Einrichtung sei er nicht verkehrssicher.

Er sei auf einen genau strukturierten Tagesablauf angewiesen. Bei Veränderungen reagiert er empfindlich. Auch in Konfliktsituationen reagiere er mit aggressiven und autoaggressiven Durchbrüchen ... (wird ausgeführt) ...

Es werde eine Betreuung für Finanzen, Gesundheit und zur Aufenthaltsbestimmung empfohlen.

3.16 Durch gerichtlichen Beschluß vom 5.5.1995 wird die Betreuung verlängert bis 5. 5. 2000 und als Aufgabenkreis jetzt ausgewiesen:

Gesundheitsfürsorge

Aufenthaltsbestimmung

Vermögenssorge.

Ein Jahr später wird das auf Anregung der Einrichtung im schriftlichen Verfahren[31] auf »Postangelegenheiten« erweitert.

3.17 In den folgenden **Jahresberichten** wird u.a. über zunehmende Probleme in der Wohngruppe berichtet. Es sei mehrfach zu nächtlichen Übergriffen durch den Betreuten gekommen. Die Einzelheiten seien unklar, zumal die anderen Bewohner und Bewohnerinnen sich dazu nicht sprachlich ausdrücken können, zwei jedoch deutliche Angst vor dem Betreuten zeigen.

Ein Einzelbetreuer habe sich nicht finden lassen.

31 den FGG-Bestimmungen entspricht das kaum; ob es »verboten«ist und was sinnvoller wie zu machen wäre sollte nicht vermengt diskutiert werden.

Im Februar 1998 geht bei dem Gericht ein **Schreiben der Einrichtung** ein, in dem es u.a. heißt: **3.18**

Herr Laprentz lebt in einer Gruppe mit 14 weiteren Bewohnerinnen und Bewohnern. Er schläft sehr wenig. Besonders bei extremen Wetterlagen schläft er nachts kaum. Es kommt vor, daß er sich dann zu anderen Bewohnern oder Bewohnerinnen ins Bett legt und sie sexuell bedrängt. Aus diesem Grund sind nachts zunächst die Zimmer der Mitbewohner verschlossen worden, die sich nicht wehren können.

Herr Laprentz hat sich darauf einem anderen Bewohner zugewandt, der sich nicht abgrenzen kann. Es ist unklar, ob er die Annäherungsversuche begrüßt oder ablehnt.

Herr Laprentz ist pädagogisch nicht zu beeinflussen. Zum Schutz der anderen Bewohner muß sein Zimmer nunmehr nachts verschlossen werden, wenn er sich unruhig zeigt. Das soll in die Entscheidung der jeweils letzten Mitarbeiter bzw. der Nachtwache gestellt werden.

Beigefügt ist eine **ärztliche Stellungnahme** bestätigenden Inhalts.

(Anm.: Die Nachfrage wegen der Schreibweise ergibt, daß die Akte bisher zu einem unzutreffend geschriebenen Namen geführt wurde.)

Die Betreuungsstelle meldet sich, nimmt Bezug auf die o.a. Ausführungen und beantragt einen Beschluß nach § 1906 BGB. **3.19**

Es heißt weiter:

Ich sprach an, ob es nicht die Möglichkeit gebe, ihn auf eine andere Gruppe zu verlegen. Die Gruppenleiterin erklärte dazu, »es würde ihm das Herz brechen«, wenn er umziehen müsse. Er lebe sehr lange dort, reagiere auf jede Veränderung mit erheblichen Eigenbeschädigungen und Magen-Darmprobleme massiver Art. Im Verhältnis dazu sei die nächtliche Eingrenzung auf sein Zimmer, wenn es aus der Situation geboten sei, das geringere Übel.

Nach richterlicher Anhörung erläßt das Amtsgericht einen Beschluß, wonach genehmigt wird, daß der Betreute innerhalb der Wohngruppe – zeitweise – am Verlassen seines Zimmers gehindert werden darf, wenn es aus seinem Verhalten geboten sei[32]. **3.20**

32 Fälle wie dieser sind lange Kern des Streits um die nach § 1906 BGB zulässigen Zwecke gewesen. Wenn man hier auf das Landesunterbringungsrecht abstellen wollte, müßte der Betreute die Einrichtung verlassen, weil sie für Maßnahmen nach dem Landesunterbringungsrecht nicht zugelassen ist.

(Der Anlaß wird in den Gründen beschrieben). Die jeweilige Anordnung sei mit dem Anlaß aktenkundig zu machen.

Die Genehmigung ist auf 2 Jahre befristet.

Fall 4: (Alkoholabhängigkeit, Unterbringungsmaßnahmen nach LandesR und BGB)

Landkreis Peine 3.3.1999 **4.1**

Gesundheitsamt

An das
Amtsgericht Peine

Anregung einer Betreuung für Frau Andrea Belowa, geb. 19.10.1961

Frau Belowa ist uns seit Juni 1996 bekannt. Sie ist mehrfach nach massivem Alkoholmißbrauch aufgefallen und deshalb bisher 7 mal nach PsychKG im Landeskrankenhaus entgiftet bzw. behandelt worden. Im Anschluß war sie jeweils nicht gewillt, therapeutische Angebote wahrzunehmen. Sie war ab September 1998 nicht mehr in der Lage, ihre Kinder zu versorgen, weshalb sie inzwischen anderweitig untergebracht wurden.

Ein im letzten Jahr gestellter Antrag auf Betreuung ist am Widerstand von Frau Belowa gescheitert.

Frau Belowa lebt von Sozialhilfe, hat Schulden und bestellt immer wieder im Versandbereich, verschuldet sich dadurch weiter. Einen genauen Überblick über ihren Schuldenstand hat sie nicht. Da sie auch die Strom- und Gaskosten nicht bezahlt, haben die Stadtwerke jetzt gedroht, die Versorgung zu unterbinden. Das Sozialamt ist nicht mehr bereit, zusätzliche Beträge einzusetzen.

Der Vermieter hat das Mietverhältnis wegen angeblicher Störungen durch Frau Belowa und betrunkene Bekanntschaften von ihr fristlos gekündigt und Räumungsklage erhoben. Verhandlungstermin ist vom Amtsgericht bestimmt auf den 9.4.1999. Frau Belowa ist nicht in der Lage, angemessen auf diese Situation zu reagieren oder sich eine neue Wohnung zu suchen.

Sie ist mit einer rechtlichen Betreuung für Wohnungsangelegenheiten einverstanden, lehnt eine weitergehende Betreuung ab. Wir halten eine Betreuung für Gesundheitssorge, Vermögenssorge und Bearbeitung von Amts- und Geschäftspost für dringend erforderlich.

4.2 Amtsgericht Peine

1) Kopie des Antrags[33]

Herrn Dr. Möller

Peine

m.d.B. um Erstattung eines Gutachtens zu der Erforderlichkeit und dem gebotenen Umfang einer Betreuung.

2) U.m.A.

an die Betreuungsstelle[34] *EILT!*

b.d. Landkreis

Peine

mit der Bitte um weitere Aufklärung des Sachverhalts und Stellungnahme zu der Einrichtung und dem etwa erforderlichen Umfang einer Betreuung.

Welche anderen Hilfen kommen in Betracht, ggf.: warum greifen sie nicht?

Wer könnte die Betreuung ggf. übernehmen?

(Wenn für diese Fragen eine andere Betreuungsstelle beteiligt werden muß, bitte ich das unmittelbar zu veranlassen. Ich bitte die hiesigen Akten *nicht* weiter zu versenden, sondern sie möglichst bald unmittelbar hierher zurückzugeben.)

3) 4 Wo.

33 Es gibt Gerichte, denen Ärzte mit der Bereitschaft zu Hausbesuchen zur Verfügung stehen, es gibt Bezirke, in denen die Amtsärzte diese Gutachten erstellen, während sie sich in anderen erfolgreich weigern. Insgesamt liegt hier nach wie vor ein erhebliches Problemfeld, auch für die Frage zügiger Abwicklungen.

34 Die Betreuungsstelle ist zu beteiligen. Angesichts der z.T. recht geringen personellen Ausstattung der Betreuungsbehörden ist auf den Eingang der entsprechenden Stellungnahmen (außer in Eilfällen) nicht ganz selten mehr als 3 Monate zu warten. (Das ist kein niedersächsisches Problem. Bundesländerübergreifende Äußerungen gehen z.T. erst nach mehr als 6 Monaten und mehreren Rückfragen ein. Das bisher festgestellte Maximum lag bei 16 Monaten: Eignungsstellungnahme bei anstehendem Betreuerwechsel.)

Betreuungsstelle Peine **4.3**

An das
Amtsgericht
Peine

Frau Belowa erklärte bei einem ersten Hausbesuch in der Wohnung, in der sie mit ihrem Lebensgefährten Herrn Knopp lebt, unmißverständlich, daß sie eine Betreuung ablehnt. Sie sei der deutschen Sprache nicht besonders mächtig, weil sie erst seit 1995 in Deutschland lebe. Über ihre Schulden wollte sie nicht reden.

Ihre Eltern seien an Krebs gestorben. Sie selbst sei deswegen auch schon behandelt worden, lehne weitere Behandlungen aber ab. Sie habe viel Angst und benötige deshalb Medikamente.

Die Kontaktaufnahme mit dem Bruder ergab, daß er sich um die Kinder weiter kümmern wolle, seiner Schwester aber nicht helfen will oder kann.

Inzwischen soll ein Räumungsurteil gegen Frau Belowa ergangen sein. Wo sie demnächst weiter wohnen kann, ist noch nicht geklärt.

Wie uns gestern mitgeteilt wurde, befindet sich Frau Belowa seit einer Woche wieder im Landeskrankenhaus. Sie war auf der Straße zusammengebrochen. Sie soll einen Suicidversuch unternommen haben, nachdem Herr Knopp ausgezogen ist.

Insgesamt wurde hier der Eindruck gewonnen, daß Frau Belowa hilflos ist. Sie benötigt umfassende Hilfe. Sie hat hier keine persönlichen oder sozialen Kontakte, ist beschäftigungs- und demnächst wohnungslos. Frau Belowa hat nach eigenen Angaben kein Interesse daran, sich um eine Tätigkeit zu bemühen. Ob sie mit entsprechenden Hilfen eine solche übernehmen könnte, ist ungeklärt. Sie hat keine Ausbildung zu einem Beruf erhalten. Es kann sein, daß sie auch auf Grund der Alkoholfolgen erwerbsunfähig ist. Frau Belowa bagatellisiert ihren Alkoholkonsum. Sie lehnt ärztliche Untersuchungen oder Hilfen jenseits der Tablettenverschreibung ab.

Sollte auch nach ihrer Einschätzung eine Betreuung erforderlich sein, sollte ein Berufsbetreuer mit Erfahrungen im Suchtbereich eingesetzt werden.

4.4 Dr. Möller

Ärztliche Stellungnahme

zur Einrichtung einer Betreuung

Mein Gutachten stützt sich auf die Informationen des Gesundheitsamtes, ein persönliches Gespräch mit Frau Belowa sowie die ärztlichen Unterlagen des Landeskrankenhauses[35]. Eine Untersuchung hat Frau Belowa abgelehnt[36].

Bei dem Gespräch war Frau Belowa nüchtern. Es entstand aber der Eindruck, daß sie sehr vergeßlich war. Sie konnte wichtige Termine aus der jüngsten Vergangenheit nicht wiedergeben und hatte auch keine Erinnerung an die für die nächsten Tage getroffenen Absprachen mit dem Gesundheitsamt.

... (wird die Vorgeschichte wiederholt) ...

Psychopathologisch ist Frau Belowa allseits ausreichend orientiert, wirkte stellenweise depressiv verstimmt. Sie gab sich ratlos und hilflos. Es war ein Interessenverlust sowie Verlust an Lebensfreude zu bemerken. Sie wies eine Affektinstabilität, Antriebsminderung und Kontaktstörung auf. Es mangelt ihr an Kritikvermögen und Urteilskraft. Auffassungsvermögen und Konzentration zeigen sich deutlich eingeschränkt. Sie kann die Folgen ihres Tuns nicht mehr übersehen. Zudem ist sie sehr beeinflußbar. Es zeigen sich aber keine Anhaltspunkte für inhaltliche Denkstörungen.

Insgesamt gesehen handelt es sich um eine langjährige schwere Alkoholabhängigkeit mit Folgeschäden und im Vordergrund stehenden Persönlichkeitsveränderungen. Zu dem besteht eine beschränkte Einsichtsfähigkeit. Weiterhin besteht ein Zustand nach Brustkrebsbehandlung.

Die Krankheitsentwicklung ist sehr schwierig. Es besteht eine schlechte Prognose. Ohne eine regelmäßige Behandlung wird es zu weiteren gravierenden Komplikationen kommen.

Aus diesen Gründen kann Frau Belowa ihre Angelegenheiten nicht mehr selbst regeln und bedarf aus nervenärztlicher Sicht einer Betreuung für Gesundheit, Vermögen, Wohnungsangelegenheiten und Postsachen.

Dr. Möller, Arzt für Neurologie und Psychiatrie

35 Die Verwendung dieser Unterlagen ist so nicht unproblematisch (Verstoß gegen Schweigepflichten?).

36 Ob das Gespräch allein genügt, wird bezweifelt werden können. Die Untersuchung könnte erzwungen werde. Ob das gegen den erklärten Widerstand im hier wesentlichen Bereich weiterhilft, wird zweifelhaft sein. Praktischer (aber rechtswidrig?) und weniger belastend für die Betroffene ist es wohl, auf dieser Grundlage erst einmal anzufangen. Wie dünn das Eis dann aber schnell wird, zeigt sich, sobald Zwang in Betracht kommt.

Amtsgericht Peine, z.Zt. im NLK Königslutter **4.5**

Richterin am Amtsgericht Hanse

Die Betroffene wurde im Landeskrankenhaus, Station 42, aufgesucht. Anwesend war der Stationsarzt, Dr. Helmut Mosch, der erklärte, sie befinden sich auf Grund der PsychKG-Entscheidung des Amtsgerichts Helmstdt[37] im NLK, die Genehmigung laufe noch bis zum 10. des Monats.

Die Betroffene wurde mit dem bisherigen Akteninhalt auf Einrichtung einer Betreuung für sie vertraut gemacht und um ihre Stellungnahme zu dem Antrag gebeten.

Sie erklärt:

Wer sind Sie?

Was wollen Sie?

Ich habe doch nichts gemacht. Warum sperrt man mich hier ein?

Die Richterin stellte sich nochmals vor. Der Betroffenen wurde der Unterschied zwischen dem Verfahren des AG Helmstedt und dem auf Bestellung eines Betreuers erläutert.

Sie erklärt:

Ich will wieder nach Hause. Ich brauche keine Hilfe.

Zu ihrem Alkoholkonsum befragt erklärt sie:

Ich trinke doch kaum etwas.

Auf Rückfrage »was«(?): (mit lebhafter Stimme) »Alles was brennt«.

37 Die gerichtliche Zuständigkeit läuft ja nicht synchron; solche Abweichungen treten recht oft auf.

Nach Angaben des Arztes sind bei der Einlieferung mehr als 3 ‰ festgestellt worden. Ob oder welche Medikamente sie zusätzlich genommen hatte, ist nach ihren Angaben nicht klar. Sie hatte am ganzen Körper Verletzungen, die z.T. auch auf körperliche Mißhandlungen hindeuten[38].

Der Betroffenen wird mitgeteilt, daß für die eine Betreuung eingerichtet wird und Frau Maria Schneider (Berufsbetreuerin) zur Betreuerin bestellt wird.

Die Betroffene hat sich abgewendet, sieht aus dem Fenster, reagiert nicht mehr auf Ansprache durch die Richterin.

4.6 **Beschluß**

in dem Betreuungsverfahren für

Frau Andrea Belowa, geb. 19.10.1961, z.Zt. NLK Königslutter[39]

1. wird Frau Maria Schneider, Grüner Weg 2, Peine – als Berufsbetreuerin – zur Betreuerin bestellt.
2. Der Aufgabenkreis der Betreuung umfaßt:

   Sorge für die Gesundheit d. Betroffenen einschließlich der Zustimmung zu ärztlichen Maßnahmen,

   Vermögenssorge,

   Wohnungsangelegenheiten,

   Entgegennehmen und Öffnen der an d. Betreute gerichteten Post[40].

38 Die Behandlungsbefugnis des Krankenhauses bei der landesrechtlichen Unterbringung erstreckt sich auch auf diesen Bereich nicht. Ebensowenig darf über das PsychKG etwas zu den Befürchtungen betr. Krebsfolgen unternommen werden, wenn die Betroffene dem nicht wirksam zustimmt oder ggf. eine Betreuerin, falls diese in diesem Bereich wirksam entscheiden kann.

39 Diese zutreffende Angabe wird für die Betreute zur Last, wenn sie nicht mehr im Krankenhaus ist. Da der Ausweis rechtlich wenig ist, es letztlich nur auf die Beschlußlage ankommt, sollte man ernsthaft erwägen, derartige Aufenthaltshinweise, die ja eigentlich nur die Versendungsanordnung betreffen, nicht in den Beschluß aufzunehmen, als BetreuerIn darum bitten, eine Beschlußausfertigung ohne diesen Hinweis zu erhalten.

40 Das geht so sicher zu weit. Andererseits hat sich gezeigt, daß hier fast alle Relativierungen wenig weiter helfen. Soll die Post »vorsortieren« und entscheiden, was unter den Aufgabenkreis fällt? Wenn man die Post erst einmal an die Betreuerin zum Sortieren gibt, hilft eine Einschränkung kaum mehr. Mir ist an dieser Stelle noch nichts wirklich Praktikables eingefallen.

3. Das Gericht wird spätestens bis zum 20.4.2003 über eine Aufhebung oder Verlängerung der Betreuung beschließen.

4. Die Entscheidung ist sofort wirksam.

Gründe

Es ist erforderlich, eine Betreuer/in zu bestellen, weil die Betroffene aufgrund einer Krankheit bzw. Behinderung die o.a. Angelegenheiten nicht selbst besorgen kann. Das folgt aus dem Ergebnis der gerichtlichen Ermittlungen, insbes. aus dem ärztl. Zeugnis/Gutachten, den Berichten der Sozialdienste und dem unmittelbaren Eindruck des Gerichts. Die Betroffene lehnt eine umfassende Betreuung zwar ab. Im Hinblick auf ihre gegenwärtige eigene Hilflosigkeit ist es aber erforderlich, ihr diese umfassende Unterstützung zu gewähren[41].

Die Betroffene hat selbst keinen Vorschlag zur Auswahl einer/s Betreuers/in unterbreitet. Das Gericht hat die eingangs bezeichneten Person ausgewählt, die geeignet und bereit ist, in den zugewiesenen Aufgabenkreisen die Angelegenheiten der Betroffenen zu besorgen.

Die Anordnung der sof. Wirksamkeit beruht auf § 69 a Abs. 3 FGG.

Rechtsmittelbelehrung:

Gegen diese Entscheidung ist das Rechtsmittel der Beschwerde zulässig. Sie ist bei dem Amtsgericht Peine oder bei dem Landgericht Hildesheim einzulegen. Die Einlegung erfolgt durch Einreichung einer Beschwerdeschrift oder durch Erklärungen zu Protokoll der Geschäftsstelle eines Gerichts.

Die Betreuerin ist sodann nach Maßgabe diese Beschlusses durch die Rechtspflegerin verpflichtet worden.

41 Diese überdeckende Formulierung kann nicht aus der Welt schaffen, daß es sich um eine »Zwangsbetreuung« handelt, die von der Betreuten sehr intensiv auch so empfunden wird. Es wäre wohl angemessener, diese Gegnerschaft sprachlich nicht zu unterlaufen.

4.7 Maria Schneider

Peine

An das
Amtsgericht Peine *<u>Bitte sofort vorlegen</u>*

Betreuung Andrea Belowa

hier: Antrag auf geschlossene Unterbringung nach § 1906 BGB

Ich bin vorgestern zur Betreuerin für die o.a. Betreute verpflichtet worden. Das Krankenhaus teilt mir soeben mit, daß die Unterbringungsgenehmigung morgen ausläuft und das Amtsgericht Helmstedt sich geweigert habe, die PsychKG-Unterbringung zu verlängern, weil ja jetzt eine Betreuung bestehe.

Frau Belowa benötigt noch für mindestens 4 Wochen weitere Behandlung, zumal völlig ungeklärt ist, wohin sie aus dem Krankenhaus ziehen soll. Der Gerichtsvollzieher hat die Wohnung zwischenzeitlich geräumt. Frau Belowa soll von dem letzten ihr allein gewährten Ausgang völlig verschmutzt, verletzt und betrunken von der Polizei zurückgebracht worden. Sie war auf einer Bank sitzend als hilflose Person aufgelesen worden. Sie konnte keine Angaben dazu machen, wo sie sich in dieser Zeit das Geld und den Alkohol beschafft hat.

Ich beantrage,

> die weitere Unterbringung von Frau Belowa für noch mindestens 4 Wochen mit Wirkung ab morgen zu genehmigen

und bitte, sich wegen der nötigen ärztlichen Stellungnahme an das NLK zu wenden.

Beschluß 4.8

In dem Betreuungsverfahren für Frau Belowa, ...

Betreuer/in: Frau Maria Schneider, Peine,

wird – im Wege der einstweiligen Anordnung – genehmigt, daß die Betreute auch gegen ihren Willen in einer verschlossenen Einrichtung festgehalten werden kann, soweit andere Schutzmaßnahmen nicht zureichen[42].

Die genehmigten Maßnahmen sind zu beenden, wenn aus dem Verhalten der Betreuten und/oder durch sonstige Hilfen sichergestellt ist, daß keine konkrete Gefahr mehr besteht.

Diese Genehmigung gilt zunächst längstens bis zum 22.6.1999.

Zum Ablauf ist ggf. eine gerichtliche Überprüfung und neue Entscheidung herbeizuführen. Eine Fortsetzung der Maßnahmen ohne Verlängerungsbeschluß wäre unzulässig.

Die Entscheidung ist sofort wirksam.

Anhörungstermin im Krankenhaus: 11.5.1999, gegen 10:00 Uhr.

Gründe:

Die Genehmigung zu den o.a. Maßnahmen war zu erteilen, weil die Betroffene z. Zt. sich und ihre weiteren Lebensgrundlagen gefährdet, wie die ärztlichen und weiteren Stellungnahmen ausweisen. Ohne Sicherungsmaßnahmen besteht aufgrund der Behinderung/Krankheit d. Betroffenen die Gefahr erheblicher weiterer körperlicher bzw. gesundheitlicher Schäden (§ 1906 BGB). Die Betreute kann sich derzeit offenbar nicht/nicht mehr an notwendige Vereinbarungen halten und muß deshalb über die genehmigten Maßnahmen vor den Folgen ihres Verhaltens geschützt werden. Die gebotene Hilfe kann z. Zt. nur in einer Einrichtung und unter Einsatz der o.a. Maßnahmen sichergestellt werden.

Wegen der Eilbedürftigkeit mußte eine Entscheidung getroffen werden, bevor eine Anhörung möglich war. Sie wird nachgeholt. Angesichts der Entwicklung in den letzten Tagen kann mit einer Entscheidung nicht zugewartet werden, bis eine vorherige Anhörung möglich ist.

42 Bei dem Beschluß ist übersehen worden, daß die Betreuerin den Aufgabenkreis »Aufenthaltsregelung« (noch) nicht hat. Sie hat mithin keine Befugnis, die Unterbringung zu veranlassen. Der Beschluß allein deckt die Unterbringung nicht, weil er nur Entscheidungen der Betreuerin genehmigt.

Von der Bestellung eines Verfahrenspflegers wird abgesehen, weil die Wahrnehmung der Rechte d. Betreuten durch die Angehörigen/Vertrauenspersonen sichergestellt erscheint[43].

Rechtsmittelbelehrung:

Gegen diese Entscheidung ist das Rechtsmittel der sofortigen Beschwerde zulässig. Sie ist bei dem Amtsgericht Peine oder bei dem Landgericht Hildesheim *binnen einer Frist von 2 Wochen* einzulegen. Die Frist beginnt mit der Bekanntmachung dieser Entscheidung. Die Einlegung erfolgt durch Einreichung einer Beschwerdeschrift oder durch Erklärungen zu Protokoll der Geschäftsstelle eines dieser Gerichte.

43 Es gibt einige Gerichte, die bei Unterbringungsentscheidungen routinemäßig Verfahrenspfleger beiordnen und mindestens ebenso viele, die oft (bis: fast immer) davon absehen. Die Effektivität der bei den Anhörungen »mitlaufenden« immer wieder bestellten Verfahrenspfleger geht tendenziell wohl eher gegen »null«.

II. Anlagen

1. Antrag auf Bestellung einer Betreuerin/eines Betreuers

Bitte füllen Sie diesen Antrag gut lesbar aus. Lesen Sie bitte *vorher* das anliegende Merkblatt. Wenn Sie mehr Platz brauchen, als nachstehend vorgesehen, nehmen Sie bitte zusätzliche Blätter und heften sie an diesen Antrag.

1. Name und Anschrift, Telefon der Antragstellerin/des Antragstellers:

Beziehung zu d. Betroffenen:

2. Personalien der/des zu Betreuenden:

3. Behandelnder Arzt (Name, Anschrift, Telefon):

4. Art der Beeinträchtigung/ Anlaß der Antragstellung:

5. Was muß geregelt werden:

6. Wer kümmert sich bisher um diese Probleme/Wie:

7. Was kann/wird ohne Anordnung einer Betreuung passieren:

8. Ist die/der zu Betreuende mit dem Antrag und einer Anhörung in ihrer/seiner üblichen Umgebung einverstanden:

9. Warum bittet der/die zu Betreuende nicht selbst um Hilfe:

10. Mit wem sollte das Gericht über Hilfsmöglichkeiten für den/die zu Betreuende reden:

11. Wer könnte/sollte die Betreuung nach Ihrer Vorstellung übernehmen :

Ort, Datum:

Unterschrift

2. Merkblatt für einen Antrag auf Betreuung an das Amtsgericht

Der Antrag auf Einrichtung einer Betreuung sollte möglichst Angaben zu folgenden Fragen enthalten:

(Wenn Sie nicht alle Angaben machen können, genügen natürlich auch die Informationen, über die Sie verfügen. Es kann dann aber länger dauern, bis über die Anregung entschieden wird. Das Gericht muß versuchen, die Informationen anderweitig zu erhalten.)

1) Name, Anschrift und Telefonnummer der/s Antragstellerin/s:

Art der Beziehung zu der/m zu Betreuenden:

2) Personalien d. zu Betreuenden (Für wen soll die Betreuung eingerichtet werden):

Name,
Vorname, Wohnsitz; Telefon. Derzeitiger Aufenthalt (z.B. Krankenhaus/Altenheim). Geburtsdatum und Geburtsort.

3) Arzt (Falls ärztliche Atteste vorhanden sind: *Bitte vorlegen*!):

4) Woraus ergibt sich die Notwendigkeit einer Betreuung?

Welche Krankheit oder Behinderung liegt vor? Grad der Ausprägung? Auswirkungen auf die Fähigkeit der/des zu Betreuenden, ihre/seine Angelegenheiten selbst zu besorgen?

5) Welche Aufgabenkreise soll die Betreuung umfassen?

z.B.:

Regelung des Aufenthalts

Heimunterbringung

Vermögensangelegenheiten

Einwilligung in Heilbehandlungen

Wohnungsangelegenheiten

oder andere/welche?

(Jeweils: *Warum*?)

6) Sind Vollmachten vorhanden? Mit welchem Inhalt? *(Bitte Kopie beifügen)* Warum genügen diese nicht?

7) Auch: Ist *besondere* Eile geboten? Warum?

8) ----

9) Bestehen geistige, körperliche oder seelische Hinderungsgründe?

10) Gibt es Angehörige oder eine oder mehrere besondere Vertrauenspersonen der/des zu Betreuenden?

Bitte Namen und Anschrift dieser Personen.

Nahe Angehörige müssen bitte möglichst vollzählig genannt werden.

11) Können Sie eine geeignete Betreuerin oder einen geeigneten Betreuer vorschlagen?

3. Hinweise für die Gestaltung des ärztlichen Gutachtens

Das **ärztliche Gutachten bzw. Zeugnis** im Betreuungsverfahren

sollte auf folg. Themen eingehen:

1. Notwendigkeit der Betreuung

   Welche Krankheit oder Behinderung liegt vor?

   Grad der Ausprägung?

   Auswirkungen auf die Fähigkeit der/des Betroffenen, ihre/seine Angelegenheiten selbst zu besorgen?

2. Erforderlicher Aufgabenkreis des Betreuers

   Zum Beispiel:

   Bestimmung des Aufenthalts

   Heimunterbringung einschl. des Abschlusses eines Heimvertrages

   Vermögensangelegenheiten

   Gesundheitsfürsorge

   Wohnungsangelegenheiten

   Rentenangelegenheiten

   andere?

3. Dauer der Betreuungsbedürftigkeit, Behandlungsmöglichkeiten, voraussichtliche weitere Entwicklung, Behandlungs- und Rehabilitationsmöglichkeiten

4. Notwendigkeit eines Einwilligungsvorbehalts (§ 1903 BGB). Normalerweise wird die Geschäftsfähigkeit des Betroffenen durch die Anordnung der Betreuung nicht berührt. Sie/er kann weiter allein handeln. Das kann für sie/ihn gefährlich sein. Deshalb werden Sie auch um Stellungnahme gebeten, ob es hier ausnahmsweise not-

wendig erscheint, daß die/der Betroffene für Willenserklärungen, die den Aufgabenkreis des Betreuers betreffen, dessen Einwilligung bedarf sowie dazu,

um welche Bereich es sich dabei im einzelnen handelt;

ob auch geringfügige Angelegenheiten des täglichen Lebens hiervon erfaßt werden müssen.

5. Möglichkeit der Anhörung

Kann man sich mit der/dem zu Betreuenden verbal verständigen? Zu mehr als zu einfachen Alltagsfragen?

Sind erhebliche Nachteile für die Gesundheit der/des Betroffenen zu befürchten, wenn eine Anhörung erfolgt?

6. Nachteile für Betroffenen

Sind erhebliche Nachteile für die Gesundheit der/des zu Betreuenden zu befürchten, wenn er davon unterrichtet wird, daß die Betreuungsentscheidung Behörden etc. mitgeteilt wird?

4. Betreuungsanordnung

Amtsgericht

9 XVII /2000

Beschluß

In dem Betreuungsverfahren für

Frau/Herrn , geb. , , AH

1. wird Frau/ Herr ... (als Vereinsbetreuer/in/Berufsbetreuer/in) zur/m Betreuer/in bestellt.

2. Der Aufgabenkreis der Betreuung umfaßt:

Sorge für die Gesundheit d. Betroffenen einschließlich der Zustimmung zu ärztlichen Maßnahmen,

Aufenthaltsregelung,

Vermögenssorge,

Entgegennehmen und Öffnen der an d. Betreute/n gerichteten Post,

Vertretung gegenüber Kostenträgern, Behörden und Einrichtungen.

3. Das Gericht wird spätestens bis zum ... über eine Aufhebung oder Verlängerung der Betreuung beschließen.

4. Die Entscheidung ist sofort wirksam.

Gründe

Es ist erforderlich, eine/n Betreuer/in zu bestellen, weil d. Betroffene aufgrund einer Krankheit bzw. Behinderung die o.a. Angelegenheiten nicht selbst besorgen kann. Das folgt aus dem Ergebnis der gerichtlichen Ermittlungen, insbes. aus dem ärztl. Zeugnis/Gutachten, den Berichten der Sozialdienste und dem unmittelbaren Eindruck des Gerichts.

D. Betroffene hat selbst keinen Vorschlag zur Auswahl einer/s Betreuers/in unterbreitet. Das Gericht hat die eingangs bezeichneten Person ausgewählt, die geeignet und bereit ist, in den zugewiesenen Aufgabenkreisen die Angelegenheiten d. Betroffenen zu besorgen und sie/ihn hierbei im erforderlichen Umfang persönlich zu betreuen.

Die Anordnung der sof. Wirksamkeit beruht auf § 69 a III FGG.

Rechtsmittelbelehrung:

Gegen diese Entscheidung ist das Rechtsmittel der Beschwerde zulässig. Sie ist bei dem Amtsgericht Winsen oder bei dem Landgericht Lüneburg einzulegen. Die Einlegung erfolgt durch Einreichung einer Beschwerdeschrift oder durch Erklärungen zu Protokoll der Geschäftsstelle eines Gerichts.

5. Eilgenehmigung des Gerichts (§§ 1908 i, 1846 BGB)

(Die Zulässigkeit derartiger Eilentscheidungen ist i.e. sehr umstritten.)

Amtsgericht

Geschäfts-Nr.:

9 XVII / 2000

Bitte bei allen Schreiben angeben!

Beschluß

In dem Betreuungsverfahren für

Frau/ Herrn , geb. z.Zt. ,

Betreuer/in: Frau/Herr

bestehen gegen die geplante Operation (...) und etwaige Begleitmaßnahmen keine Einwendungen. Die Maßnahmen können vorgenommen werden.

Die Entscheidung ist sofort wirksam.

Gründe

Es ist über das Krankheitsbild und die gebotenen Maßnahmen berichtet worden. Insgesamt handelt es sich um dringende Maßnahmen. Es mag dahinstehen, ob in dieser Situation wirklich eine gerichtliche Genehmigung erforderlich ist. Es kann jedenfalls nicht verantwortet werden, durch weitere Klärungsversuche zu dieser Frage die Diagnostik und ggf. Maßnahmen zu verhindern. Durch diesen Beschluß ist deshalb klargestellt, daß aus Sicht des Gerichts jedenfalls keine Bedenken erhoben werden, eine etwa erforderliche Genehmigung damit erteilt ist.

Wegen der Eilbedürftigkeit mußte eine Entscheidung getroffen werden, bevor eine Anhörung möglich war. Sie wird nachgeholt. Es besteht Gefahr im Verzuge, weshalb eine sofortige Entscheidung geboten war. Angesichts der Entwicklung der Lebensumstände in den letzten Tagen kann nicht verantwortet werden, mit einer Entscheidung zuzuwarten.

Von der Bestellung eines Verfahrenspflegers wird abgesehen, weil die Wahrnehmung der Rechte d. Betreuten durch die Angehörigen/Vertrauenspersonen sichergestellt erscheint.

Rechtsmittelbelehrung:

Gegen diese Entscheidung ist das Rechtsmittel der Beschwerde zulässig. Sie ist bei dem Amtsgericht ... oder bei dem Landgericht ... einzulegen. Die Einlegung erfolgt durch Einreichung einer Beschwerdeschrift oder durch Erklärungen zu Protokoll der Geschäftsstelle eines Gerichts.

6. Antrags- und Berichtsmuster für Unterbringungsgenehmigungen

6.1 Antrag auf Genehmigung einer Maßnahme nach § 1906 Abs. 1 BGB

An das
Amtsgericht

Betreuungsangelegenheit der /des Frau / Herrn Geschäftszeichen:

Antrag auf Genehmigung einer Maßnahme nach § 1906 Abs. 1 BGB

In der Betreuungsangelegenheit der / des Frau / Herrn ... ist im gesundheitlichen Bereich eine Entwicklung eingetreten, welche eine Unterbringung gem. § 1906 Abs. 1 BGB aus meiner Sicht notwendig erscheinen läßt.

(Beschreibung des Sachverhaltes)

(Beschreibung der bisher unternommenen Schritte zur Entwicklung von Einsicht auf Seiten der / des Betreuten)

(Beschreibung der wahrgenommenen Hilfen / Beratungen durch Institutionen)

(Angabe, welche Stellungnahmen / Gutachten (Ärzte, Sozialpsychatrischer Dienst) bereits eingeholt wurden)

Nach derzeitigem Stand ist die Durchführung der Unterbringungsmaßnahme dringend geboten / zum ... geplant.

Es wird beantragt,

zu folgenden Maßnahmen die vormundschaftsgerichtliche Genehmigung zu erteilen:

(Beschreibung der notwendigen Genehmigungen einschließlich etwaiger Genehmigungen zum Öffnen der Wohnungstür und Anwendung von Gewalt)

Wenn es nicht möglich sein sollte, vorher (bzw. vor dem o.a. Termin) eine Entscheidung zu treffen, werde ich – vorbehaltlich des Eingangs einer gegenteiligen Anordnung durch Sie – die o.a. Maßnahme vorläufig unmittelbar veranlassen und bitte insoweit[44] um nachträgliche Genehmigung.

Anlagen:

6.2 Durchführung der Maßnahme/Mitwirkung der Betreuungsbehörde

Antrag zur Mitwirkung an Betreuungsstelle

Betreuungsangelegenheit der /des Frau / Herrn Geschäftszeichen:

Antrag zur Mitwirkung bei der Durchführung einer Maßnahme nach § 1906 Abs. 1 BGB

In der Betreuungsangelegenheit der / des Frau / Herrn ... ist auf Grund der Umsetzung der mit Ihnen besprochenen Maßnahmen auf meinen Antrag eine Unterbringung gem. § 1906 Abs. 1 BGB durch das Amtsgericht ... mit Beschluß vom ... genehmigt worden.

44 Abgewandelt kann dieser Text auch für Bettgitter, Verlängerungen, Medikationen etc. genutzt werden.

An den der geplanten Unterbringungsmaßnahme zugrunde liegenden Einschätzungen und Entwicklungen im gesundheitlichen Bereich der / des Betreuten haben sich positive Veränderungen nicht ergeben. Ich habe am ... erneut versucht, auf die Betreute / den Betreuten einzuwirken, um die Durchführung der Unterbringungsmaßnahme abzuwenden. Meine Bemühungen blieben jedoch ohne Erfolg. Die genehmigte Unterbringungsmaßnahme muß daher durchgeführt werden.

Ich beantrage daher Ihre Mitwirkung bei der Umsetzung der Unterbringung sowie die Wahrnehmung der ordnungsbehördlichen Aufgaben während der Umsetzung. Termin ist für den ... mit Ihnen vorbesprochen / geplant.

Folgenden Maßnahmen sind vormundschaftsgerichtlich genehmigt:

(Beschreibung der Genehmigungen einschließlich etwaiger Genehmigungen zum Öffnen der Wohnungstür und Anwendung von Gewalt)

Es wird um rasche Rückantwort gebeten. Der Beschluß des Amtsgerichtes ist im Original / in Kopie diesem Schreiben als Anlage beigefügt.

Mit freundlichen Grüßen

Anlagen:

6.3 Bericht über Durchführung der Maßnahme

Betreuungsangelegenheit der /des Frau / Herrn Geschäftszeichen:

Bericht über die Durchführung einer genehmigten Maßnahme nach § 1906 Abs. 1 BGB

In der Betreuungsangelegenheit der / des Frau / Herrn ... ist mit Beschluß vom ... eine Unterbringung gem. § 1906 Abs. 1 BGB genehmigt worden.

Die Unterbringung ist am ... durchgeführt worden.

Herr / Frau ... befindet sich jetzt im

Ärztlich zuständig ist Frau / Herr ..., telefonisch zu erreichen unter ...

Bei der Umsetzung der genehmigten Unterbringungsmaßnahme haben sich keine / folgende Schwierigkeiten ergeben:

Die zuständige Betreuungsstelle ist mit / nicht mit hinzugezogen worden.

(Falls mit beantragt und genehmigt:)

Von den Genehmigungen zum Öffnen der Wohnungstür / zur Anwendung von Gewalt mußte Gebrauch / kein Gebrauch gemacht werden.

Die voraussichtliche Unterbringungsdauer wird auf ca. ... Wochen / Monate geschätzt. Die Einschätzung der möglichen Dauer stützt sich auf erste ärztliche Aussagen.

6.4 Bericht über Beendigung einer Unterbringung nach § 1906 Abs. 1 BGB

Betreuungsangelegenheit der /des Frau / Herrn ... Geschäftszeichen:

Bericht über die Beendigung einer genehmigten Maßnahme nach § 1906 Abs. 1 BGB

In der Betreuungsangelegenheit der / des Frau / Herrn ... ist mit Beschluß vom ... eine Unterbringung gem. § 1906 Abs. 1 BGB genehmigt worden.

Die Unterbringung ist am ... durchgeführt worden. Die Dauer der Unterbringung war bis zum ... bestimmt.

Da nunmehr die Anordnungsgründe nicht mehr vorliegen / die notwendigen Behandlungen / Untersuchungen abgeschlossen sind, zeige ich hiermit an, daß die Unterbringung beendet werden kann / beendet wurde.

Frau/Herr .... befindet sich jetzt in / auf ... / kann nach ... entlassen werden / ist nach ... entlassen worden.

Soziale Dienste wurden eingeschaltet / nicht eingeschaltet, da ... (bitte ausführen)

Die Beendigung der Maßnahme ist mit der / dem zuständigen Ärztin / Arzt Frau / Herr ... besprochen worden. Ärztliche Zustimmung liegt vor / nicht vor. (Wenn keine ärztliche Zustimmung vorliegt, unbedingt begründen, warum dennoch eine Beendigung der Maßnahme erfolgen soll.)

7. Unterbringungsgenehmigungen (Beschlüsse)

7.1 Unterbringungsgenehmigung (§ 1906 BGB)

Amtsgericht

Geschäfts-Nr.:

9 XVII /2000

Bitte bei allen Schreiben angeben!

Beschluß

In dem Betreuungsverfahren für

Frau/ Herrn , geb. wohnhaft:

Betreuer/in:

wird – im Wege der einstweiligen Anordnung – genehmigt, daß d. Betreute in eine/r für ihn/sie verschlossene Einrichtung gebracht und dort festgehalten

sowie im unausweichlichen Umfang – *jeweils zeitlich begrenzt* – mechanisch gesichert

werden kann, soweit andere Schutzmaßnahmen nicht zureichen.

Die genehmigten Maßnahmen können auch gegen den Willen d. Betreuten umgesetzt werden. Nötigenfalls kann zur Umsetzung Zwang angewendet werden.

Die genehmigten Maßnahmen sind *jeweils* zu beenden, wenn aus dem Verhalten d. Betreuten und/oder der Beaufsichtigungsmöglichkeit sichergestellt ist, daß keine konkrete Gefahr besteht.

Diese Genehmigung gilt zunächst längstens bis zum ... 2000.

Zum Ablauf ist ggf. eine gerichtliche Überprüfung und neue Entscheidung herbeizuführen. Eine Fortsetzung der Maßnahmen ohne Verlängerungsbeschluß wäre unzulässig.

Die Entscheidung ist sofort wirksam.

Anhörungstermin im Krankenhaus/Heim:

Gründe:

Die Genehmigung zu den o.a. Maßnahmen war zu erteilen, weil d. Betroffene z. Zt. sich und seine weiteren Lebensgrundlagen gefährdet, wie die ärztlichen und weiteren Stellungnahmen ausweisen. Ohne Sicherungsmaßnahmen besteht aufgrund der Behinderung/Krankheit d. Betroffenen die Gefahr erheblicher weiterer körperlicher bzw. gesundheitlicher Schäden (§ 1906 BGB).

D. Betreute kann sich derzeit offenbar nicht/nicht mehr an notwendige Vereinbarungen halten und muß deshalb über die genehmigten Maßnahmen vor den Folgen ihres/seines Verhaltens geschützt werden. Die gebotene Hilfe kann z. Zt. nur in einer Einrichtung und unter Einsatz der o.a. Maßnahmen sichergestellt werden.

Wegen der Eilbedürftigkeit mußte eine Entscheidung getroffen werden, bevor eine Anhörung möglich war. Sie wird nachgeholt. Es besteht Gefahr im Verzuge, weshalb eine sofortige Entscheidung geboten war. Angesichts der Entwicklung der Lebensumstände in den letzten Tagen kann nicht verantwortet werden, mit einer Entscheidung zuzuwarten.

Von der Bestellung eines Verfahrenspflegers wird abgesehen, weil die Wahrnehmung der Rechte d. Betreuten durch die Angehörigen/Vertrauenspersonen sichergestellt erscheint.

Rechtsmittelbelehrung:

Gegen diese Entscheidung ist das Rechtsmittel der sofortigen Beschwerde zulässig. Sie ist bei dem Amtsgericht … oder bei dem Landgericht … *binnen einer Frist von 2 Wochen* einzulegen. Die Frist beginnt mit der Bekanntmachung dieser Entscheidung. Die Einlegung erfolgt durch Einreichung einer Beschwerdeschrift oder durch Erklärungen zu Protokoll der Geschäftsstelle eines dieser Gerichte.

Anmerkung:

Daß in dem Text kaum individuelle Daten stehen, ist kein Versehen oder Faulheit der BearbeiterInnen. Es hat sich vielmehr gezeigt, daß alle wirklich individuellen Daten Folgeprobleme auslösen können, zumal den jeweils Betroffenen ohne Zusatzprobleme nicht unterschiedliche Texte übermittelt werden können und der Kreis der Einsichtnehmenden wenig zu bestimmen/beherrschen ist. Verfassungsrechtlich ist es nicht unproblematisch, die Begründung so weit »herunterzufahren«. Die RichterInnen der verwendenden Gerichte halten den o.a Text für eine noch mögliche Lösung, um den verschiedenen Bedenken Rechnung zu tragen.

7.2 PsychKG-Beschluß

Amtsgericht

Geschäftszeichen:

9 XIV /00 L

Beschluß

In dem Unterbringungsverfahren für Herrn/ Frau

wird durch einstweilige Anordnung auf Antrag des Landkreises ... mit sofortiger Wirkung die vorläufige Unterbringung in einem abgeschlossenen Teil des Krankenhauses angeordnet, und zwar längstens für sechs Wochen, bis zum:

Die genehmigten Maßnahmen können auch gegen den Willen d. Betreuten umgesetzt werden. Nötigenfalls kann zur Umsetzung Zwang angewendet werden.

Termin zur gerichtl. Anhörung im LKH:

Gründe:

Eine Person, die infolge einer psychischen Störung krank oder behindert ist, kann durch Gerichtsbeschluß in einen abgeschlossenen Teil eines Krankenhauses eingewiesen werden, wenn von ihr infolge ihrer Krankheit oder Behinderung eine gegenwärtige erhebliche Gefahr für sich oder andere ausgeht und diese Gefahr auf andere Weise nicht abgewendet werden kann (§§ 1, 14 und 16 des Nds. Gesetzes über Hilfen und Schutzmaßnahmen für psychisch Kranke vom 16.6.1997, Nds. GVBl. 1997, S. 272 ff.). Bestehen hinreichende Anhaltspunkte dafür, daß die Voraussetzungen für eine Unterbringung vorliegen, so kann das Gericht gem. § 70 h FGG, §§ 17, 18 PsychKG auf Antrag der Verwaltungsbehörde die einstweilige Anordnung treffen, daß die Person zur Vorbereitung eines Gutachtens über ihren Gesundheitszustand auf bestimmte Dauer untergebracht und beobachtet wird. Die Unterbringung darf die Dauer von sechs Wochen nicht überschreiten.

Die zuständige Behörde hat hier unter dem ... beantragt, die Unterbringung d. Betroffenen anzuordnen. Nach den bisherigen Ermittlungen und dem ärztlichen Zeugnis Dr. ...vom ... , das das Gericht kritisch gewürdigt hat, ist davon auszugehen, daß die Voraussetzungen vorliegen. Diese Entscheidung ergeht wegen Gefahr im Verzuge ohne vorherige Anhörung (§ 70 h Abs. 1 i.V.m § 69 f Abs. 1 S. 4 FGG).

Die Anordnung der sofortigen Wirksamkeit beruht auf § 70 g Abs. 3 S. 2 FGG und ist durch die Schwere des Krankheitsbildes begründet. Von der Bestellung eines Verfahrenspflegers wird abgesehen, weil erwartet werden kann, daß die Vertrauenspersonen/Angehörigen die wohlverstandenen Interessen der Patient/in wahrnehmen.

Rechtsmittelbelehrung:

Gegen diese Entscheidung ist das Rechtsmittel der sofortigen Beschwerde zulässig. Sie ist bei dem Amtsgericht ... oder bei dem Landgericht ... *binnen einer Frist von 2 Wochen* einzulegen. Die Frist beginnt mit der Bekanntmachung dieser Entscheidung. Die Einlegung erfolgt durch Einreichung einer Beschwerdeschrift oder durch Erklärungen zu Protokoll der Geschäftsstelle eines dieser Gerichte. Untergebrachte Personen können sie auch zu Protokoll des Amtsgerichts erklären, in dessen Bezirk sie untergebracht sind.

8. Patientenverfügung

Beispiel für eine Patientenverfügung[45] (häufig sog.: Patiententestament) in Anlehnung an d. Empfehlung der Hospizarbeit Braunschweig e.V.:

> Ich wünsche mir ein menschenwürdiges Dasein solange ich lebe und bitte meine ÄrztInnen, mir dabei zu helfen. Ich erkläre deshalb meine Einwilligung in eine ärztliche Therapie der Linderung von Leiden und Schmerzen, auch wenn hierzu benutzte Medikamente zur Bewußtseinsausschaltung führen oder wegen ihrer Nebenwirkungen zu einem früheren Tod führen sollten.
>
> Ich wünsche mir ein menschenwürdiges Sterben und bitte meine ÄrztInnen, mir dabei zu helfen. Ich erkläre deshalb, daß im Falle einer zum Tode führenden Krankheit von allen lebensverlängernden Maßnahmen abzusehen ist, insbesondere lehne ich ein Leben in Abhängigkeit von Maschinen, Schläuchen oder ähnlichem ab. Mindestens zwei ÄrztInnen müssen den tödlichen Verlauf meiner Krankheit festgestellt und prognostiziert haben.
>
> Ich wünsche mir einen menschenwürdigen Tod und bitte meine ÄrztInnen, mir dabei zu helfen. Ich bin mit einer Intensivtherapie oder Reanimation nicht einverstanden, falls ich in einen Zustand dauernder Bewußtlosigkeit durch schwere Dauerschädigung meiner Gehirnfunktion gerate oder wenn sonst lebenswichtige Funktionen meines Körpers auf Dauer ausfallen. Therapien sind einzustellen, wenn mindestens zwei ÄrztInnen festgestellt haben, daß ich kein menschenwürdiges Leben mehr führen kann und meine Schädigung nicht mehr zu beheben ist.
>
> Diese von mir im Vollbesitz meiner geistigen Kräfte abgegeben Verfügung ist zu meinen Krankenunterlagen zu nehmen. Zu Maßnahmen, die dieser Verfügung widersprechen, verweigere ich ausdrücklich meine Zustimmung.
>
> Folgende Personen bevollmächtige ich, für mich Einwilligungen zu medizinischen Eingriffen zu erteilen; diese Vollmacht erstreckt sich auch auf die intensiven und gefährlichen Maßnahmen i.S.d. § 1904 BGB:
>
> ...
>
> Die Personen sind im Fall von Lebensgefahr zu benachrichtigen. Die behandelnde ÄrztIn darf an sie Auskunft geben.

(Unterschriften der/s Verfügenden.

Sinnvollerweise auch der/s Bevollmächtigten und etwaiger Zeugen)

45 Die Bundesärztkammer hat Handreichungen für Ärzte zum Umgang mit Patientenverfügungen herausgegeben (im Internet: www.bundesaerztekammer.de)

Anmerkung:

Mich irritiert an diesen wie allen ähnlichen Vorschlägen die Einbindung bzw. Betonung des »menschenwürdig«. Ohne die kürzlich wieder entfachte unsägliche Diskussion dazu wieder aufnehmen zu wollen, wird festzuhalten sein, daß darin jedenfalls mehr individuelles Vorverständnis versteckt als offengelegt wird, damit letztlich die Zweifelhaftigkeit eines praktischen Nutzens derartiger Verfügungen vorprogrammiert ist.

Daneben sollte man desweiteren nicht übersehen, daß die in dem Text (wie in allen anderen mir bekannten Vorschlägen) enthaltenen Einwilligungen viel zu pauschal sind, den Standardkriterien an wirksame Einwilligungen im medizinischen Bereich, die u.a. eine konkrete Risikoaufklärung voraussetzen, nicht einmal ansatzweise genügen.

In der Praxis ist die Patientenverfügung z. T. deshalb wenig wert, weil die in ihr verwandten Begriffe auch sonst zu diffus sind bzw. sein müssen und schließlich nicht ganz selten zweifelhaft ist, ob der seinerzeit niedergelegte Wille noch aktuell ist. Man sollte deshalb jedenfalls daran denken, sie von Zeit zu Zeit zu erneuern, wenn man eine solche Verfügung für sich für sinnvoll hält.

In PsychKG-Vorgängen wie zu Maßnahmen, wie sie im Rahmen der Bioethik-Konvention umstritten sind, dürfte die Ermächtigung aus solchen Verfügungen und Vollmachten nicht oder nicht ohne erhebliche Schwierigkeiten umsetzbar sein. Die einschlägigen Vorschriften sehen i.d.R. Bevollmächtigte als EntscheiderInnen nicht vor.

9. Mitteilung eines Gerichts

aus einem Bundesland, in dem es – anders als z.B. Bayern – keine Regelung für die Verwahrung gibt, zu dennoch eingereichten Vorsorgevollmachten/Patientenverfügungen etc.

Höfl.,

in Niedersachsen gibt es keine Regelung zur systematischen Erfassung von Betreuungsverfügungen/ Patiententestamenten/ Vorsorgevollmachten.

Um Ihrem Anliegen dennoch entsprechen zu können, habe ich Ihre Verfügung unter dem o.a. ersichtlichen Aktenzeichen eintragen und zur Sammlung nehmen lassen. In der Betreuungskartei ist ein entsprechender Vermerk angebracht worden.

Vorsorglich muß ich aber ergänzend auf folgendes *hinweisen*:

Es dürfte nur dann Hoffnung bestehen, die Verfügung hier später rechtzeitig zu finden, wenn Sie sich noch im hiesigen Bezirk aufhalten und/oder das hiesige Gericht ausdrücklich angerufen wird.

10. Vorsorgevollmacht

Beispiel für eine Vorsorgevollmacht (in Anlehnung an die Empfehlung des Ministeriums der Justiz Rheinland-Pfalz)

(Es handelt sich um ein bloßes Beispiel, keine Empfehlung oder ein Modell. Jeder Anwender muß den Text ggf. nach seinen Bedürfnissen anpassen. Was mindestens in solch einer Vollmacht enthalten sein muß, um umfassend wirksam zu sein, ist z.T. noch sehr streitig. So würde das Landgericht Hamburg den hier niedergelegten kurzen Text wohl für zu wenig konkret halten[46].)

Verfügende (genaue Personalien)

Ich bevollmächtige

meinen Ehegatten / Kind / Freund (genaue Personalien),

mich in allen Vermögens-, Renten- oder Versorgungs-, Steuer- und sonstigen Rechtsangelegenheiten in jeder denkbaren Weise zu vertreten.

Diese Vollmacht berechtigt insbesondere zur Verwaltung meines Vermögens, zur Verfügung über Vermögensgegenstände, zum Vermögenserwerb, zum Abschluß eines Heimvertrages oder ähnlicher Vereinbarungen, zur Auflösung des Mietverhältnisses über meine Wohnung, zur Beantragung von Renten oder Versorgungsbezügen oder Sozialhilfe, zu geschäftsähnlichen Handlungen wie Zustimmungen zu ärztlichen Maßnahmen (auch zu schwierigen und gefährlichen wie nach § 1904 BGB) oder Aufenthaltsregelungen (einschließlich etwaiger notwendiger Sicherungsmaßnahmen wie nach § 1906 BGB) und zu allen Verfahrenshandlungen.

Schenkungen können in dem Rahmen vorgenommen werden, der einem Betreuer gesetzlich gestattet ist.

Die Vollmacht gilt nur, wenn der Bevollmächtigte das Original der Vollmacht vorlegen kann. Der Bevollmächtigte kann im Einzelfall Untervollmacht erteilen sowie mich und einen Dritten gleichzeitig vertreten.

Die Vollmacht und das zugrundeliegende Auftragverhältnis bleiben auch in Kraft, wenn ich geschäftsunfähig werden sollte oder wenn ich nicht mehr lebe.

Die Vollmacht ist jederzeit widerruflich.

46 LG Hamburg BtPrax 1999, 243, 244.

Anmerkung:

Das Textmuster ist ein ausfüllbedürftiges Grundmuster, das dem jeweiligen Einzelfall angepaßt werden muß. Ob man in den Text Paragrafen einbeziehen will oder einen entsprechenden Text aufnimmt, ist unerheblich. Wichtig ist nur, daß §§ 1904, 1906 BGB insoweit eine *ausdrückliche* Einbeziehung verlangen[47].

Es ist m.E. nicht zu empfehlen, die Vollmacht an die Bedingung zu knüpfen, daß man z.B. »nicht mehr selbst entscheiden« könne. Es gibt zu viele Übergangsbereiche, in denen das insbes. bei Altersverwirrtheit zweifelhaft bleiben wird und dann im entscheidenden Zeitraum gerade unklar wäre, ob die Vollmacht greift.

Vorsorgeregelungen bedürfen grundsätzlich keiner besonderen Form (für Gesundheit und Aufenthalt aber mindestens *schriftlich*); als praktisch hat sich aber eine Unterschriftsbeglaubigung (nicht: Beurkundung!) erwiesen. Von Gesetzes wegen ist für die meisten Bereiche eine notarielle Beurkundung nicht nötig (anders z.B. für den Grundbuchverkehr). Banken u.ä. verlangen aber i.d.R. wenigstens die Beglaubigung der Unterschrift des Vollmachtgebers. Auch im Krankenhaus wird man mit einer gesiegelten Vollmacht mehr Eindruck erzielen können als mit einem bloßen »Zettel«.

Außer an die Vorteile einer Vorsorgeregelung sollte man bei der Abfassung auch einen Gedanken an die Risiken verwenden. Wenn man den obigen Vorschlag prüft, wird man feststellen, daß die Vollmacht leicht mißbraucht werden kann. Es gibt z.B. nicht ganz wenige Fälle, in denen etwa die Erwartung, man werde sich auf Dauer generationsübergreifend vertragen, ebenso enttäuscht wird, wie die in eine Ehe gesetzten Beständigkeitshoffnungen. Es ist deshalb sinnvoll, nicht nur ernsthaft zu prüfen, wie verläßlich das Vertrauen in die Benannten ist, sondern die Entscheidungen auch von Zeit zu Zeit zu überprüfen und die Vollmachtsurkunde zunächst nicht aus der Hand zu geben.

In PsychKG-Vorgängen wie zu Maßnahmen, wie sie im Rahmen der Bioethik-Konvention umstritten sind, dürfte die Ermächtigung aus solchen Verfügungen und Vollmachten nicht oder nicht ohne erhebliche Schwierigkeiten umsetzbar sein. Die einschlägigen Vorschriften sehen Bevollmächtigte als EntscheiderInnen nicht vor.

47 Das LG Hamburg BtPrax 1999, 243, 244 erwartet offenbar eine textliche Umschreibung unter Nennung der in Betracht kommenden Themen (Warnfunktion). Mir geht das so zu weit, zumal die Kontrolle hier wie bei der gesetzlichen Vertretung gerade in den Bereichen der §§ 1904, 1906 BGB beim Gericht bleibt.

11. Betreuungsverfügung

An das
Amtsgericht

Betreuungsverfügung

Sehr geehrte Damen und Herren,

in der Anlage überreiche ich meine Betreuungsverfügung vom ... und beantrage die Aufnahme in die dortige Kartei. Ich bitte um Eingangsbestätigung unter Mitteilung des Aktenzeichens, unter dem die Verfügung erfaßt wird.

(In den Absender sollen alle Personaldaten)

Betreuungsverfügung:

Wenn ich aufgrund von Krankheit oder Behinderung betreuungsbedürftig i.S.d. §§ 1896 ff. BGB werden sollte, bitte ich folgende Freunde/Bekannte vorrangig in der Reihenfolge der Nennung heranzuziehen:

Ich habe davon abgesehen, einzelne zu bevollmächtigen, weil ich nicht weiß, ob sie zu gegebener Zeit nicht anderweitig so belastet sind, daß sie überfordert würden, würde mich aber freuen, wenn sie bei Erforderlichkeit zustimmen würden.

Wenn niemand aus der o.a. Liste bereit oder in der Lage sein sollte, die Aufgabe eines Betreuers im Rechtssinne zu übernehmen, bitte ich eine/n Berufsbetreuer/in zu bestellen, der in der Lage ist, einfühlsam auf persönliche Dinge einzugehen.

Ich bitte die von dem Gericht bestellte Person, zu gegebener Zeit meine Beisetzung und die Nachlaßregelung zu veranlassen. Insoweit bevollmächtige ich sie hiermit, auch nach meinem Tod die erforderlichen Verfügungen zu treffe.

Ggf. auch noch: Ich habe insoweit folgende Wünsche (nur ergänzende; z.B. bezgl. der Duchführung der Betreuung, des Vorgehens bei medizinischen Maßnahmen, der Beisetzung usw. Bitte nicht das Testament wiederholen):

(Unterschriften der/s Verfügenden. Nicht notwendig aber sinnvoll auch: der/s Benannten und etwaiger Zeugen – wegen der Geschäftsfähigkeit bzw. Ernsthaftigkeit)

Anmerkung:

Das Textmuster ist ein ausfüllbedürftiges Grundmuster, das dem jeweiligen Einzelfall angepaßt werden muß.

12. Verpflichtungsprotokoll

Amtsgericht

Gegenwärtig: ..., Rechtspfleger/in

Es erscheint:

(von Person bekannt/ ausgewiesen durch ...)

zur Verpflichtung als Betreuer/in für

Der Aufgabenkreis ist in dem Beschluß vom ... bestimmt.

Eine Genehmigung gem §§ 1908 i, 1784 BGB

ist nicht erforderlich/liegt vor/wird nachgereicht.

Der Erschienene wurde über die Pflichten eines/r Betreuers/Betreuerin unterrichtet und zu treuer und gewissenhafter Führung des Amtes verpflichtet.

Der Betreuerausweis wurde ausgehändigt / wird übersandt.

Er/sie erklärt:

Ich weiß, daß ich den Ausweis bei Beendigung des Amtes zurückzugeben habe. Mit mir wurden die Verhältnisse d. Betreuten durchgesprochen.

Dazu erkläre ich ergänzend (z.B. offene Fragen/Absprachen über Klärungen)

/ beantrage ich (z.B. Genehmigung für Wohnungskündigung)

Ich bitte um ein Einführungsgespräch mit d. Betreuten/ halte ein Einführungsgespräch nicht für erforderlich.

Ich bin über die Sammelversicherung unterrichtet worden.

Ein Merkblatt für Betreuer habe ich erhalten.

Auf §§ 1835 ff. BGB wurde ich hingewiesen.

Die ausgehändigten Vordrucke für das Verzeichnis des Vermögens werde ich ausgefüllt innerhalb eines Monats zurückgeben.

v.g.u. geschlossen:

(heißt: vorgelesen, genehmigt, unterschrieben)

Unterschriften

13. Vermögensverzeichnis

Bei der Verpflichtung erhalten BetreuerInnen ein Vermögensverzeichnis, in dem der Anfangsbestand zu verzeichnen ist, wenn der Aufgabenkreis auch die Vermögenssorge umfaßt. In der Masse der Vorgänge sind dabei viele Spalten überflüssig. Füllen Sie es aber bitte einerseits sehr sorgfältig aus, um späteren Regreßstreit zu vermeiden. Bei jeder Folgeabrechnung wird dieses Verzeichnis Ausgangsbasis sein.

Andererseits ist es nicht angebracht, gebrauchte Kleidungsgegenstände i.e. aufzulisten oder den Hausrat zu vereinzeln, wenn es der übliche (als gebrauchter wirtschaftlich oft weitgehend wertlose) Hausrat ist.

Gehen Sie andererseits auch insoweit sorgfältig vor, daß Sie nötigenfalls an eine »Beweissicherung« denken. Es hat schon häufiger Streit gegeben, weil die Betroffenen, viel häufiger noch später die Erben, behaupten, es seien wertvolle Einzelstücke abhanden gekommen oder zu Unrecht weggeworfen worden.

Und: auch in einer vermüllten Wohnung können für den Betroffenen sehr wichtige Einzelstücke »vergraben« sein (z.B. Urkunden). Seien Sie also vorsichtig mit pauschalen Entmüllungs- oder Entrümpelungsaufträgen an irgendwelche Firmen.

Verzeichnis des Vermögens

(unter Vermögen ist alles zu verstehen, was Geldwert hat)

Vermögensgegenstände

Wert:

Grundstücke und grundstücksgleiche Rechte

Erwerbsgeschäft

Zu verwaltendes Geld

Bargeld

Girokonto

sonstige Guthaben

Wertpapiere

Ausstehende Forderungen

Haus- und Küchengeräte

Kunstgegenstände

Gegenstände des persönlichen Gebrauchs

Werkzeuge und Maschinen

Fahrzeuge aller Art

Tiere

Vorräte

Beteiligungen

Schulden

Eingetragenen Belastungen

Sonstige Verbindlichkeiten

Einkommen

Arbeitseinkommen

Renten

Pensionen

Sonstiges Einkommen Zinsen p.a.

(Unterschrift)

Anmerkung:

Die entsprechenden Angaben sind zu belegen, z.B. durch entsprechende Kopien. Es empfiehlt sich dagegen nicht, ungefragt alle Originalvorgänge beizufügen. Die Art der Vorlage etwaiger Originale sollte vorher mit dem Gericht abgeklärt werden (Nachweis- und Verlustrisiken).

III. Gesetzestexte (Auszüge)

1. BGB

§ 1

Die Rechtsfähigkeit des Menschen beginnt mit der Vollendung der Geburt.

§ 2

Die Volljährigkeit tritt mit der Vollendung des achtzehnten Lebensjahres ein.

§ 104

Geschäftsunfähig ist:

1. wer nicht das siebente Lebensjahr vollendet hat;

2. wer sich in einem die freie Willensbestimmung ausschließenden Zustand krankhafter Störung der Geistestätigkeit befindet, sofern nicht der Zustand seiner Natur nach ein vorübergehender ist.

§ 105

(1) Die Willenserklärung eines Geschäftsunfähigen ist nichtig.

(2) Nichtig ist auch eine Willenserklärung, die im Zustand der Bewußtlosigkeit oder vorübergehender Störung der Geistestätigkeit abgegeben wird.

§ 106

Ein Minderjähriger, der das siebente Lebensjahr vollendet hat, ist nach Maßgabe der §§ 107 bis 113 in der Geschäftsfähigkeit beschränkt.

§ 107

Der Minderjährige bedarf zu einer Willenserklärung, durch die er nicht lediglich einen rechtlichen Vorteil erlangt, der Einwilligung seines gesetzlichen Vertreters.

§ 108

(1) Schließt der Minderjährige einen Vertrag ohne die erforderliche Einwilligung des gesetzlichen Vertreters, so hängt die Wirksamkeit des Vertrags von der Genehmigung des Vertreters ab.

(2) Fordert der andere Teil den Vertreter zur Erklärung über die Genehmigung auf, so kann die Erklärung nur ihm gegenüber erfolgen; eine vor der Aufforderung dem Minderjährigen ge-

genüber erklärte Genehmigung oder Verweigerung der Genehmigung wird unwirksam. Die Genehmigung kann nur bis zum Ablauf von zwei Wochen nach dem Empfang der Aufforderung erklärt werden; wird sie nicht erklärt, so gilt sie als verweigert.

(3) Ist der Minderjährige unbeschränkt geschäftsfähig geworden, so tritt seine Genehmigung an die Stelle der Genehmigung des Vertreters.

§ 109

(1) Bis zur Genehmigung des Vertrags ist der andere Teil zum Widerruf berechtigt. Der Widerruf kann auch dem Minderjährigen gegenüber erklärt werden.

(2) Hat der andere Teil die Minderjährigkeit gekannt, so kann er nur widerrufen, wenn der Minderjährige der Wahrheit zuwider die Einwilligung des Vertreters behauptet hat; er kann auch in diesem Fall nicht widerrufen, wenn ihm das Fehlen der Einwilligung bei dem Abschluß des Vertrags bekannt war.

§ 110

Ein von dem Minderjährigen ohne Zustimmung des gesetzlichen Vertreters geschlossener Vertrag gilt als von Anfang an wirksam, wenn der Minderjährige die vertragsmäßige Leistung mit Mitteln bewirkt, die ihm zu diesem Zweck oder zu freier Verfügung von dem Vertreter oder mit dessen Zustimmung von einem Dritten überlassen worden sind.

§ 111

Ein einseitiges Rechtsgeschäft, das der Minderjährige ohne die erforderliche Einwilligung des gesetzlichen Vertreters vornimmt, ist unwirksam. Nimmt der Minderjährige mit dieser Einwilligung ein solches Rechtsgeschäft einem anderen gegenüber vor, so ist das Rechtsgeschäft unwirksam, wenn der Minderjährige die Einwilligung nicht in schriftlicher Form vorlegt und der andere das Rechtsgeschäft aus diesem Grund unverzüglich zurückweist. Die Zurückweisung ist ausgeschlossen, wenn der Vertreter den anderen von der Einwilligung in Kenntnis gesetzt hatte.

§ 164

(1) Eine Willenserklärung, die jemand innerhalb der ihm zustehenden Vertretungsmacht im Namen des Vertretenen abgibt, wirkt unmittelbar für und gegen den Vertretenen. Es macht keinen Unterschied, ob die Erklärung ausdrücklich im Namen des Vertretenen erfolgt oder ob die Umstände ergeben, daß sie in dessen Namen erfolgen soll.

(2) Tritt der Wille, in fremdem Namen zu handeln, nicht erkennbar hervor, so kommt der Mangel des Willens, im eigenen Namen zu handeln, nicht in Betracht.

(3) Die Vorschriften des Absatzes 1 finden entsprechende Anwendung, wenn eine gegenüber einem anderen abzugebende Willenserklärung dessen Vertreter gegenüber erfolgt.

§ 177

(1) Schließt jemand ohne Vertretungsmacht im Namen eines anderen einen Vertrag, so hängt die Wirksamkeit des Vertrags für und gegen den Vertretenen von dessen Genehmigung ab.

(2) Fordert der andere Teil den Vertretenen zur Erklärung über die Genehmigung auf, so kann die Erklärung nur ihm gegenüber erfolgen; eine vor der Aufforderung dem Vertreter gegenüber erklärte Genehmigung oder Verweigerung der Genehmigung wird unwirksam. Die Genehmigung kann nur bis zum Ablauf von zwei Wochen nach dem Empfang der Aufforderung erklärt werden; wird sie nicht erklärt, so gilt sie als verweigert.

§ 179

(1) Wer als Vertreter einen Vertrag geschlossen hat, ist, sofern er nicht seine Vertretungsmacht nachweist, dem anderen Teil nach dessen Wahl zur Erfüllung oder zum Schadensersatz verpflichtet, wenn der Vertretene die Genehmigung des Vertrags verweigert.

(2) Hat der Vertreter den Mangel der Vertretungsmacht nicht gekannt, so ist er nur zum Ersatz desjenigen Schadens verpflichtet, welchen der andere Teil dadurch erleidet, daß er auf die Vertretungsmacht vertraut, jedoch nicht über den Betrag des Interesses hinaus, welches der andere Teil an der Wirksamkeit des Vertrags hat.

(3) Der Vertreter haftet nicht, wenn der andere Teil den Mangel der Vertretungsmacht kannte oder kennen mußte. Der Vertreter haftet auch dann nicht, wenn er in der Geschäftsfähigkeit beschränkt war, es sei denn, daß er mit Zustimmung seines gesetzlichen Vertreters gehandelt hat.

§ 181

Ein Vertreter kann, soweit nicht ein anderes ihm gestattet ist, im Namen des Vertretenen mit sich im eigenen Namen oder als Vertreter eines Dritten ein Rechtsgeschäft nicht vornehmen, es sei denn, daß das Rechtsgeschäft ausschließlich in der Erfüllung einer Verbindlichkeit besteht.

§ 823

(1) Wer vorsätzlich oder fahrlässig das Leben, den Körper, die Gesundheit, die Freiheit, das Eigentum oder ein sonstiges Recht eines anderen widerrechtlich verletzt, ist dem anderen zum Ersatz des daraus entstehenden Schadens verpflichtet.

(2) Die gleiche Verpflichtung trifft denjenigen, welcher gegen ein den Schutz eines anderen bezweckendes Gesetz verstößt. Ist nach dem Inhalt des Gesetzes ein Verstoß gegen dieses auch ohne Verschulden möglich, so tritt die Ersatzpflicht nur im Falle des Verschuldens ein.

§ 827

Wer im Zustand der Bewußtlosigkeit oder in einem die freie Willensbestimmung ausschließenden Zustand krankhafter Störung der Geistestätigkeit einem anderen Schaden zufügt, ist für den Schaden nicht verantwortlich. Hat er sich durch geistige Getränke oder ähnliche Mittel in einen vorübergehenden Zustand dieser Art versetzt, so ist er für einen Schaden, den er in diesem Zustand widerrechtlich verursacht, in gleicher Weise verantwortlich, wie wenn ihm Fahrlässigkeit zur Last fiele; die Verantwortlichkeit tritt nicht ein, wenn er ohne Verschulden in den Zustand geraten ist.

§ 828

(1) Wer nicht das siebente Lebensjahr vollendet hat, ist für einen Schaden, den er einem anderen zufügt, nicht verantwortlich.

(2) Wer das siebente, aber nicht das achtzehnte Lebensjahr vollendet hat, ist für einen Schaden, den er einem anderen zufügt, nicht verantwortlich, wenn er bei der Begehung der schädigenden Handlung nicht die zur Erkenntnis der Verantwortlichkeit erforderliche Einsicht hat. Das gleiche gilt von einem Taubstummen.

§ 829

Wer in einem der in den §§ 823 bis 826 bezeichneten Fälle für einen von ihm verursachten Schaden auf Grund der §§ 827, 828 nicht verantwortlich ist, hat gleichwohl, sofern der Ersatz des Schadens nicht von einem aufsichtspflichtigen Dritten erlangt werden kann, den Schaden insoweit zu ersetzen, als die Billigkeit nach den Umständen, insbesondere nach den Verhältnissen der Beteiligten, eine Schadloshaltung erfordert und ihm nicht die Mittel entzogen werden, deren er zum angemessenen Unterhalt sowie zur Erfüllung seiner gesetzlichen Unterhaltspflichten bedarf.

§ 832

(1) Wer kraft Gesetzes zur Führung der Aufsicht über eine Person verpflichtet ist, die wegen Minderjährigkeit oder wegen ihres geistigen oder körperlichen Zustandes der Beaufsichtigung bedarf, ist zum Ersatz des Schadens verpflichtet, den diese Person einem Dritten widerrechtlich zufügt. Die Ersatzpflicht tritt nicht ein, wenn er seiner Aufsichtspflicht genügt oder wenn der Schaden auch bei gehöriger Aufsichtsführung entstanden sein würde.

(2) Die gleiche Verantwortlichkeit trifft denjenigen, welcher die Führung der Aufsicht durch Vertrag übernimmt.

§ 1795

(1) Der Vormund kann den Mündel nicht vertreten:

1. bei einem Rechtsgeschäft zwischen seinem Ehegatten oder einem seiner Verwandten in gerader Linie einerseits und dem Mündel andererseits, es sei denn, daß das Rechtsgeschäft ausschließlich in der Erfüllung einer Verbindlichkeit besteht;

2. bei einem Rechtsgeschäft, das die Übertragung oder Belastung einer durch Pfandrecht, Hypothek, Schiffshypothek oder Bürgschaft gesicherten Forderung des Mündels gegen den Vormund oder die Aufhebung oder Minderung dieser Sicherheit zum Gegenstand hat oder die Verpflichtung des Mündels zu einer solchen Übertragung, Belastung, Aufhebung oder Minderung begründet;

3. bei einem Rechtsstreit zwischen den in Nummer 1 bezeichneten Personen sowie bei einem Rechtsstreit über eine Angelegenheit der in Nummer 2 bezeichneten Art.

(2) Die Vorschrift des § 181 bleibt unberührt.

§ 1796

(1) Das Vormundschaftsgericht kann dem Vormund die Vertretung für einzelne Angelegenheiten oder für einen bestimmten Kreis von Angelegenheiten entziehen.

(2) Die Entziehung soll nur erfolgen, wenn das Interesse des Mündels zu dem Interesse des Vormundes oder eines von diesem vertretenen Dritten oder einer der in § 1795 Nr. 1 bezeichneten Personen in erheblichem Gegensatz steht.

§ 1805

Der Vormund darf Vermögen des Mündels weder für sich noch für den Gegenvormund verwenden. Ist das Jugendamt Vormund oder Gegenvormund, so ist die Anlegung von Mündelgeld gemäß § 1807 auch bei der Körperschaft zulässig, bei der das Jugendamt errichtet ist.

§ 1806

Der Vormund hat das zum Vermögen des Mündels gehörende Geld verzinslich anzulegen, soweit es nicht zur Bestreitung von Ausgaben bereit zu halten ist.

§ 1807

(1) Die im § 1806 vorgeschriebene Anlegung von Mündelgeld soll nur erfolgen:

1. in Forderungen, für die eine sichere Hypothek an einem inländischen Grundstück besteht, oder in sicheren Grundschulden oder Rentenschulden an inländischen Grundstücken;

2. in verbrieften Forderungen gegen das Reich oder einen Bundesstaat sowie in Forderungen, die in das Reichsschuldbuch oder in das Staatsschuldbuch eines Bundesstaats eingetragen sind;

3. in verbrieften Forderungen, deren Verzinsung von dem oder einem Bundesstaat gewährleistet ist;

4. in Wertpapieren, insbesondere Pfandbriefen, sowie in verbrieften Forderungen jeder Art gegen eine inländische kommunale Körperschaft oder die Kreditanstalt einer solchen Körperschaft, sofern die Wertpapiere oder die Forderungen von der Bundesregierung mit Zustimmung des Bundesrats zur Anlegung von Mündelgeld für geeignet erklärt sind;

5. bei einer inländischen öffentlichen Sparkasse, wenn sie von der zuständigen Behörde des Bundesstaats, in welchem sie ihren Sitz hat, zur Anlegung von Mündelgeld für geeignet erklärt ist, oder bei einem anderen Kreditinstitut, das einer für die Anlage ausreichenden Sicherungseinrichtung angehört.

(2) Die Landesgesetze können für die innerhalb ihres Geltungsbereichs belegenen Grundstükke die Grundsätze bestimmen, nach denen die Sicherheit einer Hypothek, einer Grundschuld oder einer Rentenschuld festzustellen ist.

§ 1809

Der Vormund soll Mündelgeld nach § 1807 Abs. 1 Nr. 5 nur mit der Bestimmung anlegen, daß zur Erhebung des Geldes die Genehmigung des Gegenvormundes oder des Vormundschaftsgerichts erforderlich ist.

§ 1811

Das Vormundschaftsgericht kann dem Vormund eine andere Anlegung als die in den § 1807 vorgeschriebene gestatten. Die Erlaubnis soll nur verweigert werden, wenn die beabsichtigte Art der Anlegung nach Lage des Falles den Grundsätzen einer wirtschaftlichen Vermögensverwaltung zuwiderlaufen würde.

§ 1812

(1) Der Vormund kann über eine Forderung oder über ein anderes Recht, kraft dessen der Mündel eine Leistung verlangen kann, sowie über ein Wertpapier des Mündels nur mit Genehmigung des Gegenvormundes verfügen, sofern nicht nach den §§ 1819 bis 1822 die Genehmigung des Vormundschaftsgerichts erforderlich ist. Das gleiche gilt von der Eingehung der Verpflichtung zu einer solchen Verfügung.

(2) Die Genehmigung des Gegenvormundes wird durch die Genehmigung des Vormundschaftsgerichts ersetzt.

(3) Ist ein Gegenvormund nicht vorhanden, so tritt an die Stelle der Genehmigung des Gegenvormundes die Genehmigung des Vormundschaftsgerichts, sofern nicht die Vormundschaft von mehreren Vormündern gemeinschaftlich geführt wird.

§ 1813

(1) Der Vormund bedarf nicht der Genehmigung des Gegenvormundes zur Annahme einer geschuldeten Leistung:

1. wenn der Gegenstand der Leistung nicht in Geld oder Wertpapieren besteht;

2. wenn der Anspruch nicht mehr als fünftausend Deutsche Mark beträgt;

3. wenn Geld zurückgezahlt wird, das der Vormund angelegt hat;

4. wenn der Anspruch zu den Nutzungen des Mündelvermögens gehört;

5. wenn der Anspruch auf Erstattung von Kosten der Kündigung oder der Rechtsverfolgung oder auf sonstige Nebenleistungen gerichtet ist.

(2) Die Befreiung nach Absatz 1 Nr. 2, 3 erstreckt sich nicht auf die Erhebung von Geld, bei dessen Anlegung ein anderes bestimmt worden ist. Die Befreiung nach Absatz 1 Nr. 3 gilt auch nicht für die Erhebung von Geld, das nach § 1807 Abs. 1 Nr. 1 bis 4 angelegt ist.

§ 1821

(1) Der Vormund bedarf der Genehmigung des Vormundschaftsgerichts:

1. zur Verfügung über ein Grundstück oder über ein Recht an einem Grundstück;

2. zur Verfügung über eine Forderung, die auf Übertragung des Eigentums an einem Grundstück oder auf Begründung oder Übertragung eines Rechts an einem Grundstück oder auf Befreiung eines Grundstücks von einem solchen Recht gerichtet ist;

3. zur Verfügung über ein eingetragenes Schiff oder Schiffsbauwerk oder über eine Forderung, die auf Übertragung des Eigentums an einem eingetragenen Schiff oder Schiffsbauwerk gerichtet ist;

4. zur Eingehung einer Verpflichtung zu einer der in den Nummern 1 bis 3 bezeichneten Verfügungen;

5. zu einem Vertrag, der auf den entgeltlichen Erwerb eines Grundstücks, eines eingetragenen Schiffs oder Schiffsbauwerks oder eines Rechts an einem Grundstück gerichtet ist.

(2) Zu den Rechten an einem Grundstück im Sinne dieser Vorschriften gehören nicht Hypotheken, Grundschulden und Rentenschulden.

§ 1822

Der Vormund bedarf der Genehmigung des Vormundschaftsgerichts:

1. zu einem Rechtsgeschäft, durch das der Mündel zu einer Verfügung über sein Vermögen im ganzen oder über eine ihm angefallene Erbschaft oder über seinen künftigen gesetzlichen Erbteil oder seinen künftigen Pflichtteil verpflichtet wird, sowie zu einer Verfügung über den Anteil des Mündels an einer Erbschaft;

2. zur Ausschlagung einer Erbschaft oder eines Vermächtnisses, zum Verzicht auf einen Pflichtteil sowie zu einem Erbteilungsvertrag;

3. zu einem Vertrag, der auf den entgeltlichen Erwerb oder die Veräußerung eines Erwerbsgeschäfts gerichtet ist, sowie zu einem Gesellschaftsvertrag, der zum Betrieb eines Erwerbsgeschäfts eingegangen wird;

4. zu einem Pachtvertrag über ein Landgut oder einen gewerblichen Betrieb;

5. zu einem Miet- oder Pachtvertrag oder einem anderen Vertrag, durch den der Mündel zu wiederkehrenden Leistungen verpflichtet wird, wenn das Vertragsverhältnis länger als ein Jahr nach dem Eintritt der Volljährigkeit des Mündels fortdauern soll;

6. zu einem Lehrvertrag, der für längere Zeit als ein Jahr geschlossen wird;

7. zu einem auf die Eingehung eines Dienst- oder Arbeitsverhältnisses gerichteten Vertrag, wenn der Mündel zu persönlichen Leistungen für längere Zeit als ein Jahr verpflichtet werden soll;

8. zur Aufnahme von Geld auf den Kredit des Mündels;

9. zur Ausstellung einer Schuldverschreibung auf den Inhaber oder zur Eingehung einer Verbindlichkeit aus einem Wechsel oder einem anderen Papier, das durch Indossament übertragen werden kann;

10. zur Übernahme einer fremden Verbindlichkeit, insbesondere zur Eingehung einer Bürgschaft;

11. zur Erteilung einer Prokura;

12. zu einem Vergleich oder einem Schiedsvertrag, es sei denn, daß der Gegenstand des Streites oder der Ungewißheit in Geld schätzbar ist und den Wert von fünftausend Deutsche Mark nicht übersteigt oder der Vergleich einem schriftlichen oder protokollierten gerichtlichen Vergleichsvorschlag entspricht;

13. zu einem Rechtsgeschäft, durch das die für eine Forderung des Mündels bestehende Sicherheit aufgehoben oder gemindert oder die Verpflichtung dazu begründet wird.

§ 1835

(1) Macht der Vormund zum Zwecke der Führung der Vormundschaft Aufwendungen, so kann er nach den für den Auftrag geltenden Vorschriften der §§ 669, 670 von dem Mündel Vorschuß oder Ersatz verlangen; für den Ersatz von Fahrtkosten gilt die in § 9 des Gesetzes über die Entschädigung von Zeugen und Sachverständigen für Sachverständige getroffene Regelung entsprechend. Das gleiche Recht steht dem Gegenvormund zu. Ersatzansprüche erlöschen, wenn sie nicht binnen 15 Monaten nach ihrer Entstehung gerichtlich geltend gemacht werden; die Geltendmachung des Anspruchs beim Vormundschaftsgericht gilt dabei auch als Geltendmachung gegenüber dem Mündel. Das Vormundschaftsgericht kann in sinngemäßer Anwendung von § 15 Abs. 3 Satz 1 bis 5 des Gesetzes über die Entschädigung von Zeugen und Sachverständigen eine abweichende Frist bestimmen.

(2) Aufwendungen sind auch die Kosten einer angemessenen Versicherung gegen Schäden, die dem Mündel durch den Vormund oder Gegenvormund zugefügt werden können oder die dem Vormund oder Gegenvormund dadurch entstehen können, daß er einem Dritten zum Ersatz eines durch die Führung der Vormundschaft verursachten Schadens verpflichtet ist; dies gilt nicht für die Kosten der Haftpflichtversicherung des Halters eines Kraftfahrzeugs. Satz 1 ist nicht anzuwenden, wenn der Vormund oder Gegenvormund eine Vergütung nach § 1836 Abs. 2 erhält.

(3) Als Aufwendungen gelten auch solche Dienste des Vormundes oder des Gegenvormundes, die zu seinem Gewerbe oder seinem Beruf gehören.

(4) Ist der Mündel mittellos, so kann der Vormund Vorschuß und Ersatz aus der Staatskasse verlangen. Absatz 1 Satz 3 und 4 gilt entsprechend.

(5) Das Jugendamt oder ein Verein kann als Vormund oder Gegenvormund für Aufwendungen keinen Vorschuß und Ersatz nur insoweit verlangen, als das einzusetzende Einkommen und Vermögen des Mündels ausreicht. Allgemeine Verwaltungskosten einschließlich der Kosten nach Absatz 2 werden nicht ersetzt.

§ 1835a

(1) Zur Abgeltung seines Anspruchs auf Aufwendungsersatz kann der Vormund als Aufwandsentschädigung für jede Vormundschaft, für die ihm keine Vergütung zusteht, einen Geldbetrag verlangen, der für ein Jahr dem Vierundzwanzigfachen dessen entspricht, was einem Zeugen als Höchstbetrag der Entschädigung für eine Stunde versäumter Arbeitszeit gewährt werden kann (Aufwandsentschädigung). Hat der Vormund für solche Aufwendungen bereits Vorschuß oder Ersatz erhalten, so verringert sich die Aufwandsentschädigung entsprechend.

(2) Die Aufwandsentschädigung ist jährlich zu zahlen, erstmals ein Jahr nach Bestellung des Vormunds.

(3) Ist der Mündel mittellos, so kann der Vormund die Aufwandsentschädigung aus der Staatskasse verlangen; Unterhaltsansprüche des Mündels gegen den Vormund sind insoweit bei der Bestimmung des Einkommens nach § 1836c Nr. 1 nicht zu berücksichtigen.

(4) Der Anspruch auf Aufwandsentschädigung erlischt, wenn er nicht binnen drei Monaten nach Ablauf des Jahres, in dem der Anspruch entsteht, geltend gemacht wird; die Geltendmachung des Anspruchs beim Vormundschaftsgericht gilt auch als Geltendmachung gegenüber dem Mündel.

(5) Dem Jugendamt oder einem Verein kann keine Aufwandsentschädigung gewährt werden.

§ 1836

(1) Die Vormundschaft wird unentgeltlich geführt. Sie wird ausnahmsweise entgeltlich geführt, wenn das Gericht bei der Bestellung des Vormundes feststellt, daß der Vormund die Vormundschaft berufsmäßig führt. Das Gericht hat diese Feststellung zu treffen, wenn dem Vormund in einem solchen Umfang Vormundschaften übertragen sind, daß er sie nur im Rahmen seiner Berufsausübung führen kann, oder wenn zu erwarten ist, daß dem Vormund in absehbarer Zeit Vormundschaften in diesem Umfang übertragen sein werden. Die Voraussetzungen des Satzes 3 erste Alternative liegen im Regelfall vor, wenn der Vormund

a) mehr als zehn Vormundschaften führt oder

b) die für die Führung der Vormundschaften erforderliche Zeit voraussichtlich 20 Wochenstunden nicht unterschreitet.

(2) Liegen die Voraussetzungen des Absatzes 1 Satz 2 vor, so hat das Vormundschaftsgericht dem Vormund oder Gegenvormund eine Vergütung zu bewilligen. Die Höhe der Vergütung bestimmt sich nach den für die Führung der Vormundschaft nutzbaren Fachkenntnissen des Vormundes sowie nach dem Umfang und der Schwierigkeit der vormundschaftlichen Geschäfte. Der Vormund kann Abschlagszahlungen verlangen. Der Vergütungsanspruch erlischt, wenn er nicht binnen 15 Monaten nach seiner Entstehung beim Vormundschaftsgericht geltend gemacht wird; das Vormundschaftsgericht kann in sinngemäßer Anwendung von § 15 Abs. 3 Satz 1 bis 5 des Gesetzes über die Entschädigung von Zeugen und Sachverständigen eine abweichende Frist bestimmen.

(3) Trifft das Gericht keine Feststellung nach Absatz 1 Satz 2, so kann es dem Vormund und aus besonderen Gründen auch dem Gegenvormund gleichwohl eine angemessene Vergütung bewilligen, soweit der Umfang oder die Schwierigkeit der vormundschaftlichen Geschäfte dies rechtfertigen; dies gilt nicht, wenn der Mündel mittellos ist.

(4) Dem Jugendamt oder einem Verein kann keine Vergütung bewilligt werden.

§ 1836a

Ist der Mündel mittellos, so kann der Vormund die nach § 1836 Abs. 1 Satz 2, Abs. 2 zu bewilligende Vergütung nach Maßgabe des § 1 des Gesetzes über die Vergütung von Berufsvormündern aus der Staatskasse verlangen.

§ 1836b

In den Fällen des § 1836 Abs. 1 Satz 2 kann das Vormundschaftsgericht

1. dem Vormund einen festen Geldbetrag als Vergütung zubilligen, wenn die für die Führung der vormundschaftlichen Geschäfte erforderliche Zeit vorhersehbar und ihre Ausschöpfung durch den Vormund gewährleistet ist. Bei der Bemessung des Geldbetrags ist die voraussichtlich erforderliche Zeit mit den in § 1 Abs. 1 des Gesetzes über die Vergütung von Berufsvormündern bestimmten Beträgen zu vergüten. Einer Nachweisung der vom Vormund aufgewandten Zeit bedarf es in diesem Falle nicht; weitergehende Vergütungsansprüche des Vormundes sind ausgeschlossen;

2. die für die Führung der vormundschaftlichen Geschäfte erforderliche Zeit begrenzen. Eine Überschreitung der Begrenzung bedarf der Genehmigung des Vormundschaftsgerichts.

Eine Entscheidung nach Satz 1 kann zugleich mit der Bestellung des Vormundes getroffen werden.

§ 1896

(1) Kann ein Volljähriger auf Grund einer psychischen Krankheit oder einer körperlichen, geistigen oder seelischen Behinderung seine Angelegenheiten ganz oder teilweise nicht besorgen, so bestellt das Vormundschaftsgericht auf seinen Antrag oder von Amts wegen für ihn einen Betreuer. Den Antrag kann auch ein Geschäftsunfähiger stellen. Soweit der Volljährige auf Grund einer körperlichen Behinderung seine Angelegenheiten nicht besorgen kann, darf der Betreuer nur auf Antrag des Volljährigen bestellt werden, es sei denn, daß dieser seinen Willen nicht kundtun kann.

(2) Ein Betreuer darf nur für Aufgabenkreise bestellt werden, in denen die Betreuung erforderlich ist. Die Betreuung ist nicht erforderlich, soweit die Angelegenheiten des Volljährigen durch einen Bevollmächtigten, der nicht zu den in § 1897 Abs. 3 bezeichneten Personen gehört, oder durch andere Hilfen, bei denen kein gesetzlicher Vertreter bestellt wird, ebenso gut wie durch einen Betreuer besorgt werden können.

(3) Als Aufgabenkreis kann auch die Geltendmachung von Rechten des Betreuten gegenüber seinem Bevollmächtigten bestimmt werden.

(4) Die Entscheidung über den Fernmeldeverkehr des Betreuten und über die Entgegennahme, das Öffnen und das Anhalten seiner Post werden vom Aufgabenkreis des Betreuers nur dann erfaßt, wenn das Gericht dies ausdrücklich angeordnet hat.

§ 1897

(1) Zum Betreuer bestellt das Vormundschaftsgericht eine natürliche Person, die geeignet ist, in dem gerichtlich bestimmten Aufgabenkreis die Angelegenheiten des Betreuten rechtlich zu besorgen und ihn in dem hierfür erforderlichen Umfang persönlich zu betreuen.

(2) Der Mitarbeiter eines nach § 1908f anerkannten Betreuungsvereins, der dort ausschließlich oder teilweise als Betreuer tätig ist (Vereinsbetreuer), darf nur mit Einwilligung des Vereins bestellt werden. Entsprechendes gilt für den Mitarbeiter einer in Betreuungsangelegenheiten

zuständigen Behörde, der dort ausschließlich oder teilweise als Betreuer tätig ist (Behördenbetreuer).

(3) Wer zu einer Anstalt, einem Heim oder einer sonstigen Einrichtung, in welcher der Volljährige untergebracht ist oder wohnt, in einem Abhängigkeitsverhältnis oder in einer anderen engen Beziehung steht, darf nicht zum Betreuer bestellt werden.

(4) Schlägt der Volljährige eine Person vor, die zum Betreuer bestellt werden kann, so ist diesem Vorschlag zu entsprechen, wenn es dem Wohl des Volljährigen nicht zuwiderläuft. Schlägt er vor, eine bestimmte Person nicht zu bestellen, so soll hierauf Rücksicht genommen werden. Die Sätze 1 und 2 gelten auch für Vorschläge, die der Volljährige vor dem Betreuungsverfahren gemacht hat, es sei denn, daß er an diesen Vorschlägen erkennbar nicht festhalten will.

(5) Schlägt der Volljährige niemanden vor, der zum Betreuer bestellt werden kann, so ist bei der Auswahl des Betreuers auf die verwandtschaftlichen und sonstigen persönlichen Bindungen des Volljährigen, insbesondere auf die Bindungen zu Eltern, Kindern und zum Ehegatten, sowie auf die Gefahr von Interessenkonflikten Rücksicht zu nehmen.

(6) Wer Betreuungen im Rahmen seiner Berufsausübung führt, soll nur dann zum Betreuer bestellt werden, wenn keine andere geeignete Person zur Verfügung steht, die zur ehrenamtlichen Führung der Betreuung bereit ist. Werden dem Betreuer Umstände bekannt, aus denen sich ergibt, daß der Volljährige durch eine oder mehrere andere geeignete Personen außerhalb einer Berufsausübung betreut werden kann, so hat er dies dem Gericht mitzuteilen.

(7) Wird eine Person unter den Voraussetzungen des Absatzes 6 Satz 1 erstmals in dem Bezirk des Vormundschaftsgerichts zum Betreuer bestellt, soll das Gericht zuvor die zuständige Behörde zur Eignung des ausgewählten Betreuers und zu den nach § 1836 Abs. 1 Satz 3 zweite Alternative zu treffenden Feststellungen anhören.

§ 1898

(1) Der vom Vormundschaftsgericht Ausgewählte ist verpflichtet, die Betreuung zu übernehmen, wenn er zur Betreuung geeignet ist und ihm die Übernahme unter Berücksichtigung seiner familiären, beruflichen und sonstigen Verhältnisse zugemutet werden kann.

(2) Der Ausgewählte darf erst dann zum Betreuer bestellt werden, wenn er sich zur Übernahme der Betreuung bereit erklärt hat.

§ 1899

(1) Das Vormundschaftsgericht kann mehrere Betreuer bestellen, wenn die Angelegenheiten des Betreuten hierdurch besser besorgt werden können. In diesem Fall bestimmt es, welcher Betreuer mit welchem Aufgabenkreis betraut wird.

(2) Für die Entscheidung über die Einwilligung in eine Sterilisation des Betreuten ist stets ein besonderer Betreuer zu bestellen.

(3) Soweit mehrere Betreuer mit demselben Aufgabenkreis betraut werden, können sie die Angelegenheiten des Betreuten nur gemeinsam besorgen, es sei denn, daß das Gericht etwas anderes bestimmt hat oder mit dem Aufschub Gefahr verbunden ist.

(4) Das Gericht kann mehrere Betreuer auch in der Weise bestellen, daß der eine die Angelegenheiten des Betreuten nur zu besorgen hat, soweit der andere verhindert ist oder ihm die Besorgung überträgt.

§ 1900

(1) Kann der Volljährige durch eine oder mehrere natürliche Personen nicht hinreichend betreut werden, so bestellt das Vormundschaftsgericht einen anerkannten Betreuungsverein zum Betreuer. Die Bestellung bedarf der Einwilligung des Vereins.

(2) Der Verein überträgt die Wahrnehmung der Betreuung einzelnen Personen. Vorschlägen des Volljährigen hat er hierbei zu entsprechen, soweit nicht wichtige Gründe entgegenstehen. Der Verein teilt dem Gericht alsbald mit, wem er die Wahrnehmung der Betreuung übertragen hat.

(3) Werden dem Verein Umstände bekannt, aus denen sich ergibt, daß der Volljährige durch eine oder mehrere natürliche Personen hinreichend betreut werden kann, so hat er dies dem Gericht mitzuteilen.

(4) Kann der Volljährige durch eine oder mehrere natürliche Personen oder durch einen Verein nicht hinreichend betreut werden, so bestellt das Gericht die zuständige Behörde zum Betreuer. Die Absätze 2 und 3 gelten entsprechend.

(5) Vereinen oder Behörden darf die Entscheidung über die Einwilligung in eine Sterilisation des Betreuten nicht übertragen werden.

§ 1901

(1) Die Betreuung umfaßt alle Tätigkeiten, die erforderlich sind, um die Angelegenheiten des Betreuten nach Maßgabe der folgenden Vorschriften rechtlich zu besorgen.

(2) Der Betreuer hat die Angelegenheiten des Betreuten so zu besorgen, wie es dessen Wohl entspricht. Zum Wohl des Betreuten gehört auch die Möglichkeit, im Rahmen seiner Fähigkeiten sein Leben nach seinen eigenen Wünschen und Vorstellungen zu gestalten.

(3) Der Betreuer hat Wünschen des Betreuten zu entsprechen, soweit dies dessen Wohl nicht zuwiderläuft und dem Betreuer zuzumuten ist. Dies gilt auch für Wünsche, die der Betreute vor der Bestellung des Betreuers geäußert hat, es sei denn, daß er an diesen Wünschen erkennbar nicht festhalten will. Ehe der Betreuer wichtige Angelegenheiten erledigt, bespricht er sie mit dem Betreuten, sofern dies dessen Wohl nicht zuwiderläuft.

(4) Innerhalb seines Aufgabenkreises hat der Betreuer dazu beizutragen, daß Möglichkeiten genutzt werden, die Krankheit oder Behinderung des Betreuten zu beseitigen, zu bessern, ihre Verschlimmerung zu verhüten oder ihre Folgen zu mildern.

(5) Werden dem Betreuer Umstände bekannt, die eine Aufhebung der Betreuung ermöglichen, so hat er dies dem Vormundschaftsgericht mitzuteilen. Gleiches gilt für Umstände, die eine Einschränkung des Aufgabenkreises ermöglichen oder dessen Erweiterung, die Bestellung eines weiteren Betreuers oder die Anordnung eines Einwilligungsvorbehalts (§ 1903) erfordern.

§ 1901a

Wer ein Schriftstück besitzt, in dem jemand für den Fall seiner Betreuung Vorschläge zur Auswahl des Betreuers oder Wünsche zur Wahrnehmung der Betreuung geäußert hat, hat es unverzüglich an das Vormundschaftsgericht abzuliefern, nachdem er von der Einleitung eines Verfahrens über die Bestellung eines Betreuers Kenntnis erlangt hat.

§ 1902

In seinem Aufgabenkreis vertritt der Betreuer den Betreuten gerichtlich und außergerichtlich.

§ 1903

(1) Soweit dies zur Abwendung einer erheblichen Gefahr für die Person oder das Vermögen des Betreuten erforderlich ist, ordnet das Vormundschaftsgericht an, daß der Betreute zu einer Willenserklärung, die den Aufgabenkreis des Betreuers betrifft, dessen Einwilligung bedarf (Einwilligungsvorbehalt). Die §§ 108 bis 113, 131 Abs. 2 und § 206 gelten entsprechend.

(2) Ein Einwilligungsvorbehalt kann sich nicht erstrecken auf Willenserklärungen, die auf Eingehung einer Ehe gerichtet sind, auf Verfügungen von Todes wegen und auf Willenserklärungen, zu denen ein beschränkt Geschäftsfähiger nach den Vorschriften des Vierten und Fünften Buches nicht der Zustimmung seines gesetzlichen Vertreters bedarf.

(3) Ist ein Einwilligungsvorbehalt angeordnet, so bedarf der Betreute dennoch nicht der Einwilligung seines Betreuers, wenn die Willenserklärung dem Betreuten lediglich einen rechtlichen Vorteil bringt. Soweit das Gericht nichts anderes anordnet, gilt dies auch, wenn die Willenserklärung eine geringfügige Angelegenheit des täglichen Lebens betrifft.

(4) § 1901 Abs. 4 gilt entsprechend.

§ 1904

(1) Die Einwilligung des Betreuers in eine Untersuchung des Gesundheitszustandes, eine Heilbehandlung oder einen ärztlichen Eingriff bedarf der Genehmigung des Vormundschaftsgerichts, wenn die begründete Gefahr besteht, daß der Betreute auf Grund der Maßnahme stirbt oder einen schweren und länger dauernden gesundheitlichen Schaden erleidet. Ohne die Genehmigung darf die Maßnahme nur durchgeführt werden, wenn mit dem Aufschub Gefahr verbunden ist.

(2) Absatz 1 gilt auch für die Einwilligung eines Bevollmächtigten. Sie ist nur wirksam, wenn die Vollmacht schriftlich erteilt ist und die in Absatz 1 Satz 1 genannten Maßnahmen ausdrücklich umfaßt.

§ 1905

(1) Besteht der ärztliche Eingriff in einer Sterilisation des Betreuten, in die dieser nicht einwilligen kann, so kann der Betreuer nur einwilligen, wenn

1. die Sterilisation dem Willen des Betreuten nicht widerspricht,

2. der Betreute auf Dauer einwilligungsunfähig bleiben wird,

3. anzunehmen ist, daß es ohne die Sterilisation zu einer Schwangerschaft kommen würde,

4. infolge dieser Schwangerschaft eine Gefahr für das Leben oder die Gefahr einer schwerwiegenden Beeinträchtigung des körperlichen oder seelischen Gesundheitszustandes der Schwangeren zu erwarten wäre, die nicht auf zumutbare Weise abgewendet werden könnte, und

5. die Schwangerschaft nicht durch andere zumutbare Mittel verhindert werden kann.

Als schwerwiegende Gefahr für den seelischen Gesundheitszustand der Schwangeren gilt auch die Gefahr eines schweren und nachhaltigen Leides, das ihr drohen würde, weil vormundschaftsgerichtliche Maßnahmen, die mit ihrer Trennung vom Kind verbunden wären (§§ 1666, 1666a), gegen sie ergriffen werden müßten.

(2) Die Einwilligung bedarf der Genehmigung des Vormundschaftsgerichts. Die Sterilisation darf erst zwei Wochen nach Wirksamkeit der Genehmigung durchgeführt werden. Bei der Sterilisation ist stets der Methode der Vorzug zu geben, die eine Refertilisierung zuläßt.

§ 1906

(1) Eine Unterbringung des Betreuten durch den Betreuer, die mit Freiheitsentziehung verbunden ist, ist nur zulässig, solange sie zum Wohl des Betreuten erforderlich ist, weil

1. auf Grund einer psychischen Krankheit oder geistigen oder seelischen Behinderung des Betreuten die Gefahr besteht, daß er sich selbst tötet oder erheblichen gesundheitlichen Schaden zufügt, oder

2. eine Untersuchung des Gesundheitszustandes, eine Heilbehandlung oder ein ärztlicher Eingriff notwendig ist, ohne die Unterbringung des Betreuten nicht durchgeführt werden kann und der Betreute auf Grund einer psychischen Krankheit oder geistigen oder seelischen Behinderung die Notwendigkeit der Unterbringung nicht erkennen oder nicht nach dieser Einsicht handeln kann.

(2) Die Unterbringung ist nur mit Genehmigung des Vormundschaftsgerichts zulässig. Ohne die Genehmigung ist die Unterbringung nur zulässig, wenn mit dem Aufschub Gefahr verbunden ist; die Genehmigung ist unverzüglich nachzuholen.

(3) Der Betreuer hat die Unterbringung zu beenden, wenn ihre Voraussetzungen wegfallen. Er hat die Beendigung der Unterbringung dem Vormundschaftsgericht anzuzeigen.

(4) Die Absätze 1 bis 3 gelten entsprechend, wenn dem Betreuten, der sich in einer Anstalt, einem Heim oder einer sonstigen Einrichtung aufhält, ohne untergebracht zu sein, durch mechanische Vorrichtungen, Medikamente oder auf andere Weise über einen längeren Zeitraum oder regelmäßig die Freiheit entzogen werden soll.

(5) Die Unterbringung durch einen Bevollmächtigten und die Einwilligung eines Bevollmächtigten in Maßnahmen nach Absatz 4 setzt voraus, daß die Vollmacht schriftlich erteilt ist und die in den Absätzen 1 und 4 genannten Maßnahmen ausdrücklich umfaßt. Im übrigen gelten die Absätze 1 bis 4 entsprechend.

§ 1907

(1) Zur Kündigung eines Mietverhältnisses über Wohnraum, den der Betreute gemietet hat, bedarf der Betreuer der Genehmigung des Vormundschaftsgerichts. Gleiches gilt für eine Willenerklärung, die auf die Aufhebung eines solchen Mietverhältnisses gerichtet ist.

(2) Treten andere Umstände ein, auf Grund derer die Beendigung des Mietverhältnisses in Betracht kommt, so hat der Betreuer dies dem Vormundschaftsgericht unverzüglich mitzuteilen, wenn sein Aufgabenkreis das Mietverhältnis oder die Aufenthaltsbestimmung umfaßt. Will der Betreuer Wohnraum des Betreuten auf andere Weise als durch Kündigung oder Aufhebung eines Mietverhältnisses aufgeben, so hat er dies gleichfalls unverzüglich mitzuteilen.

(3) Zu einem Miet- oder Pachtvertrag oder zu einem anderen Vertrag, durch den der Betreute zu wiederkehrenden Leistungen verpflichtet wird, bedarf der Betreuer der Genehmigung des Vormundschaftsgerichts, wenn das Vertragsverhältnis länger als vier Jahre dauern oder vom Betreuer Wohnraum vermietet werden soll.

§ 1908i

(1) Im übrigen sind auf die Betreuung § 1632 Abs. 1 bis 3, §§ 1784, 1787 Abs. 1, § 1791a Abs. 3 Satz 1 zweiter Halbsatz und Satz 2, §§ 1792, 1795 bis 1797 Abs. 1 Satz 2, §§ 1798, 1799, 1802 Abs. 1 Satz 1, Abs. 2 und 3, §§ 1803, 1805 bis 1821, 1822 Nr. 1 bis 4, 6 bis 13, §§ 1823 bis 1825, 1828 bis 1831, 1833 bis 1836e, 1837 Abs. 1 bis 3, §§ 1839 bis 1841, 1843, 1845, 1846, 1857a, 1888, 1890, 1892 bis 1894 sinngemäß anzuwenden. Durch Landesrecht kann bestimmt werden, daß Vorschriften, welche die Aufsicht des Vormundschaftsgerichts in vermögensrechtlicher Hinsicht sowie beim Abschluß von Lehr- und Arbeitsverträgen betreffen, gegenüber der zuständigen Behörde außer Anwendung bleiben.

(2) § 1804 ist sinngemäß anzuwenden, jedoch kann der Betreuer in Vertretung des Betreuten Gelegenheitsgeschenke auch dann machen, wenn dies dem Wunsch des Betreuten entspricht und nach seinen Lebensverhältnissen üblich ist. § 1857a ist auf die Betreuung durch den Vater, die Mutter, den Ehegatten oder einen Abkömmling des Betreuten sowie auf den Vereinsbetreuer und den Behördenbetreuer sinngemäß anzuwenden, soweit das Vormundschaftsgericht nichts anderes anordnet.

§ 1908k

(1) Wer Betreuungen entgeltlich führt, hat der Betreuungsbehörde, in deren Bezirk er seinen Sitz oder Wohnsitz hat, kalenderjährlich

1. die Zahl der von ihm im Kalenderjahr geführten Betreuungen,

2. die von ihm für die Führung dieser Betreuungen insgesamt in Rechnung gestellte Zeit,

3. den von ihm für die Führung dieser Betreuungen insgesamt in Rechnung gestellten Geldbetrag und

4. den von ihm für die Führung von Betreuungen im Kalenderjahr erhaltenen Geldbetrag

mitzuteilen.

(2) Die Mitteilung erfolgt jeweils bis spätestens 31. März für den Schluß des vorangegangenen Kalenderjahres. Die Betreuungsbehörde kann verlangen, daß der Betreuer die Richtigkeit der Mitteilung an Eides Statt versichert.

(3) Die Betreuungsbehörde ist berechtigt und auf Verlangen des Vormundschaftsgerichts verpflichtet, dem Vormundschaftsgericht diese Mitteilung zu übermitteln.

2. FGG

§ 66

In Verfahren, die die Betreuung betreffen, ist der Betroffene ohne Rücksicht auf seine Geschäftsfähigkeit verfahrensfähig.

§ 67

(1) Soweit dies zur Wahrnehmung der Interessen des Betroffenen erforderlich ist, bestellt das Gericht dem Betroffenen einen Pfleger für das Verfahren. Die Bestellung ist in der Regel erforderlich, wenn

1. nach § 68 Abs. 2 von der persönlichen Anhörung des Betroffenen abgesehen

werden soll,

2. Gegenstand des Verfahrens die Bestellung eines Betreuers zur Besorgung aller Angelegenheiten des Betroffenen oder die Erweiterung des Aufgabenkreises hierauf ist; dies gilt auch, wenn der Gegenstand des Verfahrens die in § 1896 Abs. 4 und § 1905 des Bürgerlichen Gesetzbuchs bezeichneten Angelegenheiten nicht erfaßt.

Von der Bestellung kann in den Fällen des Satzes 2 abgesehen werden, wenn ein Interesse des Betroffenen an der Bestellung des Verfahrenspflegers offensichtlich nicht besteht. Die Nichtbestellung ist zu begründen. Die Bestellung ist stets erforderlich, wenn Gegenstand des Verfahrens die Genehmigung einer Einwilligung des Betreuers in die Sterilisation (§ 1905 Abs. 2 des Bürgerlichen Gesetzbuchs) ist. Die Bestellung soll unterbleiben oder aufgehoben werden, wenn der Betroffene von einem Rechtsanwalt oder von einem anderen geeigneten Verfahrensbevollmächtigten vertreten wird.

(2) Die Bestellung erfolgt für jeden Rechtszug gesondert, erfaßt jedoch auch die Einlegung und Begründung eines Rechtsmittels.

(3) Der Aufwendungsersatz und die Vergütung des Pflegers für das Verfahren sind aus der Staatskasse zu zahlen. Sie bestimmen sich in entsprechender Anwendung der §§ 1908e bis 1908i, mit Ausnahme der dort in Bezug genommenen § 1835 Abs. 3 und 4, §§ 1835a, 1836b Satz 1 Nr. 2, des Bürgerlichen Gesetzbuchs; die Höhe der zu bewilligenden Vergütung ist stets nach Maßgabe des § 1 des Gesetzes über die Vergütung von Berufsvormündern zu bemessen. Im übrigen gilt § 56g Abs. 1 und 5 entsprechend.

§ 68

(1) Vor der Bestellung eines Betreuers oder der Anordnung eines Einwilligungsvorbehalts hat das Gericht den Betroffenen persönlich anzuhören und sich einen unmittelbaren Eindruck von ihm zu verschaffen. Den unmittelbaren Eindruck soll sich das Gericht in der üblichen Umgebung des Betroffenen verschaffen, wenn dieser es verlangt oder wenn es der Sachaufklärung dient und der Betroffene nicht widerspricht. Das Gericht unterrichtet ihn über den möglichen Verlauf des Verfahrens; es weist in geeigneten Fällen den Betroffenen auf die Möglichkeit der Vorsorgevollmacht und deren Inhalt hin. Verfahrenshandlungen nach Satz 1 dürfen nur dann durch einen ersuchten Richter erfolgen, wenn von vornherein anzunehmen ist, daß das entscheidende Gericht das Ergebnis der Ermittlungen auch ohne eigenen Eindruck von dem Betroffenen zu würdigen vermag. Hat der Betroffene seinen Aufenthalt nicht nur vorübergehend im Ausland, so erfolgen Verfahrenshandlungen nach Satz 1 bis 3 im Wege der internationalen Rechtshilfe.

(2) Die persönliche Anhörung des Betroffenen kann unterbleiben, wenn

1. nach ärztlichem Gutachten hiervon erhebliche Nachteile für die Gesundheit des Betroffenen zu besorgen sind oder

2. der Betroffene nach dem unmittelbaren Eindruck des Gerichts offensichtlich nicht in der Lage ist, seinen Willen kundzutun.

(3) Das Gericht kann den Betroffenen durch die zuständige Behörde vorführen lassen, wenn er sich weigert, an Verfahrenshandlungen nach Absatz 1 Satz 1 mitzuwirken.

(4) Das Gericht kann einen Sachverständigen hinzuziehen, wenn es den Betroffenen persönlich anhört und sich einen unmittelbaren Eindruck von ihm verschafft. Auf Verlangen des Betroffenen ist einer Person seines Vertrauens die Anwesenheit zu gestatten. Anderen Personen kann das Gericht die Anwesenheit gestatten, jedoch nicht gegen den Willen des Betroffenen.

(5) Das Ergebnis der Anhörung, das Gutachten des Sachverständigen oder das ärztliche Zeugnis, der etwaige Umfang des Aufgabenkreises und die Frage, welche Person oder Stelle als Betreuer in Betracht kommt, sind mit dem Betroffenen mündlich zu erörtern, soweit dies zur Gewährung des rechtlichen Gehörs oder zur Sachaufklärung erforderlich ist (Schlußgespräch). Die Verfahrenshandlungen nach Absatz 1 Satz 1 und das Schlußgespräch können in einem Termin stattfinden. Absatz 4 Satz 2 und 3 gilt entsprechend.

§ 68a

Vor der Bestellung eines Betreuers oder der Anordnung eines Einwilligungsvorbehalts gibt das Gericht der zuständigen Behörde Gelegenheit zur Äußerung, wenn es der Betroffene verlangt oder wenn es der Sachaufklärung dient. Im Falle des § 1908a des Bürgerlichen Gesetzbuchs gibt das Gericht auch dem gesetzlichen Vertreter des Betroffenen Gelegenheit zur Äußerung. In der Regel ist auch dem Ehegatten des Betroffenen, seinen Eltern, Pflegeeltern und Kindern Gelegenheit zur Äußerung zu geben, es sei denn, der Betroffene widerspricht mit erheblichen Gründen. Auf Verlangen des Betroffenen ist einer ihm nahestehenden Person und den in Satz 3 genannten Personen Gelegenheit zur Äußerung zu geben, wenn dies ohne erhebliche Verzögerung möglich ist.

§ 68b

(1) Ein Betreuer darf erst bestellt werden, nachdem das Gutachten eines Sachverständigen über die Notwendigkeit der Betreuung eingeholt worden ist. Für die Bestellung eines Betreuers auf Antrag des Betroffenen genügt ein ärztliches Zeugnis, wenn der Betroffene auf die Begutachtung verzichtet hat und die Einholung des Gutachtens insbesondere im Hinblick auf den Umfang des Aufgabenkreises des Betreuers unverhältnismäßig wäre. Ein ärztliches Zeugnis genügt auch, wenn ein Betreuer nur zur Geltendmachung von Rechten des Betroffenen gegenüber seinem Bevollmächtigten bestellt wird. Der Sachverständige hat den Betroffenen vor Erstattung des Gutachtens persönlich zu untersuchen oder zu befragen. Kommt nach Auffassung des Sachverständigen die Bestellung eines Betreuers in Betracht, so hat sich das Gutachten auch auf den Umfang des Aufgabenkreises und die voraussichtliche Dauer der Betreuungsbedürftigkeit zu erstrecken.

(2) Für die Anordnung eines Einwilligungsvorbehalts gilt Absatz 1 Satz 1, 4 und 5 entsprechend.

(3) Das Gericht kann anordnen, daß der Betroffene zur Vorbereitung eines Gutachtens untersucht und durch die zuständige Behörde zu einer Untersuchung vorgeführt wird. Die Anordnung ist nicht anfechtbar.

(4) Das Gericht kann nach Anhörung eines Sachverständigen anordnen, daß der Betroffene auf bestimmte Dauer untergebracht und beobachtet wird, soweit dies zur Vorbereitung des Gutachtens erforderlich ist. Der Betroffene ist vorher persönlich anzuhören. Die Unterbringung darf die Dauer von sechs Wochen nicht überschreiten. Reicht dieser Zeitraum nicht aus, um die erforderlichen Erkenntnisse für das Gutachten zu erlangen, so kann die Unterbringung bis zu einer Gesamtdauer von drei Monaten verlängert werden. Für die Vorführung gilt Absatz 3 entsprechend.

§ 69

(1) Die Entscheidung, durch die ein Betreuer bestellt oder ein Einwilligungsvorbehalt angeordnet wird, muß enthalten

1. die Bezeichnung des Betroffenen,
2. bei Bestellung eines Betreuers die Bezeichnung
   a) des Betreuers,
   b) seines Aufgabenkreises,
3. bei Bestellung eines Vereinsbetreuers oder Behördenbetreuers zusätzlich die Bezeichnung
   a) als Vereinsbetreuer oder Behördenbetreuer,
   b) des Vereins oder der Behörde,
4. bei Anordnung eines Einwilligungsvorbehalts die Bezeichnung des Kreises der einwilligungsbedürftigen Willenserklärungen,

5. den Zeitpunkt, zu dem das Gericht spätestens über die Aufhebung oder Verlängerung der Maßnahme zu entscheiden hat; dieser Zeitpunkt darf höchstens fünf Jahre nach Erlaß der Entscheidung liegen,

6. eine Rechtsmittelbelehrung.

(2) Die Entscheidung ist auch im Falle der Ablehnung einer Maßnahme zu begründen.

§ 69a

(1) Entscheidungen sind dem Betroffenen stets selbst bekanntzumachen. Von der Bekanntmachung der Entscheidungsgründe an den Betroffenen kann abgesehen werden, wenn dies nach ärztlichem Zeugnis wegen erheblicher Nachteile für seine Gesundheit erforderlich ist.

(2) Die Entscheidung, durch die ein Betreuer bestellt oder ein Einwilligungsvorbehalt angeordnet wird, ist auch der zuständigen Behörde bekanntzumachen. Entscheidungen sind ihr auch dann bekanntzumachen, wenn ihr das Gericht im Verfahren Gelegenheit zur Äußerung gegeben hatte.

(3) Entscheidungen werden mit der Bekanntmachung an den Betreuer wirksam. Ist die Bekanntmachung an den Betreuer nicht möglich oder ist Gefahr im Verzug, so kann das Gericht die sofortige Wirksamkeit anordnen. In diesem Falle wird die Entscheidung in dem Zeitpunkt wirksam, in dem sie und die Anordnung der sofortigen Wirksamkeit dem Betroffenen oder dem Pfleger für das Verfahren bekanntgemacht oder der Geschäftsstelle des Gerichts zur Bekanntmachung übergeben werden; der Zeitpunkt ist auf der Entscheidung zu vermerken.

(4) Die Genehmigung der Einwilligung eines Betreuers in eine Sterilisation (§ 1905 Abs. 2 des Bürgerlichen Gesetzbuchs) wird mit der Bekanntmachung an den Verfahrenspfleger oder im Falle des § 67 Abs. 1 Satz 6 an den Verfahrensbevollmächtigten sowie an den für die Entscheidung über die Einwilligung in eine Sterilisation bestellten Betreuer wirksam.

§ 69b

(1) Der Betreuer wird mündlich verpflichtet. Er ist über seine Aufgaben zu unterrichten. Die Sätze 1 und 2 gelten nicht für Vereinsbetreuer, Behördenbetreuer, Vereine und die zuständige Behörde.

(2) Der Betreuer erhält eine Urkunde über seine Bestellung. Die Urkunde soll enthalten

1. die Bezeichnung des Betroffenen und des Betreuers,

2. bei Bestellung eines Vereinsbetreuers oder Behördenbetreuers diese Bezeichnung und die Bezeichnung des Vereins oder der Behörde,

3. den Aufgabenkreis des Betreuers,

4. bei Anordnung eines Einwilligungsvorbehalts die Bezeichnung des Kreises der einwilligungsbedürftigen Willenserklärungen.

(3) In geeigneten Fällen führt das Gericht mit dem Betreuer und dem Betroffenen ein Einführungsgespräch.

§ 69c

(1) Gegen die Auswahl der Person, der ein Verein die Wahrnehmung der Betreuung übertragen hat, kann der Betroffene gerichtliche Entscheidung beantragen. Das Vormundschaftsgericht kann dem Verein aufgeben, eine andere Person auszuwählen, wenn einem Vorschlag des Betroffenen, dem keine wichtigen Gründe entgegenstehen, nicht entsprochen wurde oder die bisherige Auswahl dem Wohl des Betroffenen zuwiderläuft. § 33 ist nicht anzuwenden.

(2) Ist die zuständige Behörde zum Betreuer bestellt, so gilt Absatz 2 entsprechend.

§ 69f

(1) Das Gericht kann durch einstweilige Anordnung einen vorläufigen Betreuer bestellen oder einen vorläufigen Einwilligungsvorbehalt anordnen, wenn

1. dringende Gründe für die Annahme bestehen, daß die Voraussetzungen für die Bestellung eines Betreuers oder die Anordnung eines Einwilligungsvorbehalts gegeben sind und mit dem Aufschub Gefahr verbunden wäre,

2. ein ärztliches Zeugnis über den Zustand des Betroffenen vorliegt,

3. im Falle des § 67 ein Pfleger für das Verfahren bestellt worden ist und

4. der Betroffene persönlich angehört worden ist.

Die Anhörung des Betroffenen kann auch durch einen ersuchten Richter erfolgen. § 69d Abs. 1 Satz 3 gilt entsprechend. Bei Gefahr im Verzug kann das Gericht die einstweilige Anordnung bereits vor der persönlichen Anhörung des Betroffenen sowie vor Bestellung und Anhörung des Pflegers für das Verfahren erlassen; die Verfahrenshandlungen sind unverzüglich nachzuholen. Bei Gefahr im Verzug kann das Gericht den vorläufigen Betreuer auch abweichend von § 1897 Abs. 4 und 5 des Bürgerlichen Gesetzbuchs bestellen.

(2) Eine einstweilige Anordnung darf die Dauer von sechs Monaten nicht überschreiten; sie kann nach Anhörung eines Sachverständigen durch weitere einstweilige Anordnungen bis zu einer Gesamtdauer von einem Jahr verlängert werden.

(3) Das Gericht kann durch einstweilige Anordnung einen Betreuer entlassen, wenn dringende Gründe für die Annahme bestehen, daß die Voraussetzungen für die Entlassung vorliegen und mit dem Aufschub Gefahr verbunden wäre.

(4) Die einstweilige Anordnung wird auch mit der Übergabe an die Geschäftsstelle zum Zwekke der Bekanntmachung wirksam. Das Gericht hat den Zeitpunkt der Übergabe auf der Entscheidung zu vermerken.

§ 70

(1) Die folgenden Vorschriften gelten für Verfahren über Unterbringungsmaßnahmen. Unterbringungsmaßnahmen sind

1. die Genehmigung einer Unterbringung, die mit Freiheitsentziehung verbunden ist,

   a) eines Kindes (§§ 1631b, 1800, 1915 des Bürgerlichen Gesetzbuchs) und

b) eines Betreuten (§ 1906 Abs. 1 bis 3 des Bürgerlichen Gesetzbuchs) oder einer Person, die einen Dritten zu ihrer Unterbringung, die mit Freiheitsentziehung verbunden ist, bevollmächtigt hat (§ 1906 Abs. 5 des Bürgerlichen Gesetzbuchs);

2. die Genehmigung einer Maßnahme nach § 1906 Abs. 4 des Bürgerlichen Gesetzbuchs und

3. die Anordnung einer freiheitsentziehenden Unterbringung nach den Landesgesetzen über die Unterbringung psychisch Kranker.

Für Unterbringungsmaßnahmen mit Ausnahme solcher nach § 1631b des Bürgerlichen Gesetzbuchs sind die Vormundschaftsgerichte zuständig.

(2) Für Unterbringungsmaßnahmen nach Absatz 1 Satz 2 Nr. 1 und 2 ist das Gericht zuständig, bei dem eine Vormundschaft oder eine Betreuung oder Pflegschaft, deren Aufgabenbereich die Unterbringung umfaßt, anhängig ist. Ist ein solches Verfahren nicht anhängig, so finden § 65 Abs. 1 bis 3, § 65a Abs. 1 Satz 1, Abs. 2 Satz 1 entsprechende Anwendung. In den Fällen der Sätze 1 und 2 gilt für vorläufige Maßregeln § 65 Abs. 5 entsprechend.

(3) In den Fällen des Absatzes 2 Satz 1 kann das Vormundschaftsgericht das Verfahren über die Unterbringungsmaßnahme aus wichtigen Gründen mit Zustimmung des gesetzlichen Vertreters nach Anhörung des Betroffenen an das Gericht abgeben, in dessen Bezirk der Betroffene untergebracht ist, wenn sich das Gericht zur Übernahme des Verfahrens bereit erklärt hat; § 46 Abs. 2 gilt entsprechend. Wird das gemeinschaftliche obere Gericht angerufen, so ist das Gericht, an das das Verfahren abgegeben werden soll, von dem Eingang der Akten bei ihm an bis zu der Entscheidung des gemeinschaftlichen oberen Gerichts für eine vorläufige Maßregel zuständig. Eine weitere Abgabe ist zulässig. Das nach der Abgabe zuständige Gericht ist auch für die Verlängerung einer Unterbringungsmaßnahme zuständig.

(4) Für Unterbringungsmaßnahmen nach Absatz 1 Satz 2 Nr. 1 und 2 gelten die §§ 35b und 47 entsprechend.

(5) Für eine Unterbringungsmaßnahme nach Absatz 1 Satz 2 Nr. 3 ist das Gericht zuständig, in dessen Bezirk das Bedürfnis für die Unterbringung hervortritt. Befindet sich der Betroffene bereits in einer Einrichtung zur freiheitsentziehenden Unterbringung, ist das Gericht zuständig, in dessen Bezirk die Einrichtung liegt.

(6) Die Landesregierungen werden ermächtigt, zur sachdienlichen Förderung oder schnelleren Erledigung die Verfahren über Unterbringungsmaßnahmen nach Absatz 1 Satz 2 Nr. 3 durch Rechtsverordnung einem Amtsgericht für die Bezirke mehrerer Amtsgerichte zuzuweisen. Die Landesregierungen können die Ermächtigung auf die Landesjustizverwaltungen übertragen.

(7) Ist für die Unterbringungsmaßnahme ein anderes Gericht zuständig als dasjenige, bei dem eine Vormundschaft oder eine die Unterbringung erfassende Betreuung oder Pflegschaft anhängig ist, so teilt dieses Gericht dem für die Unterbringungsmaßnahme zuständigen Gericht die Aufhebung der Vormundschaft, Betreuung oder Pflegschaft, den Wegfall des Aufgabenbereiches Unterbringung und einen Wechsel in der Person des Vormunds, Betreuers oder Pflegers mit; das für die Unterbringungsmaßnahme zuständige Gericht teilt dem anderen Gericht die Unterbringungsmaßnahme, ihre Änderung, Verlängerung und Aufhebung mit.

§ 70a

Der Betroffene ist ohne Rücksicht auf seine Geschäftsfähigkeit verfahrensfähig, wenn er das vierzehnte Lebensjahr vollendet hat.

§ 70b

(1) Soweit dies zur Wahrnehmung der Interessen des Betroffenen erforderlich ist, bestellt das Gericht dem Betroffenen einen Pfleger für das Verfahren. Die Bestellung ist insbesondere erforderlich, wenn nach § 68 Abs. 2 von der persönlichen Anhörung des Betroffenen abgesehen werden soll. § 67 Abs. 3 gilt entsprechend.

(2) Bestellt das Gericht dem Betroffenen keine Pfleger für das Verfahren, so ist dies in der Entscheidung, durch die eine Unterbringungsmaßnahme getroffen wird, zu begründen.

(3) Die Bestellung soll unterbleiben oder aufgehoben werden, wenn der Betroffene von einem Rechtsanwalt oder einem anderen geeigneten Verfahrensbevollmächtigten vertreten wird.

(4) Die Bestellung endet, sofern sie nicht vorher aufgehoben wird,

1. mit der Rechtskraft der das Verfahren abschließenden Entscheidung oder

2. mit dem sonstigen Abschluß des Verfahrens.

§ 70c

Vor einer Unterbringungsmaßnahme hat das Gericht den Betroffenen persönlich anzuhören und sich einen unmittelbaren Eindruck von ihm zu verschaffen. Den unmittelbaren Eindruck verschafft sich das Gericht, soweit dies erforderlich ist, in der üblichen Umgebung des Betroffenen. Das Gericht unterrichtet ihn über den möglichen Verlauf des Verfahrens. Verfahrenshandlungen nach Satz 1 sollen nicht durch einen ersuchten Richter erfolgen. Im übrigen gilt § 68 Abs. 1 Satz 5, Abs. 2 bis 5 entsprechend.

§ 70d

(1) Vor einer Unterbringungsmaßnahme gibt das Gericht Gelegenheit zur Äußerung

1. dem Ehegatten des Betroffenen, wenn die Ehegatten nicht dauernd getrennt leben,

2. jedem Elternteil und Kind, bei dem der Betroffene lebt oder bei Einleitung des Verfahrens gelebt hat,

3. dem Betreuer des Betroffenen,

4. einer von dem Betroffenen benannten Person seines Vertrauens,

5. dem Leiter der Einrichtung, in der der Betroffene lebt, und

6. der zuständigen Behörde.

Das Landesrecht kann vorsehen, daß weiteren Personen und Stellen Gelegenheit zur Äußerung zu geben ist.

(2) Ist der Betroffene minderjährig, sind die Elternteile, denen die Personensorge zusteht, der gesetzliche Vertreter in persönlichen Angelegenheiten und die Pflegeeltern persönlich anzuhören.

§ 70e

(1) Vor einer Unterbringungsmaßnahme nach § 70 Abs. 1 Satz 2 Nr. 1 und 3 hat das Gericht das Gutachten eines Sachverständigen einzuholen, der den Betroffenen persönlich zu untersuchen oder zu befragen hat. Der Sachverständige soll in der Regel Arzt für Psychiatrie sein; in jedem Fall muß er Arzt mit Erfahrungen auf dem Gebiet der Psychiatrie sein. Für eine Unterbringungsmaßnahme nach § 70 Abs. 1 Satz 2 Nr. 2 genügt ein ärztliches Zeugnis.

(2) § 68b Abs. 3 und 4 gilt entsprechend.

§ 70f

(1) Die Entscheidung, durch die eine Unterbringungsmaßnahme getroffen wird, muß enthalten

1. die Bezeichnung des Betroffenen,

2. die nähere Bezeichnung der Unterbringungsmaßnahme,

3. den Zeitpunkt, zu dem die Unterbringungsmaßnahme endet, wenn sie nicht vorher verlängert wird; dieser Zeitpunkt darf höchstens ein Jahr, bei offensichtlich langer Unterbringungsbedürftigkeit höchstens zwei Jahre nach Erlaß der Entscheidung liegen,

4. eine Rechtsmittelbelehrung.

(2) Die Entscheidung ist auch im Falle der Ablehnung zu begründen.

§ 70g

(1) Entscheidungen sind dem Betroffenen stets selbst bekanntzumachen. Von der Bekanntmachung der Entscheidungsgründe an den Betroffenen kann abgesehen werden, wenn dies nach ärztlichem Zeugnis wegen erheblicher Nachteile für seine Gesundheit erforderlich ist.

(2) Die Entscheidung, durch die eine Unterbringungsmaßnahme getroffen wird, ist auch den in § 70d genannten Personen und Stellen sowie dem Leiter der Einrichtung, in der der Betroffene untergebracht werden soll, bekanntzumachen. Der zuständigen Behörde sind die Entscheidungen stets bekanntzumachen, wenn ihr das Gericht im Verfahren Gelegenheit zur Äußerung gegeben hatte.

(3) Die Entscheidung, durch die eine Unterbringungsmaßnahme getroffen oder abgelehnt wird, wird erst mit Rechtskraft wirksam. Das Gericht kann jedoch die sofortige Wirksamkeit anordnen. In diesem Falle wird die Entscheidung in dem Zeitpunkt wirksam, in dem sie und die Anordnung der sofortigen Wirksamkeit dem Betroffenen, dem Pfleger für das Verfahren oder dem Betreuer bekanntgemacht, der Geschäftsstelle des Gerichts zur Bekanntmachung übergeben oder einem Dritten zum Zweck des Vollzugs der Entscheidung mitgeteilt werden; der Zeitpunkt ist auf der Entscheidung zu vermerken.

(4) Eine Vorführung auf Anordnung des Gerichts ist von der zuständigen Behörde durchzuführen.

(5) Die zuständige Behörde hat den Betreuer, die Eltern, den Vormund oder den Pfleger auf ihren Wunsch bei der Zuführung zur Unterbringung nach § 70 Abs. 1 Satz 2 Nr. 1 zu unterstützen. Gewalt darf die zuständige Behörde nur auf Grund besonderer gerichtlicher Entscheidung anwenden. Die zuständige Behörde ist befugt, erforderlichenfalls die Unterstützung der polizeilichen Vollzugsorgane nachzusuchen.

§ 70h

(1) Durch einstweilige Anordnung kann eine vorläufige Unterbringungsmaßnahme getroffen werden. § 69f Abs. 1 und § 70g gelten entsprechend. § 70d gilt entsprechend, sofern nicht Gefahr im Verzug ist.

(2) Die einstweilige Anordnung darf die Dauer von sechs Wochen nicht überschreiten. Reicht dieser Zeitraum nicht aus, so kann sie nach Anhörung eines Sachverständigen durch eine weitere einstweilige Anordnung bis zu einer Gesamtdauer von drei Monaten verlängert werden. Eine Unterbringung zur Vorbereitung eines Gutachtens (§ 70e Abs. 2) ist in diese Gesamtdauer einzubeziehen.

(3) Die Absätze 1 und 2 gelten entsprechend, wenn gemäß § 1846 des Bürgerlichen Gesetzbuchs eine Unterbringungsmaßnahme getroffen werden soll.

§ 70i

(1) Die Unterbringungsmaßnahme ist aufzuheben, wenn ihre Voraussetzungen wegfallen. Vor der Aufhebung einer Unterbringungsmaßnahme nach § 70 Abs. 1 Satz 2 Nr. 3 gibt das Gericht der zuständigen Behörde Gelegenheit zur Äußerung, es sei denn, daß dies zu einer nicht nur geringen Verzögerung des Verfahrens führen würde. Die Aufhebung einer solchen Unterbringungsmaßnahme ist der zuständigen Behörde stets bekanntzumachen.

(2) Für die Verlängerung einer Unterbringungsmaßnahme gelten die Vorschriften für die erstmalige Maßnahme entsprechend. Bei Unterbringungen mit einer Gesamtdauer von mehr als vier Jahren soll das Gericht in der Regel keinen Sachverständigen bestellen, der den Betroffenen bisher behandelt oder begutachtet hat oder der Einrichtung angehört, in der der Betroffene untergebracht ist.

3. BtBG

I. Behörden

§ 1

Welche Behörde auf örtlicher Ebene in Betreuungsangelegenheiten zuständig ist, bestimmt sich nach Landesrecht. Diese Behörde ist auch in Unterbringungsangelegenheiten im Sinne des § 70 Abs. 1 Satz 2 Nr. 1 Buchstabe b und Nr. 2 des Gesetzes über die Angelegenheiten der freiwilligen Gerichtsbarkeit zuständig.

§ 2

Zur Durchführung überörtlicher Aufgaben oder zur Erfüllung einzelner Aufgaben der örtlichen Behörde können nach Landesrecht weitere Behörden vorgesehen werden.

II. Örtliche Zuständigkeit

§ 3

(1) Örtlich zuständig ist diejenige Behörde, in deren Bezirk der Betroffene seinen gewöhnlichen Aufenthalt hat. Hat der Betroffene im Geltungsbereich dieses Gesetzes keinen gewöhnlichen Aufenthalt, ist ein solcher nicht feststellbar oder betrifft die Maßnahme keine Einzelperson, so ist die Behörde zuständig, in deren Bezirk das Bedürfnis für die Maßnahme hervortritt. Gleiches gilt, wenn mit dem Aufschub einer Maßnahme Gefahr verbunden ist. (2) Ändern sich die für die örtliche Zuständigkeit nach Absatz 1 maßgebenden Umstände im Laufe eines gerichtlichen Betreuungs- oder Unterbringungsverfahrens, so bleibt für dieses Verfahren die zuletzt angehörte Behörde allein zuständig, bis die nunmehr zuständige Behörde dem Gericht den Wechsel schriftlich anzeigt.

III. Aufgaben der örtlichen Behörde

§ 4

Die Behörde berät und unterstützt die Betreuer auf ihren Wunsch bei der Wahrnehmung ihrer Aufgaben.

§ 5

Die Behörde sorgt dafür, daß in ihrem Bezirk ein ausreichendes Angebot zur Einführung der Betreuer in ihre Aufgaben und zu ihrer Fortbildung vorhanden ist.

§ 6

Zu den Aufgaben der Behörde gehört es auch, die Tätigkeit einzelner Personen sowie von gemeinnützigen und freien Organisationen zugunsten Betreuungsbedürftiger anzuregen und zu fördern. Weiterhin fördert sie die Aufklärung und Beratung über Vollmachten und Betreuungsverfügungen.

§ 7

(1) Die Behörde kann dem Vormundschaftsgericht Umstände mitteilen, die die Bestellung eines Betreuers oder eine andere Maßnahme in Betreuungssachen erforderlich machen, soweit dies unter Beachtung berechtigter Interessen des Betroffenen nach den Erkenntnissen der Behörde erforderlich ist, um eine erhebliche Gefahr für das Wohl des Betroffenen abzuwenden. (2) Der Inhalt der Mitteilung, die Art und Weise ihrer Übermittlung und der Empfänger sind aktenkundig zu machen. (3) (weggefallen)

§ 8

Die Behörde unterstützt das Vormundschaftsgericht. Dies gilt insbesondere für die Feststellung des Sachverhalts, den das Gericht für aufklärungsbedürftig hält, und für die Gewinnung geeigneter Betreuer. Wenn die Behörde vom Vormundschaftsgericht dazu aufgefordert wird, schlägt sie eine Person vor, die sich im Einzelfall zum Betreuer eignet.

§ 9

Die Aufgaben, die der Behörde nach anderen Vorschriften obliegen, bleiben unberührt. Zuständige Behörde im Sinne dieser Vorschriften ist die örtliche Behörde.

IV. Berlin-Klausel

§ 10 Fassung

Dieses Gesetz gilt nach Maßgabe des § 13 Abs. 1 des Dritten Überleitungsgesetzes auch im Land Berlin.

4. BVormVG

§ 1 Vergütung des Berufsvormunds

(1) Die nach § 1836a des Bürgerlichen Gesetzbuchs aus der Staatskasse zu gewährende Vergütung beträgt für jede Stunde der für die Führung der Vormundschaft aufgewandten und erforderlichen Zeit fünfunddreißig Deutsche Mark. Verfügt der Vormund über besondere Kenntnisse, die für die Führung der Vormundschaft nutzbar sind, so erhöht sich diese Vergütung 1. auf fünfundvierzig Deutsche Mark, wenn diese Kenntnisse durch eine abgeschlossene Lehre oder eine vergleichbare abgeschlossene Ausbildung erworben sind; 2. auf sechzig Deutsche Mark, wenn diese Kenntnisse durch eine abgeschlossene Ausbildung an einer Hochschule oder durch eine vergleichbare abgeschlossene Ausbildung erworben sind. Eine auf die Vergütung entfallende Umsatzsteuer wird, soweit sie nicht nach § 19 Abs. 1 des Umsatzsteuergesetzes unerhoben bleibt, zusätzlich ersetzt. (2) Bestellt das Gericht einen Vormund, der über besondere Kenntnisse verfügt, die für die Führung der Vormundschaften allgemein nutzbar und durch eine Ausbildung im Sinne des Absatzes 1 Satz 2 erworben sind, so wird vermutet, daß diese Kenntnisse auch für die Führung der dem Vormund übertragenen Vormundschaft nutzbar sind. Dies gilt nicht, wenn das Vormundschaftsgericht aus besonderen Gründen bei der Bestellung des Vormundes etwas anderes bestimmt. (3) Das Gericht kann für den Zeitraum bis zum 30. Juni 2000 bei der Festsetzung der Vergütung für einen Vormund, der bereits vor dem Inkrafttreten dieses Gesetzes über einen Zeitraum von mindestens zwei Jahren Vormundschaften berufsmäßig geführt hat, abweichend von Absatz 1 einen höheren, sechzig Deutsche Mark jedoch nicht übersteigenden Stundensatz zugrundelegen. Die sich aus der Abweichung ergebende Vergütung soll sich an der bisherigen Vergütung des Vormunds orientieren.

Weiterführende Literatur

(Bücher und Kommentare; auf Aufsätze und Entscheidungen wie auf sonstige Fundstellen ist in den Fußnoten hingewiesen.)

Bassenge/Herbst, Kommentar zum FGG, 8. Aufl. Heidelberg, 1999

Bauer/Birk/Rink/Klie, Heidelberger Kommentar zum Betreuungs- und Unterbringungsrecht, Heidelberg, 1994 ff.

Bienwald, Werner, Betreuungsrecht, Kommentar zum BtG/BtBG, 3. Aufl. Bielefeld, 1999

Dörner/Plog, Irren ist menschlich, Lehrbuch der Psychiatrie/Psychotherapie, Bonn, 1996

Coeppicus, Rolf, Handhabung und Reform des Betreuungsgesetzes, Bielefeld, 1995

v. Eicken/Ernst/Zenz, Fürsorglicher Zwang, Köln, 1990

Gaedt, Christian, Psychopharmakotheraopie bei Menschen mit geistiger Behinderung, Neuerkeröder Beiträge, Heft 10, Evangelische Stiftung Neuerkerode, 1995

Gregersen/Deinert, Die Vergütung des Betreuers, Köln, 1999

Jürgens, Betreuungsrecht – Kommentar, München, 1995 f.

Jürgens/Kröger/Marschner/Winterstein, Das neue Betreuungsrecht, 4. Aufl. München, 1999

Keidel/Kuntze/Winkler, Kommentar zum FGG, 14. Aufl. München, 1999

Kierig/Kretz, Beck'sches Formularbuch Betreuungsrecht, München 2000

Münchener Kommentar (Bearbeiter), Kommentar zum Bürgerlichen Gesetzbuch, 3. Aufl. München, 1992 ff.

Palandt (Bearbeiter), Bürgerliches Gesetzbuch, Kurz-Kommentar, 59. Aufl. München, 2000

Raack/Thar, Betreuungsrecht, Ein Leitfaden, 2. Aufl. Köln, 1999

Saage/Göppinger, Freiheitsentziehung und Unterbringung, 3. Aufl. München, 1994

Stichwortverzeichnis

A

B

I

K

M

N

O

P

R

S

Marianne Andrae

Internationales Familienrecht

Stand: November 1998

Die weltweite Migrationsbewegung führt in wachsendem Maße zu Familienbeziehungen mit internationalem Element. Für die Zukunft ist mit einer weiteren Zunahme dieser Zahlen zu rechnen.
Der Band aus der Reihe Recht und Praxis

- bietet Praktikern und Studierenden die Möglichkeit, sich mit den einschlägigen Bestimmungen des autonomen Privat- und Verfahrensrechts und der Staatsverträge vertraut zu machen
- stellt die familienrechtlichen Sachprobleme dar: Eheschließung, Allgemeine Ehewirkungen und Güterrecht, Scheidung und Unterhalt; Verlöbnis und nichteheliche Lebensgemeinschaft; Abstammung, Legitimation und Adoption von Kindern
- löst die international verfahrensrechtlichen und kollisionsrechtlichen Probleme anhand von Beispielen aus der aktuellen Rechtsprechung
- zeigt die dazu entwickelten Lehrauffassungen auf und berücksichtigt bereits umfassend die zum 1.7 bzw. 1.4.1998 erfolgten umfangreichen Änderungen durch das KindRG, das KindUG, das EheschlRG und das ErbGleichG.

Die Autorin Prof. Dr. Marianne Andrae hat den Lehrstuhl für Bürgerliches Recht, Internationales Privatrecht und Rechtsvergleichung an der Universität Potsdam inne.

1999, 424 S., brosch., 68,– DM, 496,– öS, 62,– sFr, ISBN 3-7890-5661-8
(Recht und Praxis)

NOMOS Verlagsgesellschaft
76520 Baden-Baden

Peter-Christian Kunkel (Hrsg.)

Kinder- und Jugendhilfe

Lehr- und Praxiskommentar (LPK – SGB VIII)
mit Exkurs zur Beistandschaft und Anhang Verfahren und Rechtsschutz

Der neue Lehr- und Praxiskommentar SGB VIII
- ist topaktuell und berücksichtigt in seinen Ausführungen bereits alle Gesetzesänderungen bis zum Ende der 13. Legislaturperiode
- bereitet die Materie didaktisch gelungen und übersichtlich auf
- folgt dem im Kommentar zum BSHG seit vielen Jahren bewährten Konzept und wird ergänzt durch identisch aufgebaute Kommentare zu den übrigen Sozialgesetzbüchern
- ist in der Sache engagiert und bietet hohe Qualität zu einem angesichts leerer Kassen erschwinglichen Preis.

Der Lehr- und Praxiskommentar ist damit eine absolut zuverlässige Orientierungshilfe für
- Rechtsanwälte und Richter
- Entscheider und Sachbearbeiter in Kommunen, bei Freien Trägern, Verbänden oder Rechtsaufsichtsbehörden
- Sozialarbeiter sowie
- Ausbilder und Studierende.

Der besondere Vorteil: Fragen des Verfahrens und Rechtschutzes werden in einem eigenen Kapitel zusammenhängend und anwendungsorientiert dargestellt.
Herausgegeben von Prof. Peter-Christian Kunkel, setzt sich das Autorenteam aus erfahrenen Praktikern der Bereiche Verwaltung, Freie Träger und Rechtsaufsicht sowie Hochschullehrern zusammen und vereint so umfassende praktische Kenntnisse mit ausgewiesener wissenschaftlicher Kompetenz.

1998, 1.130 S., geb., 98,– DM, 715,– öS, 89,– sFr, ISBN 3-7890-5013-X

NOMOS Verlagsgesellschaft
76520 Baden-Baden